D1512306

СЕЗОН КАТАСТРОФ

СЕЗОН КАТАСТРОФ

Алексей Калугин. НАЧАЛО

Вячеслав Шалыгин. АГРЕССИЯ

Роман Глушков. ОХОТА

Вячеслав Шалыгин. ZАПАДНЯ

Вячеслав ШАЛЫГИН

ZAПAДНЯ

ЭКСМО

МОСКВА

2013

УДК 82-312.9
ББК 84(2Рос-Рус)6-4
Ш 18

Разработка серийного оформления
Владиславы Матвеевой

Иллюстрация на переплете *Ивана Хивренко*

Шалыгин В. В.

Ш 18   Zападня / Вячеслав Шалыгин. — М. : Эксмо,
2013. — 384 с.

ISBN 978-5-699-66745-1

Сезон катастроф продолжается!

Группа квестеров под командованием Андрея Лунева доби-
лась победы в первой партии большой игры на выживание, но
справится ли она с новым вызовом «серого» противника? Ведь
теперь коварный враг ставит под свои знамена не уродливых
чужаков, агрессивных и сильных, но плохо приспособленных
к условиям нашего гибнущего мира. В новой партии на стороне
противника действует жестокий и непредсказуемый маньяк по
кличке Лектор, который командует крупной бандой отморозков, готовых на все ради наживы. Думаете, ответ очевиден: Андрей «Старый» Лунев победит, поскольку таковы законы жанра?
Что ж, война покажет....

УДК 82-312.9
ББК 84(2Рос-Рус)6-4

ISBN 978-5-699-66745-1

19.10.2015. Этот день навсегда останется в истории как «День Страха». Ведь после 19 октября 2015 года именно страх стал главным мотивом поступков всех людей на планете. Кого-то он вогнал в депрессию, кого-то довел до отчаяния, а кого-то, наоборот, обозлил и настроил на сопротивление. И причиной этого страха стало Абсолютно Неведомое, которое принялось медленно, но верно расползаться по планете. Зловещее Нечто прорывалось через бесформенные черные разломы бытия, то в одном, то в другом месте, и устанавливало вокруг точек прорыва свои, порой совершенно непонятные людям правила игры.

Сначала точка прорыва (это место назвали «зоной разлома») была одна — посреди кенийской столицы Найроби вдруг взметнулся гигантский грязевой фонтан. Но затем появился другой разлом, третий, десятый...

Бангкок, Новосибирск, Дубай, Каракас, Детройт, Москва... это лишь часть списка крупных городов, которые вошли в двадцатку пострадавших вскоре после начала ползучего светопреставления. Меньше чем за год, к началу осени 2016, число пугающих аномальных зон увеличилось до полусотни и продолжило расти.

Нереальные амплитудные землетрясения, странные «застывшие» извержения вулканов и невообразимые по силе и продолжительности песчаные бури. Необъяснимые стремительные наводнения в маловодных регионах и тлеющие без пожаров земли. Болота, полные невозможных тварей, и странные территории, где время меняло свой ход. Города, в которых нельзя было найти нужный дом, потому что здания постоянно перемещались, как шашки на доске, и города, в одночасье сраженные морозом посреди жаркого лета. Это лишь краткий список проблем, которые встречались на территориях вокруг разломов реальности.

Поначалу власти предержащие пытались изолировать аномальные территории и как-то их изучать, но затем плюнули и пустили дело на самотек. Слишком много стало аномальных зон и слишком уж разные, не поддающиеся никакой систематизации события происходили на этих территориях. Ни в одном из мест прорыва Неведомого в нашу реальность сценарии его вторжения не повторялись. Единственным объединяющим нюансом на первом этапе глобальной катастрофы стало ощущение, что каждый раз из непонятных сопредельных пространств, времен или измерений в наш мир прорывалось худшее, что мог создать или накопить смежный мир.

И еще два проблемных момента. Первый: никто не мог угадать, где в очередной раз рванет, поскольку не существовало никаких примет-предвестников, что именно здесь образуется разлом. И второй: иногда нельзя было понять, в зоне разлома ты или нет. Даже находясь вблизи ее центра. Ведь бывало, что из разлома бытия не выползало ровным счетом ничего и законы мироздания вроде бы не менялись, но все равно в зоне вокруг него жить становилось невыносимо.

Впрочем, со временем вторую проблему удалось худо-бедно решить. В этом помогло знание, которое, как известно, сила. В данном случае — сила, необходимая для выживания. Этим знанием стали общие признаки точек разлома мироздания: подавление всех видов радиосвязи, наличие в центре аморфной черной кляксы — собственно места разлома, и загадочные однотипные вещицы — размером с ладонь квадратные металлические пластины непонятного большинству людей назначения. По одной, две, а иногда и по пять таких штуковин обязательно находили в пределах аномальной зоны вокруг каждого разлома, через который в очередной раз прорвалось Абсолютно Неведомое. Какое-то время спустя этим вещицам придумали название — «пакали», но их назначение и свойства еще долго оставались загадкой. До тех пор, пока в этот вопрос не внес ясность созданный бизнесменом Кирсановым Центр Изучения Катастроф. Именно ЦИК с самого начала (а кое-кто поговаривал, что и задолго до начала Сезона Катастроф) активно занимался проблемой разломов и очень скоро превратился в единствен-

ную реальную силу, способную если не противостоять разрушению мира, то хотя бы помочь человечеству найти свой путь по лабиринту, созданному из осколков мироздания.

Так все и началось. Мир то ли перевернулся, то ли вывернулся наизнанку, не имеет значения. Важно лишь то, что миру пришлось принять новые правила существования. Правила жестокой игры на выживание. Игры, названной ее участниками Сезоном Катастроф.

Пролог

Холодный нудный дождь лил уже почти неделю. Зарядил 20 октября утром, около восьми, и с этого момента не прекращался. Шел, шел и шел. Без пауз, монотонно, не усиливаясь и не ослабевая. Он словно хотел в первую очередь свести город с ума скучной барабанной дробью, а уж после этого утопить.

Впрочем, свихнуться от психической атаки дождя никто не успел. На третьи сутки кое-кто приуныл, но и только. Все потому, что вечером третьего дня стало не до хандры. По всей Москве засорились ливневки, небесная влага прорвалась в коллекторы и метро, затопила подземные коммуникации, и город стал походить на растревоженный муравейник.

А к исходу четвертых суток вода поднялась на полметра выше дорожных бордюров, и город забился в судорогах, как тонущий в холодном море пловец. Агония длилась весь пятый день и завершилась, как, впрочем, и положено, летальным исходом. Ближе к утру шестого дня погасли окна домов, на улицах вырубились последние фонари, и Москва превратилась в мертвый каменно-стеклянный архипелаг.

Дождь никак не отреагировал на капитуляцию города. Он в прежнем ритме поливал серые дома-островки, наполнял водой ставшие каналами улицы и дворы-озера. Дождю показалось недостаточным утопить город, он желал еще и похоронить его под многометровой толщей воды. И не было никакой возможности ему помешать. Оставалось смириться и уйти. Вернее — уплыть.

Большинство жителей так и сделали, но некоторые остались. Зачем? Ответа на этот вопрос не было ни у кого.

Сержант ППС Дмитрий Колесников в сотый раз взглянул на равномерно серое, без просветов небо и зябко поежился. Зачем он остался в утонувшем городе? «По долгу службы», как выражался командир? Ничто не мешало написать рапорт и умотать куда подальше и где посуше. Из любопытства? Тоже нет. Тогда зачем? А вернее — почему?

«Нет ответа. — Сержант вздохнул. — Наверное, просто растерялся, притормозил, а когда очнулся — поздно стало дергаться. Так что придется тянуть лямку до упора. В любом случае навечно тут не оставят. Когда все кругом окончательно зальет, переведут хотя бы за Кольцевую. А то и вовсе в Калугу или Ярославль».

Колесников чуть сдвинул капюшон к затылку и попытался разглядеть далекий горизонт сквозь серую дождевую мглу. В другую погоду с крыши высотки наверняка открывался хороший вид. Но сегодня сержант видел только плоские, блестящие от влаги крыши ближайших зданий. Пялиться на них было удовольствием сомнительным, но служба есть служба. Пост на крыше считался теперь чем-то вроде матросской вахты на марсе. Высоко сижу, далеко гляжу, с помощью бинокля все вижу. Ну, почти все. Насколько позволяет завеса дождя.

В кармане спасательного жилета неожиданно затрещало и зашипело. Это вдруг ожила рация. По неизвестным науке причинам с радиосвязью в городе с каждым днем становилось все хуже и хуже. Сотовая умолкла на третий день потопа, специальная — на четвертый, а со вчерашнего дня работали только простейшие «уоки-токи» (как ни странно), да и то изредка. За сегодня Колесников лишь однажды сумел выйти в эфир. Вполне возможно, что сейчас рация подала признаки жизни в последний раз.

— Колесо... на борт... — пробилось сквозь треск помех.

Сержант на всякий случай ответил «есть, понял» и спустился с крыши на второй этаж. Покидать здание ему пришлось тем же путем, которым он в него проник — через окно лестничного марша между первым и вторым этажами. Ниже плескалась вода.

Колесников выбрался на козырек парадного и уселся в причалившую к нему сине-белую резиновую лодку с подвесным мотором. Суденышко было новое, лишь позавчера переданное в ведение полиции одним из спортивных магазинов, но уже имело десяток заплат на местах пулевых пробоин.

Патрульно-постовая служба по-прежнему была «и опасна, и трудна». Даже более трудна, чем прежде. Освоить управление новым транспортом оказалось не так-то просто, да и тактике поимки преступников на бескрайних водных просторах и в бесчисленных «фьордах» архипелага Москва полицейских прежде не обучали. Разумеется, преступники мгновенно учуяли, что полиция дает слабину, и совершенно распоясались. Дать отпор патрулю теперь был готов каждый второй мародер. Отсюда и результат. Непонятно, как стражи порядка вообще не утонули, получив столько дырок на один борт.

Короче, народу в Москве поубавилось, но работы и трудностей только прибавилось. Не расслабишься. Да еще дождь этот бесконечный!

— На Ильинке шухер, — сообщил напарник Колесникова. — Какие-то крысы в Минфин забрались.

— Что им в министерстве понадобилось? — удивился сержант.

— Я почем знаю? — Напарник пожал плечами. — Что мне Серега крикнул, то и тебе докладываю. Общий сбор на Ильинке.

— Сереге хорошо, он на этом... как его...

— На гидроцикле. — Напарник смахнул с лица дождевые капли и поправил капюшон плаща. — Да, прикольно. Летает, как пуля. Потому и посыльным назначили.

— Вот именно — сам как пуля летает, но под пули не лезет, — уточнил свою мысль Колесников.

— Не сдувайся, Колесо, и мы прорвемся, — подбодрил напарник и вывел судно на условный фарватер — середину бывшей улицы Варварка, а затем направил его по крутой дуге в створ Никольского переулка.

В момент, когда до перекрестка с Ильинкой оставалось метров сто, вдалеке прогремело несколько взрывов. В том, что это не гром, можно было не сомневаться. Грохот был не раскатистый. А еще следом за взрывами зазвучали полицейские сирены и взревели лодочные моторы.

Катер сержанта Колесникова влетел в акваторию Ильинки за миг до того, как несколько новеньких гидроциклов поравнялись с перекрестком. Каким образом лихие гонщики ушли от столкновения с полицейским суденышком, осталось для Колесникова загадкой. Маневренные «водные мотоциклы» обогнули катер с носа и кормы и с оглушительным ревом промчались по улице-каналу в направлении Старой площади.

Рефлексы требовали заложить вираж и броситься в погоню, но напарник Дмитрия поступил хладнокровно и грамотно. Он поддал газу и направил судно прямиком в Большой Черкасский переулок, освободив путь тем полицейским катерам, что уже мчались в кильватере неизвестных аквагонщиков. Лишь после этого напарник сбросил ход, развернул катер, вновь вывел его на Ильинку и опять поддал газу.

Лечь на курс оказалось гораздо проще, чем удержаться на нем. Погоня подняла серьезную волну. Лодку подбрасывало и швыряло из стороны в сторону так, что Колесников пару раз едва не вывалился за борт. В третий раз сержант едва не оказался в холодной воде, когда вереница из десятка аквабайков и катеров выписала на сером, рябом от дождя зеркале воды зигзаг — погоня вырулила со Старой площади на Китайгородский проезд и помчалась в направлении бывшего русла Москвы-реки.

Дождь и брызги превратились в единую водную завесу, сквозь которую было трудно рассмотреть детали, а порой и даже крупные препятствия, но напарник Дмитрия уверенно вел суденышко в кильватере более мощных и скоростных катеров и гидроциклов. Лишь когда погоня, заложив правый поворот, вырвалась на оперативный простор разлившейся реки и против легкой надувной лодки начали работать течение и ветер, экипаж Колесникова отстал. И отставание с каждой секундой становилось все существеннее. Зато теперь патрульные более-менее нормально могли оценить ситуацию, не мешала пелена из дождя и брызг.

Мародеров, прорвавшихся сквозь полицейский заслон, было пять, и уходили они на трех гидроциклах. На хвосте у них висели шесть полицейских экипажей — три скоростных катера и три аквабайка. Перевес по всем статьям был у полиции, так что теоретически оторваться мародерам не светило, но осознали это пока только парные экипажи двух гидроциклов: того, что шел по центру, и его левого подельника. Правофланговый, одиночка, все еще надеялся оторваться и вваливал на все деньги.

Происходи все вчера вечером, развязка могла наступить довольно скоро, ведь еще в полночь Большой Москворецкий мост, что напротив Васильевского спуска, частично возвышался над новым уровнем реки. Но за ночь воды прибыло достаточно, чтобы скрыть даже ограждения моста. Теперь из реки торчали только фонарные столбы — для гидроцикла не помеха, не баржа все-таки.

Когда самый резвый из преступников очутился над следующим мостом и заложил вираж, выруливая на ставшую озером Боровицкую площадь, до полицейских, наконец, дошло, что сдаваться он не намерен. Более того — запросто может уйти. И только тогда полицейские открыли огонь. Затея бессмысленная, с подпрыгивающих на волнах катеров можно было попасть только в небо, но для очистки совести патрульные все-таки опустошили пару магазинов и только после этого сбросили скорость.

Улизнувший мародер будто бы спиной почувствовал, что погоня притормозила, и еще поддал газу. Рев его гидроцикла на запредельных оборотах прозвучал, как победный салют. Колесников покачал головой и с досадой хлопнул по надувному борту лодки.

— Наверняка самый ценный груз у него, — проронил сержант.

— Смотри! — вдруг встрепенулся напарник и вытянул руку, указывая на середину затопленного моста.

Колесникову показалось, что он видит нечто вроде замедленной съемки. Из-под толщи серой воды не слишком резко, но мощно, подняв приличную волну и в сопровождении тучи крупных брызг, поднялась странная человеческая фигура. Такая же серая, как речная вода или низкие тучи, но самое главное — не имеющая особых примет. Высокий и худощавый «серый человек» был затянут в облегающий комбинезон с капюшоном или гидрокостюм, вот и все, что можно было о нем сказать. Нет, еще он держал в руке продолговатый предмет вроде эстафетной палочки. Вынырнув и поднявшись над водой по пояс, «серый» направил предмет, словно оружие, на удаляющийся гидроцикл.

Выстрела полицейские не услышали. Они только увидели, как в пелене дождя образовалась странная прореха, а затем в метре позади улизнувшего мародера взметнулся высоченный фонтан. Крутая волна ударила аквабайк в корму, подбросила его вверх и одновременно швырнула вперед. Непонятная ударная волна оказалась настолько сильной, что гидроцикл полетел, словно подхваченный ветром пластиковый стаканчик — далеко, быстро кувыркаясь и периодически рикошетя от воды. Закончил кувыркаться аквабайк, только пролетев метров сто, уже между торчащими из воды деревьями Александровского сада. Финальным аккордом стало жесткое приводнение суденышка днищем вверх. Даже на таком расстоянии сквозь надоевший шум дождя, рев моторов и плеск волн было слышно, как подобно взрыву хлопнул по воде заглохший гидроцикл. А ведь его упрямый рулевой держался до последнего. То есть финальный хлопок он принял на себя.

— Бог шельму метит, — неожиданно ожила рация голосом лейтенанта Николаева. — Артефакт жалко.

— Что за артефакт? — Колесников удивленно посмотрел на своего напарника.

— Не знаю, — тот пожал плечами. — Может, в Минфине что-то прятали, а этот умыкнул. Теперь-то без разницы. Все концы в воду. Спасибо «Серому».

— А где, кстати... — Колесников повертел головой.

На том месте, где секунду назад стоял по пояс в ледяной воде нештатно вооруженный человек в сером гидрокостюме, теперь плескались рябые от дождя волны. Нет, бесследно «Серый» не исчез: от места, где он только что нырнул, расходились круги. Но и только.

— Интересно, кто это был?

— А тебе не по фигу? Может, спецназ какой-нибудь... ну, там, ФСО, например. Вон ведь Кремль. Короче, не наша забота.

— Отбой, всем... — вновь протрещало в рации, — ...нуться на места... патрулирования.

Выполняя приказ лейтенанта Николаева, напарник Колесникова развернул катер и проложил курс обратно до Китайгородского проезда... теперь, наверное, логичнее было говорить «канала». Дмитрий некоторое время размышлял, что могли найти мародеры в Минфине, какой такой «артефакт», и что за странный «серый водолаз» помог полиции разрешить проблему, но вскоре тоже выкинул происшествие из головы. Рабочий момент. Инцидент исчерпан — забудь. Мало ли таких моментов уже было с начала потопа, и сколько еще будет?

Ведь холодный осенний дождь не унимался. Шел, шел и шел. Без пауз, монотонно, не усиливаясь и не ослабевая. Он словно хотел в первую очередь свести город с ума невыносимо скучной барабанной дробью, а уж после этого утопить...

Зона разлома 9, Пакистан (Точка Y), 16.07.2016 г. (273-й день СК)

Невысокие горы, ущелья, скалы, песок и желтая пыль, принесенная ветром из пустыни Тхал. И так на десятки километров в любую сторону. Некоторое разнообразие вносят многочисленные убогие поселки и узкие разбитые дороги, но по большому счету разнообразие это условное. Домишки похожи на те же скалы, а дороги покрыты все той же серовато-желтой пылью. Даже редкая куцая зелень поблизости от поселков и вдоль дорог не украшает пейзаж, поскольку тоже покрыта пылью. И всю эту унылую местность круглый год методично поджаривает солнце.

В общем, Восток дело пыльное и жаркое. В последнее время очень жаркое. Даже для его коренных обитателей.

Мустафа Шараф допил чай и неохотно выбрался из тени на солнцепек. До новой тени, в кабине за рулем автобуса, идти было всего десять шагов, но и на этом коротком отрезке Мустафа имел все шансы перегреться. Солнце палило чересчур сильно, а идти Шарафу полагалось неторопливо. Ведь он считал себя довольно обеспеченным человеком, поэтому и держался соответственно. Ходил несуетливо, вальяжно, посматривал на всех свысока и даже позволял себе выбирать, с кем водить дружбу, а с кем даже и не здороваться. А все потому, что такого замечательно украшенного, вместительного и почти нового (всего-то двадцатилетнего) автобуса не было ни у кого в Джеламе. Знакомые агенты

записывали туристов к Мустафе за месяц до по-
ездки. Конечно, туристов они «сватали» в основ-
ном не из Исламабада или Карачи, из провинций,
но Мустафа не гнался за популярностью среди
столичных жителей. Даже наоборот, он предпочитал именно провинциалов.

Столичные зазнайки не могли оценить все
достоинства шедевра, в который Мустафа превратил свой автобус. Даже вездесущие, как пыль,
немецкие туристы и те восхищенно цокали
языками и одобрительно выкрикивали что-то
на своем каркающем наречии при виде красного,
обильно украшенного затейливым орнаментом
автобуса. А столичные гости только ухмылялись.
Но неверных Мустафа не любил еще больше, чем
столичных зазнаек, поэтому предпочитал провинциалов. Они были и единоверцами, и восхи-
щались искренне. А что платили чуть меньше...
такова воля Аллаха. И вообще, всех денег не за-
работаешь.

Сегодняшний рейс из Джелама в форт Рохтас, древнюю крепость, местную туристическую
жемчужину, построенную в стародавние времена, еще при великом Шер Шахе, обещал Мустафе неплохую прибыль и почти не задевал его
сокровенных чувств. Ни в отношении любимого транспортного средства, ни в религиозном
плане. Половину группы составляли исламабад-
ские студенты (незаносчивая категория, почти
как провинциалы), а другая половина состояла
из чужаков, но не христиан, а одетых на запад-
ный манер единоверцев из какой-то европейской
страны. Мустафа так и не понял, из какой именно.
Говорили европейские мусульмане на странном

языке, иногда переходили на английский, а один раз ввернули вполне понятное словечко: «чай». Мустафа как раз и допивал чай перед выездом.

Если иностранец знает хотя бы одно слово на родном для тебя языке, отношение к нему автоматически становится лучше, хочешь ты того или нет. Вот поэтому Мустафа и решил, что поездка будет приятной, расслабился и даже разрешил туристам не только сфотографироваться на фоне автобуса, но и сделать несколько крупных планов орнамента, украшавшего красный «бас». Пожалуй, люди были приличные, красть и продавать чужие творческие находки не станут.

Окончательно развеял все опасения Мустафы гид, афганец Джемаль. Он давно работал в музейном комплексе форт Рохтас и научился разбираться в людях. Мустафа Шараф доверял его мнению.

— Иностранцы сегодня — важные персоны, — многозначительно вскинув сросшиеся брови, заявил Джемаль. — Шурави.

— Ты хочешь сказать... русские? — удивился Мустафа.

— Да, большие ученые.

— Неверные?

— Нет, наши братья. Из мусульманской провинции. Город Казань. Волею Аллаха, теперь это столица всей России.

— Аллах милостив. — Мустафа все же с недоверием покосился на русских. Из шести гостей лишь двое тянули на ученых, остальные выглядели как профессиональные спортсмены или переодетые военные. И не отставные, а действующие. И сумки у них были большие и тяжелые. Вряд ли научная аппаратура так много весит. — Им нужна крепость или вход в обитель нечистого?

— Они хорошо платят, уважаемый Мустафа, — уловив, в чем суть сомнений водителя, поспешил предупредить Джемаль. — Гораздо лучше тех немцев, которые изучали крепость в прошлый нисан. И они наши братья по вере. Прошу, будь снисходителен.

— Как раз потому, что они братья, я не хочу везти их к обители нечистого...

— Мустафа, прошу, не начинай! — Гид прижал руку к груди.

— Но для тебя, уважаемый Джемаль, я сделаю исключение. Тебе нужно кормить семью. Я понимаю.

— Да пребудет с тобой Всевышний во всех твоих делах. — Джемаль заметно расслабился. — Едем? Уважаемые, прошу в автобус!

Путь до форта Рохтас обычно занимал около часа, но сегодня Мустафа не сумел уложиться в привычный график. Более того, красный автобус так и не добрался до старинной крепости, в южной части которой полгода назад внезапно открылась дверь в обитель нечистого.

Утверждать, что большая подвижная черная клякса на вымощенной камнем площади это именно дверь в жилище Иблиса, никто не спешил, но такие, как Мустафа, были в этом уверены. В отличие от исламабадских ученых, военных и приезжих экспертов, простые люди не искали доказательств. Вера в существование нечистого есть неотъемлемая часть религии в целом, а значит, не требует никаких доказательств. Пусть из черного провала с подвижными, как ртуть, краями не выбирались демоны, а в сорокамильной карантинной зоне вокруг форта Рохтас не происходило ровным счетом ничего подозрительного, само существование странного пятна было достаточным аргументом для Мустафы и его единомышленников. Аллаху ни к чему настолько противоестественное явление — от него даже не отражался свет! — а значит, это дело рук нечистого. Все просто.

А ученые и военные могут сколько угодно рассуждать, строить теории и бездействовать, вместо того чтобы оцепить оскверненное место войсками и забросить в обитель Иблиса доказательство справедливого негодования правоверных. Могуществом килотонн в двадцать. Даром, что ли, Пакистан ядерная держава?

Впрочем, сейчас не об этом. Форт Рохтас только-только замаячил на горизонте, когда Мустафа засек непонятное движение чуть южнее пункта назначения. Пыль и марево над раскаленной землей не позволяли отчетливо разглядеть, что или кто конкретно двигался, но Шарафу это движение не понравилось. С тех пор как в южном бастионе появилось черное пятно, с этой стороны к форту никто не приближался. Ученые наведывались в южный бастион через центр крепости, а местные жители обходили форт исключительно по северной тропе. Даже по восточной старались не ходить. На всякий случай.

Мустафа затормозил и попытался рассмотреть хоть что-нибудь. В отличие от местных пешеходов, у водителя выбора не было. Шоссе подходило к форту Рохтас именно с юга, потом огибало его с востока и заканчивалось у главных ворот в северной стене. Прежде чем подъезжать к форту, Мустафа должен был убедиться в безопасности маневра. Все, как его учили когда-то давно в автошколе и как параллельно научила жизнь. Если нельзя объехать опасное место — лучше вернуться. А если и вернуться нельзя, следует хотя бы проявить максимум осторожности. В юности Мустафа прошел отличную школу жизни, сначала на границе с Индией, а чуть позже и по ту сторону границы с Афганистаном. Воин-моджахед из Мустафы получился так себе, зато проводник и разведчик вышел отменный. В дальнейшей жизни оба таланта плюс природная наблюдательность и осторожность Шарафу пригодились. И не раз. Вот как сейчас.

Поначалу казалось, что клубы желтой пыли поднимаются все выше и выше, но чуть позже Мустафа понял, что это не так. Пыль взлетала максимум на пять метров. Фокус заключался в том, что пыльная завеса двигалась навстречу автобусу. Вот почему казалось, что она растет в высоту. А ведь немного раньше клубы пыли расползались во все стороны!

Такое целенаправленное движение пыли совсем не понравилось Мустафе. Он прижал автобус к левой обочине, а затем вывернул руль вправо и начал разворачиваться. На узкой дороге сделать это было непросто, в один прием не получалось, Шараф потратил на маневр лишние пять секунд, но все-таки с задачей справился. Клубы пыли только-только взобрались на дорогу, когда Мустафа врубил передачу и нажал на педаль газа.

Туристы, поначалу притихшие и безропотные, вдруг загалдели и на урду, и на русском, но Шараф не обратил внимания на их протесты. Автобус разгонялся пусть не очень быстро, но уверенно. Мустафа взглянул в зеркало, чтобы оценить расстояние до пылевой завесы и... ничего в зеркале не увидел! Позади автобуса раскинулась пустынная местность, вплоть до стен форта Рохтас абсолютно свободная от любых непонятных явлений. Пыльная буря резко улеглась, как будто ее и не было!

Шараф невольно перебросил ногу с педали газа на тормоз и одновременно обернулся. Почти непроницаемая тонировка не позволяла ему разглядеть хоть что-то через заднее стекло. Тогда Мустафа энергично покрутил ручку, опуская боковое окошко, и выглянул из автобуса.

И тут же получил хлесткую пощечину. Подхваченные бурей пыль и песок обожгли правую часть лица. Мустафа отпрянул и вновь принялся крутить ручку стеклоподъемника. Коварный Иблис обманул! Поднятая им буря не отражалась в зеркалах, но на самом деле продолжала неистовствовать и нагнала-таки автобус. Шараф снова резко нажал на педаль газа, но было поздно.

В следующую секунду автобус накрыла волна громких пугающих звуков, а видимость прямо по курсу резко упала до нуля. Туристы снова принялись галдеть, но теперь не возмущенно, а испуганно. Почему-то их реакция отчасти успокоила Мустафу. Не он один видел бурю, а значит, это было не его персональное наваждение от теплового удара и не мираж. Это был вызов, который бросил Шарафу вырвавшийся из своей обители нечистый! Нет, Мустафа не собирался этот вызов принимать. Кто он такой, чтобы тягаться с самим Иблисом, повелителем зла? Но убраться подальше от ворот царства нечистого Шараф мог вполне. Это и будет ответом на вызов.

Вой ветра вокруг автобуса сделался оглушительным и обрел нотки, похожие на вопли страдающих грешников. А еще на корпус машины обрушилась серия глухих ударов, словно на крышу начали запрыгивать демоны, спущенные нечистым с цепи. Автобус даже закачался и пару раз вильнул. Мустафа сумел удержать его на прямой и вновь ударил по тормозам.

Пусть снаружи беснуются демоны, продолжать движение стало слишком опасно. Лучше переждать бурю. В страхе, но хотя бы без лишнего риска. А демоны... ну что, демоны... хотели бы забраться внутрь и отнять у Мустафы и его пассажиров души — давно так и сделали бы.

Шараф бесстрашно уставился в непроглядную пылевую завесу перед автобусом, в глубине души удивляясь собственному хладнокровию. Никакой паники, только спокойная решимость, которую ему придавала вера в то, что Аллах, великий и всемогущий, не оставит попавших в ловушку путников. А еще Мустафу вдохновлял тот факт, что в зеркалах по-прежнему не отражалось никакой бури. Пыль, клубящаяся между боковыми стеклами и наружными зеркалами, мешала четко рассмотреть обстановку позади автобуса, но кое-что Мустафа видел.

Например, он видел, что по следам нереальной пыльной бури идет какой-то высокий человек в сером одеянии. Одинокая фигура на шоссе выглядела странно, да и вела себя непонятно. Но сам факт того, что человек спокойно шел, не пригибался от ветра, лишний раз доказывал правоту Шарафа. Пыльная буря была мистическим испытанием, которое наслал нечистый. Его следовало выдержать, только и всего.

Из пылевой завесы прямо перед автобусом неожиданно появилось нечто невообразимое, какой-то монстр с раскрытой пастью, полной острых клыков, и Мустафа Шараф все-таки утратил самообладание. Он испуганно вскрикнул и резко отпрянул. В ту же секунду в зеркале что-то сверкнуло, и Мустафа краем глаза уловил картинку: человек в сером резко выбросил вперед руку, и в сторону автобуса полетел какой-то небольшой, сверкающий золотом предмет. Шарафу показалось, что это маленькая летающая тарелочка, с какими играют дети. Вот только летела эта золотистая «тарелочка» слишком быстро для игрушки. Спустя доли секунды плоский золотистый предмет вдребезги разбил заднее стекло автобуса, просвистел над головами у пассажиров и... с противным хрустом воткнулся в затылок Мустафе Шарафу. Впрочем, этого неприятного звука и стука капель крови по стеклам или новых воплей туристов Мустафа уже не услышал. Он конвульсивно дернулся и замертво рухнул на баранку любимого автобуса...

...Водителя убил золотой пакаль. Рафик Зарипов, командир усиленной группы квестеров — агентов-поисковиков Центра Изучения Катастроф, определил это с последнего сиденья автобуса. Спутать артефакт с чем-то другим было невозможно, даже видя его в необычном ракурсе и наполовину погруженным в череп жертвы. Согласно старой поговорке — за что боролись, на то и напоролись. Правда, напоролся не кто-то из квестеров, а посторонний человек, «гражданское лицо», как было принято выражаться в ЦИК. Да и не боролись обычно за пакали квестеры, а просто искали их в аномальных зонах по всей планете. Хотя и бороться иногда приходилось. Не без того. Допустим, сейчас назревала именно борьба, причем нешуточная, пусть пакаль уже и находился в руках у квестеров. Ну, почти в руках.

Укрепился в своей уверенности Рафик после того, как выглянул в заднее окошко. Сквозь клубы пыли разглядеть противника было трудно, но общие очертания Зарипов рассмотрел. Без сомнений, пакалями швырялся «Серый». Зачем он выкинул такой фокус, оставалось загадкой, но гораздо больше Рафика волновало возможное развитие событий. «Серый» был настроен агрессивно, в этом не осталось сомнений, и у него имелось преимущество — загадочная пыльная буря блокировала автобус, превратив его в мышеловку. Теперь еще и обездвиженную мышеловку. Все, что оставалось сделать «Серому», достать свое загадочное оружие и превратить безумно размалеванный красный автобус в компактный комок железа. В банку консервов «Пассажиры в собственном соку».

Допустить этого Рафик не мог. Он рискованно поднялся с пола и бросился к водительскому креслу. Столкнув убитого шофера, Зарипов уселся за руль и врубил передачу. Пыль прямо по курсу по-прежнему клубилась и даже пыталась формировать причудливые фигуры серо-желтых монстров, но Рафика такие фокусы не пугали. Он отлично понимал, что все эти «3D-мультики» дело рук «Серого». Как он это делает, Зарипов не знал, да и не хотел знать. Ему был важен факт — пыльная буря и пляшущие под ее музыку чудовища нереальны. А вот угроза со стороны «Серого» реальна. И еще как реальна. От этой угрозы и следовало оторваться.

Автобус довольно бодро тронулся с места и некоторое время шел ровно, уверенно набирая скорость, но потом запрыгал на кочках. Зарипов вел машину наугад, поэтому неудивительно, что вылетел с шоссе. Удивительно, что не сразу. В этой ситуации пригодилась бы помощь какого-нибудь навигатора или хотя бы местного проводника, но гид Джемаль был полностью деморализован, лежал в проходе и бормотал молитвы, так что толку от него было мало. Приходилось рисковать по полной программе.

— Левее, не то свалимся! — крикнул Марат, квестер-стрелок. — Я помню, проезжали холмы, между ними большой овраг! Можно сказать — ущелье!

— Понял! — Зарипов кивнул и взглянул в салонное зеркало: — Держитесь там!

Он автоматически перевел взгляд на наружное зеркало и удивленно хмыкнул. В зеркале не отражались никакие клубы пыли. Только покрытая колдобинами местность, шоссе далеко позади и одинокая серая фигура на его обочине.

Зарипов мгновенно смекнул, что надо делать, и вывернул липкую от крови баранку вправо. Автобус выписал широкую дугу, и, когда в зеркалах вновь появилось шоссе, Рафик врубил задний ход. Так, задом наперед, автобус вполне успешно вырулил на шоссе и поехал по нему прочь от центра девятой зоны разлома. Скорость была не ахти, зато теперь через зеркала Зарипов нормально видел дорогу впереди и позади автобуса.

Пыльные демоны вокруг машины заметно активизировались и попытались сгустить завесу между боковыми окнами и зеркалами, но Рафика это не смутило. Заднее стекло автобуса было разбито, глухая тонировка больше не мешала, так что теперь он мог ориентироваться и с помощью салонного зеркала. Правда, где плюсы, там и минусы — из-за разбитого окошка салон был полон настоящей серо-желтой пыли. То и дело съезжая на обочину, автобус поднимал ее в приличном количестве, и она все-таки снижала видимость. Не так сильно, как мистическая пыльная буря, но все же.

В результате какое-то время спустя автобус вновь заплясал по ухабам, и Рафик, как ни старался, не сумел вернуть его на шоссе.

— Удивительно! — вдруг проронил док, так квестеры называли любого прикрепленного к поисковой группе ученого. — Этого пакаля здесь быть не должно! Типичный для этой зоны рисунок — свитая из петель пятиконечная звезда, а здесь двойной гребень с острыми зубцами. Или это челюсти? Очень интересно!

Рафик бросил взгляд на дока. Ученый без всякой брезгливости выдернул золотой пакаль из черепа несчастного шофера, вытер артефакт о халат убитого и теперь разглядывал вырезанный на вещице рисунок. Выдержке и увлеченности дока можно было только позавидовать. Автобус несся вслепую по пересеченной местности маршрутом из преисподней в неизвестность, а дока в первую очередь интересовало происхождение артефакта.

— Не все ли равно, док?! — крикнул Марат.

— Если этот пакаль не из местного разлома, «Серый» мог подкинуть его с какой-то особой целью!

— Чтобы мы вывезли его из этой зоны?

— Не знаю, — док развел руками.

Жест вышел слишком размашистым. Словно ученый раскинул руки, пытаясь дотянуться до поручней под потолком. Но у него не вышло. Док вдруг завалился назад и полетел в хвост салона. Туда же в следующий миг повалились и все остальные, кроме Рафика. Его на миг вдавило в кресло, а затем, наоборот, приподняло над сиденьем, словно в невесомости. И уже не на миг, а на долгие три секунды. Как раз на то время, пока автобус падал в глубокое ущелье...

...Клубы пыли оседали на землю медленно. Высокий и худощавый «Серый» сделал шаг к обочине шоссе и заглянул в пропасть, что зияла в нескольких метрах от края дороги. Пыль все еще кружила в раскаленном воздухе, но увидеть полыхающий на дне пропасти автобус не помешала.

«Серый» с минуту постоял, глядя вниз, а затем сдал назад.

Будто бы следуя примеру, который он подал, шоссе и прилегающий участок местности тоже поползли назад. Вскоре созданное «Серым» коварное искажение реальности исчезло и шоссе вытянулось в струнку, как было и прежде. Теперь между дорогой и краем ущелья вновь простирались три сотни метров пыльной ухабистой местности.

Когда этот участок девятой аномальной зоны принял изначальный вид, «Серый» развернулся и... исчез.

Вновь появился он уже на краю другой «пропасти» — черного разлома в форте Рохтас.

Здесь он не задержался ни на миг. Шагнул в не отражающую света кляксу и вновь исчез. Теперь совсем.

Зона разлома 11, Остров (Точка Z), 17.07.2016 г. (274-й день СК)

Остров — это суша, со всех сторон окруженная водой. То есть остров изолирован от другой суши более или менее широкой и глубокой водной преградой. Кто не знает этой прописной истины?

Огромный остров — площадью под триста квадратных километров, с необычным названием... Остров был отделен от материка обширным мелководьем, которое в любом месте можно было легко преодолеть вброд. Каких-то два часа по пояс в воде — и ты на Острове. Теоретически. А на практике добраться до Острова вброд не удавалось пока никому. И на лодках не удавалось. Можно было брести или грести до потери пульса, а Остров как был, так и оставался недосягаемым зеленым массивом где-то у горизонта. И если подлететь на вертушке и попытаться сесть, снижение могло затянуться до бесконечности, а вернее — пока не кончится горючее. Парашютный вариант и вовсе грозил десантнику смертью от жажды и голода или от холода. Благо, что «зависших» парашютистов в конце концов сносило ветром на Большую землю. Равно как снаряды, мины, ракеты и прочее, чем пытались ради эксперимента обстреливать Остров.

Аномальная зона разлома, что вы хотели? Этим все сказано. Объяснения феномену искать бессмысленно.

И все-таки проникнуть на Остров было возможно. Ведь никто не отменял пространственные перемещения с помощью соединенных пакалей. Да и посреди зоны, как положено, чернела клякса разлома реальности. Это и были пути на Остров. Вот только воспользоваться ими могли немногие. С помощью соединенных пакалей между зонами перемещались избранные люди и «серые», а через разлом и вовсе только «серые».

Высокий и худощавый «Серый» выбрался из разлома как всегда быстро и бесшумно, явно не рассчитывая на аплодисменты и приветственные речи. Впрочем, появись он под грохот салютного залпа, этого тоже никто не оценил бы. Вблизи разлома не оказалось ни души.

«Серый» бросил взгляд на ближайшие обугленные развалины — разлом образовался посреди давно сгоревшего поселка, на миг о чем-то задумался, а затем уверенно двинулся в северном направлении. Там, метрах в трехстах от окраины поселка, пролегала вполне прилично сохранившаяся двухколейная железная дорога. Вряд ли «Серый» собирался поймать на дороге попутную дрезину. Скорее он хотел использовать насыпь «железки» как возвышенность, с которой можно будет осмотреть окрестности.

Земля за околицей была размыта недавним ливнем, но «Серый» шел легко и быстро, словно по асфальту, не поскальзываясь и не увязая. Минутой позже он уже стоял на шпалах, обводя взглядом местность. Впрочем, окажись рядом свидетель, он не рискнул бы поклясться, что «Серый» обводит окрестности именно взглядом. Ведь серая шапочка-маска не имела прорезей ни для глаз, ни для носа и рта.

Некоторое время «Серый» стоял на путях, медленно поворачивая голову влево и вправо, затем развернулся и неспешно двинулся по шпалам на запад. Там всего через три километра начинались городские окраины. И снова ни один здравомыслящий сторонний наблюдатель не сумел бы объяснить, зачем «Серый» направился в город. Ведь этот город был уже давно закрыт на безвременный карантин. Войти в него означало — остаться там навсегда. Выйти из города — по крайней мере тем же, кем ты в него вошел, — не удавалось пока никому.

В городе не осталось ни одного здорового человека, но это не значило, что граждане мирно лежали в больницах и полевых госпиталях. Все они по-прежнему оставались в городе. И не лежали, а бродили по сумрачным улицам. Покрытые незаживающими язвами, неадекватные, вечно голодные и безмерно агрессивные.

Но «Серого», видимо, ничуть не смущала перспектива встречи с особо заразным и хотя бы поэтому особо опасным местным населением. Он двигался уверенно, не оглядываясь по сторонам. А напрасно. Уже на третьей минуте пребывания «Серого» в островной зоне его взяли на заметку и зараженные, и кое-кто из числа граждан, пока еще здоровых и хорошо вооруженных. И что было опаснее — большой вопрос. Ведь первым нужна была пища, и, чтобы получить желаемое, гниющим на ходу больным требовалось приблизиться к «Серому» на расстояние удара. А вот вооруженным людям было достаточно прицелиться, выстрелить, а после подойти и забрать трофеи. Наверняка эти здоровые граждане знали, что у «серых» всегда при себе и экзотическое оружие, и хотя бы один пакаль, с помощью которого теоретически можно выбраться из карантинной зоны разлома.

Ведь в отличие от других зон одиннадцатая с недавних пор и впрямь походила на карантинный отсек. Ровно через два месяца после образования разлома с последующим формированием Острова стало невозможно попасть на Остров обычным путем. А чуть позже, ровно за сутки до появления на Острове первого больного, зона 11 превратилась в настоящую ловушку, поскольку стало невозможно и выбраться из нее. Все попытки уйти с Острова превращались в зеркальное отражение попыток подойти к нему. Люди до изнеможения брели прочь от берега, но удалялись не более чем на сотню метров. То есть остался единственный вариант спасения — с помощью пакалей, которые появляются в аномальных зонах после посещения их «серыми». Но где было взять пакали, если «серые» в одиннадцатую зону не частили? За девять месяцев существования одиннадцатой зоны «серые» появлялись на Острове раза три от силы, и, видимо, поэтому вокруг разлома заветные артефакты пока никто не находил.

В общем, фактически путь с Острова лежал только через разлом. А этот фокус, как уже сказано, был доступен исключительно «серым». Вот такой безысходный стартовый расклад.

Вооруженные люди, засевшие на опушке леса, вдруг подозрительно зашевелились, но первый ход сделала все-таки невменяемая «зараза». Полтора десятка полусгнивших оборванцев достаточно проворно выбрались из-за ближайших развалин и двинулись наперерез «Серому». Было несложно вычислить, что встреча состоится через минуту или раньше.

«Серый» притормозил и резко свернул вправо, на грязный пустырь. Маневр выглядел рискованным, на пустыре можно было запросто увязнуть, но «Серый» шел по грязи, «аки по суху». И все же оторваться ему не удалось. Преследователи отстали, но им на смену пришла еще одна группа прокаженных охотников. Два десятка оборванцев поднялись прямо из грязи и перекрыли «Серому» почти все пути к отступлению.

«Серый» остановился и непонятно откуда вынул своеобразное оружие, нечто похожее на эстафетную палочку или доисторический беспроводной микрофон. Расчистить путь с помощью этого оружия было делом одного выстрела.

Но все оказалось не так просто. Оружие не сработало.

Судя по замешательству «Серого», он не понимал, в чем причина отказа оружия. «Серый» пару раз встряхнул оружие, попытался произвести еще один выстрел, но затем спрятал бесполезный атрибут и развернулся в сторону разлома в сгоревшем поселке. На этом направлении пока никто не мелькал, но зараженные уже смыкали кольцо и очень скоро могли отсечь «Серого» и от спасительного разлома.

«Серый» достал новую вещицу, на этот раз пакаль, и повертел артефакт в руках. Ничего особенного вновь не произошло, но теперь «Серый» этому не удивился. Наоборот, он кивнул как человек, в чем-то удостоверившийся. Спрятав пакаль, «Серый» еще раз оглянулся на преследователей и бросился со всех ног в сторону поселка.

Зараженные тоже сумели ускориться. И очень прилично ускорились. Было ясно, что, если «Серый» не поднажмет, прорваться к разлому он не сумеет при всем желании. Но «Серый» и так бежал быстрее мирового рекорда — где уж тут «поднажимать»? — однако кольцо врага сжималось еще быстрее.

Когда до столкновения с полумертвыми, но все равно проворными и агрессивными охотниками оставались считаные метры и секунды, в ситуацию вмешались те, кто издалека наблюдал за «Серым» с момента его появления на железнодорожной насыпи. Вдалеке стукнуло несколько выстрелов, и ближайшие к «Серому» разносчики заразы рухнули в грязь. Бурая зловонная жижа из размозженных черепов брызнула на «Серого», но беглец не обратил внимания на эту неприятность. Путь к разлому был свободен, и «Серый» не замедлил этим воспользоваться.

Как-либо выражать свою благодарность стрелкам «Серый» не стал. Лишь на окраине сгоревшего поселка он сделал странную отмашку, словно резко бросил что-то на землю. А точнее — словно что-то воткнул в нее. Был ли это жест, выражающий благодарность стрелкам, или же «Серый» действительно что-то выбросил, понять было трудно. Слишком резкой вышла отмашка и слишком быстро вязкая грязь затянула след от вонзившегося в землю предмета, если «Серый» и впрямь что-то выбросил.

Хриплое рычание и вой зараженных преследовали «Серого» до самого разлома. Но теперь это было только щекоткой для нервов. Слишком велик был его отрыв от уцелевших преследователей.

Прежде чем нырнуть в разлом, высокий и худощавый «Серый» замер и обернулся в сторону смешанного перелеска, в котором затаились неведомые стрелки. Он снова никак не обозначил свое отношение к этим людям. Постоял секунду неподвижно, будто бы запоминая лица добровольных помощников, и нырнул в разлом...

...Примерно через час после исчезновения «Серого», когда вся «зараза» убралась восвояси, в центре поселка появились трое незараженных. В респираторах, походной экипировке и с автоматическим оружием. Некоторое время они изучали разлом и его окрестности, а затем двинулись по следам «Серого» к окраине, которая граничила с пустырем. Остановилась троица там, где «Серый» предположительно сбросил некий груз. Какое-то время люди внимательно изучали местность, но отыскать брошенную «Серым» вещицу так и не смогли. Скорее всего, она слишком глубоко ушла в грязь.

— С лопатами вернемся, — заключил один из троицы. — Завтра.

— Лучше с вилами и граблями, ими сподручнее грязь цедить, — заметил второй.

— А если кто опередит? — спросил третий.

— Не опередит. Только мы это видели. И «гнилушки». Но их этакие штуковины не интересуют. Им лишь бы чего пожрать. Так что... завтра...

...Назавтра никто не вернулся. Причина была простой. Ночью троица попала в засаду «гнилушек», и к утру всех троих «этакие штуковины» просто перестали интересовать.

Часть первая
ИГРОКИ

1. Зона разлома 29 (Киевская), 15.07.2016 г. (272-й день СК)

Трава была влажной, как после хорошего дождя, и пахла волшебно. В ее свежем запахе отчетливо выделялись родные и потому особо приятные клеверные нотки. И не имело значения, что формально эти запахи не родные. Да, мир Катастроф был для Андрея чужим миром. Но, во-первых, он почти ничем не отличался от его родной реальности, а во-вторых, какая разница? Запах клевера в обоих мирах казался волшебным. Наслаждаться этим запахом можно было вечно.

Андрей Лунев открыл глаза и проводил взглядом ползущую по травинке божью коровку. Наслаждение позже, сейчас следовало подняться. Пусть после череды испытаний почти не осталось сил, пусть казалось, что болит каждая мышца, это все вторично. Расслабляться было рано. Андрей чувствовал, что никакого тайм-аута ему не светит. Партия игры на выживание завершилась — да здравствует новая партия. Такие вот жесткие правила в «катастрофической игре», полем для которой стал весь этот мир.

Андрей внутренне собрался, уперся руками в землю и медленно поднялся на колени. Теперь хорошо было бы осмотреться по сторонам, но этого не потребовалось. Хватило одного взгляда на ближайшие строения. Местность за время отсутствия Андрея не изменилась. Те же дома, заборы, луга за околицей, речка, а вон там из земли торчит серый обломок летательного аппарата неведомой конструкции. Удивительно, что никто его не утащил. Если не охотники за цветными металлами, то военные должны были подсуетиться. Это ведь обломок натурального НЛО, да еще боевого. Твари из разлома не подпустили? Почему же они сейчас нигде не мелькают? Погиб главный чужак, исчезли и рядовые твари? А он погиб?

Андрей с трудом встал на ноги. Картина окружающего мира стала более информативной. Тварей в поле зрения и впрямь не было. Ни одной. Зато были люди. Много людей, бредущих с самых разных направлений в сторону поселка Дымер. Похоже, проблема с локальным вторжением чужаков из местного разлома частично разрешилась. Твари убрались обратно в свой мир, лежащий по ту сторону черной кляксы. В Киевской зоне разлома номер двадцать девять наступило затишье.

Андрей проводил взглядом ближайшую группу местных жителей и побрел по тропе, ведущей к южной окраине поселка. Метрах в сорока прямо по курсу громоздился еще один обломок серого штурмовика, за крушением которого Лунев наблюдал в самом начале предыдущей партии «катастрофической игры». Андрей принял было влево, чтобы его обогнуть, но присмотрелся и передумал. Двинулся прямиком к обломку. На нем, почти сливаясь с мышиным фоном, сидел «Серый». И, судя по очертаниям фигуры, это был Мастер Игры. Главный знаток правил и алгоритмов, по которым развиваются события Сезона Катастроф.

Откуда Мастер это знал? Вопрос без ответа. Откуда-то «серые» знали все эти алгоритмы, но источники знаний, да и сами алгоритмы они простым людям не открывали. Они даже лиц своих не открывали и вообще вели себя странно. Появлялись, как чертики из шкатулки, давали задания и принуждали их выполнять. Всеми правдами и неправдами. И при этом называли ползущую по миру Катастрофу «игрой». Ничего себе игра, по ходу которой рушится мир и гибнут люди, да? Но «серые» упрямо пользовались игровыми терминами и пытались убедить людей, что светопреставление умещается в рамки неких игровых правил. И надо признать, кое-что у них получалось.

Андрей остановился в пяти шагах от обломка, смерил Мастера взглядом и чуть склонил голову набок:

— Я выполнил ваше задание?

— Не мое. — «Серый» даже не шевельнулся, а голос его прозвучал, словно из поднебесья.

— Да ладно. — Андрей устало усмехнулся. — Не хотите раскрывать все карты, ваше право...

Мастер вдруг повернул голову. Лунев проследил за его взглядом и увидел поблизости одного из боевых товарищей. Увидеть живым юного «брата по оружию» по прозвищу Каспер Лунев никак не рассчитывал. Слишком уж тяжело пришлось группе Андрея в финале первой партии «игры». С другой стороны, начинающий бизнесмен Костя Каспер — юноша проворный и сообразительный, но полный ноль в искусстве выживания и военном деле — должен был погибнуть еще в середине партии. Однако добрался до ее финала. Почему бы ему не выжить и в решающем испытании? Чем черт не шутит? Вернее, чем не шутят «серые»? Это ведь их игра. Во всяком случае, в роли арбитров выступают именно они.

— Как ты сюда попал? — спросил Андрей.

— Вон, спроси, — как бы подтверждая догадку Андрея насчет снисхождения «серых арбитров», Каспер кивком указал на Мастера.

— Не ответит. — Андрей покосился на Мастера Игры. — Эти граждане вообще не любят говорить. Могу поспорить, что даже разбор полетов они проводят в трех словах. Пришел, увидел, победил. Так?

Лунев уставился на «Серого». Тот не поддался на провокацию. Сохранил полное спокойствие. Как всегда.

— Ты говори, — сказал Мастер. — Я поправлю.

— Слышал? — Андрей взглянул на Каспера и усмехнулся. — Хорошо, Мастер. Говорю. Поправляйте. Началось все вроде бы стандартно, как было и в других аномальных зонах. Твари пришли из неведомого мира с той стороны разлома и закрепились в зоне 29. За границы аномальных зон ничто потустороннее самовольно не выползает, только выносится в специальных контейнерах, поэтому сначала ни люди, ни «серые» не опасались, что ситуация в зоне 29 может выйти из-под контроля. Так было?

«Серый» кивнул:

— Продолжай.

— Однако с тварями явился хозяин... назовем его условно Агрессором, которому был нужен вовсе не захват плацдарма в мире людей. Ему требовалось найти определенную комбинацию пакалей, чтобы получить доступ в мир «серых», где расположен вход сразу во все разломы. Именно этот «перекресток миров» был намерен захватить Агрессор. А если точнее — один из «серых», предатель-заговорщик, который и подкинул Агрессору эту замечательную идею. Он же подсказал Агрессору и комбинацию из пяти пакалей для доступа в мир «серых». Сами «серые» переходят в свой мир всего-то с помощью зеркального пакаля, а вот чужим требуется определенная комбинация из пяти разных фишек. Правильно?

— Не прерывайся, — сказал Мастер. — Я поправлю, если ты ошибешься. Продолжай.

— Не вопрос. Для начала «Серый-заговорщик» помог Агрессору добыть первую часть ключа — зеркальный пакаль. Однако зеркальный артефакт слишком «дальнобойная» штуковина. Он нужен для перемещения в космических, а то и больших масштабах. Никто не запрещает палить из пушки по воробьям, но слишком велик риск: одно неверное движение — и ты в другой вселенной. Для поиска нужных пакалей требовались артефакты с меньшими возможностями. Способные переносить не между мирами, а локально, из зоны в зону. Вот почему Агрессор сосредоточился на поисках местных фишек, пусть и не нужных для «ключевого комплекта». Первым пакалем, который добыл Агрессор, стал красный с тигром. Именно то, что нужно для путешествий по соседним зонам разломов. Теперь Агрессор мог заняться непосредственно поисками комплекта «ключей» от мира «серых».

— Но тут появился ты, — проронил Каспер.

— Но тут в дело вмешался Мастер Игры, — возразил Андрей. — Маскируясь под генерала Остапенко, он заставил Бибика найти меня, перебросил в этот мир — и дело для Агрессора осложнилось.

— Не разгоняйся, — вмешался Каспер. — Кто такой Остапенко, какой еще Бибик?!

— Это не важно, — отмахнулся Андрей. — Люди из моего мира. Опустим подробности истории с Агрессором — как говорится, кому интересно, читайте в Интернете — и сделаем вывод: все закончилось вполне удачно. Опасный набор пакалей перехвачен Мастером, Агрессор уничтожен, его покровитель эту партию проиграл. Хотя, пока в четвертой зоне не будут найдены вражьи останки, уверенности нет. Да и куда делся покровитель Агрессора — высокий худой «Серый», тоже вопрос. Но в любом случае угроза миру «серых» устранена, контроль над зоной 29 восстановлен.

— Вот и хорошо. — Каспер кивнул. — Только непонятно, что дальше? Мастер, что дальше?

— Дальше... — Мастер Игры встал и выпрямился, как бы добавляя моменту торжественности. — Ваша группа заработала бонус — выбор. Вы можете продолжить игру или вернуться домой. В последнем случае вы станете обычными сторонними наблюдателями. Навсегда. Поучаствовать в спасении мироздания вам более не удастся.

— Ни больше ни меньше, — иронично проронил Каспер. — А то и верно, чего уж мелочиться? Спасать, так целый мир. А лучше все мироздание.

В отличие от Каспера, человека сугубо практического, а потому бесконечно далекого от загадок бытия и мироздания, Лунев имел огромный опыт по этой части и отлично понимал, о чем говорит Мастер Игры. Спасение Мира Катастроф автоматически спасало и все миры, времена и измерения, соединенные через разломы реальности. И пусть не во всех этих смежных мирах обитали приятные существа, все они имели право на жизнь. В том числе имели это право жители родного мира Андрея. Спасение Мира Катастроф автоматически сохраняло тех, кто остался на той стороне. И среди них было великое множество близких Андрею людей или просто хороших знакомых. Они не просили их спасать, но Андрей понимал, что не сможет нормально жить, если не сделает для них все, на что способен.

Андрей принял решение, но ему не нравилась излишняя торжественность, с которой обставил всю эту церемонию Мастер. Ломая игру «Серого», Лунев обошелся без речей, лишь коротко кивнул и тут же перешел к старым-новым делам:

— Если вам ясно, Мастер, что Агрессор был марионеткой какого-то предателя из вашего стана, что вы намерены предпринять?

— Поймать предателя. — Мастер, похоже, не расстроился из-за того, что Андрей перескочил момент пафосного посвящения в помощники «серых». — Теперь это задача номер один. Он срывает игру. Это может привести к умножению и расширению разломов.

— И тогда мир станет одной большой аномальной зоной?

— Да, Андрей Лунев. Мы намерены отыскать предателя как можно скорее. Ты можешь поучаствовать в этой партии. Готов?

— Всегда готов. — Андрей посмотрел на Каспера: — Что скажешь? Ты в игре?

— По-моему, звали только тебя. — Каспер пожал плечами. — Я тут при чем?

— Мне нужна команда. Пока ее нет, игры не будет.

— Зато у тебя от предыдущей партии наверняка остался пакаль.

— Даже два. И что?

— Как это что! Два пакаля — неплохой капитал и подспорье в новой игре.

— Не имей сто рублей. Лучше б у меня были еще два бойца.

— Я-то согласен, но... — Каспер уставился на Мастера Игры.

— Капитан команды волен подыскивать игроков самостоятельно, — сказал Мастер. — Мы помогаем, если нет времени на поиски или требуется проверенный боец.

— Требуется, — сказал Андрей. — И подсказка, с чего начать вашу новую игру, тоже требуется.

— Хорошо. — Мастер сделал шаг назад и провел рукой над обломком фюзеляжа.

На сером фоне вдруг появились короткие строки:

Белый тигр крадется по мертвым землям...
Бескрылая птица скользит по черному льду...
Кровь земли брызжет на зеркало неба...
И останавливает время август...

Выглядели строки как обычный трафарет на крыле самолета, и этот нюанс почему-то вызвал у Андрея особый интерес. Хотя, скорее всего, дело было не в способе начертания подсказки. Мастер заставил Андрея и Каспера сосредоточиться на изучении текста, чтобы они не заметили, как «Серый» исчезнет.

— Белый тигр... мертвые земли... — Каспер озадаченно почесал в затылке. — Ничего не понял. Гребенщиковщина какая-то. В странных стихах я так же слаб, как в строении мироздания.

— Получается, ты в принципе на голову слабоват, — заявил кто-то, занявший позицию, на которой несколько секунд назад стоял Мастер Игры. — Мне вот песни Гребенщикова нравятся, хоть и не все в них понимаю.

Новоиспеченные спасатели мироздания разом обернулись и уставились на... вольнонаемного бойца Михаила Мухина по прозвищу Муха. Немая сцена затянулась на целую минуту.

Андрей не знал этого парня, но видел, что к поясу бойца прицеплен тесак из арсенала тварей, которые орудовали в 29-й зоне Мира Катастроф. При этом боец обращался к Касперу тоном старого знакомого, но ведь Каспер прежде не бывал в Киевской зоне разлома. Что это может означать, Лунев не понимал, потому и молчал.

Каспер же молчал, поскольку никак не ожидал увидеть Муху целым и невредимым после того, как Михаил остался прикрывать отход группы в 31-й зоне и схлестнулся в жестокой битве меж Кыштымских скал с целой стаей зубастых тварей.

Почему тормозил Мухин, история умалчивает. Ведь даже ей трудно понять, что на самом деле творится в голове у этого странного типа. Почему странного? Об этом чуть позже. Или чуть раньше, в предыдущей истории.

Первым на исходе минуты молчания сбросил оцепенение Каспер:

— Муха, ты откуда взялся?!

— Откуда, откуда... — Мухин криво ухмыльнулся. — Из-под хвоста у верблюда. Мастер вытащил и отремонтировал. Не доверяешь, что ли?

— Доверяю, Мишок. — Каспер заметно расслабился. — Просто интересно стало. За какие такие заслуги тебя Мастер вытащил и отремонтировал?

— Сказал, такой у меня бонус за проявленное мужество и героизм. — Боец слегка насупился. — И не Мишок, а Миха, сколько можно говорить?!

— Привычка, извини. — Каспер обернулся к Андрею: — Вот, Старый, познакомься: Михаил Мухин. Хороший боец и товарищ вышедшей из игры парочки. Ну, ты помнишь, мы о нем рассказывали.

— Я помню. — Андрей задумчиво посмотрел на Муху: — Я Старый.

— Муха, — боец кивнул. — Ольга и Скаут отправились домой?

— Не заходя сюда, прямиком из Бангкока, — вместо Андрея ответил неугомонный Каспер. —

Прикинь, куда нас занесло! А ты почему домой не попросился?

— Какая мне разница? — Муха пожал плечами. — Тут мне даже интереснее.

— Черт, — вдруг проронил Андрей, шаря по карманам. — Пакаля нет! Черного.

— Мастер понял твое заявление буквально? — Каспер покачал головой и смерил Муху оценивающим взглядом. — Серьезный аванс тебе выдали... Миха. Спасли, починили, да еще на черный пакаль обменяли.

— Отработаю, — буркнул Мухин. — Воспитан правильно. В долгу не останусь.

— И кто тебя воспитывал? — вдруг спросил Андрей. — Если не секрет.

— Не секрет, ты наверняка его знаешь... — Муха запнулся. — Знал. Макс Крюгер. Механик. Из рейда в тринадцатый сектор не вернулся.

— Очень мило. — Старый усмехнулся, но затем огорченно вздохнул: — Жаль Механика. Значит, он тебя учил?

— Он.

— Тогда ты стоишь пакаля. — Андрей окончательно отбросил недоверие к новому товарищу, словно тот сделал нечто такое, что на сто процентов доказало его надежность, и протянул ему руку.

— Спасибо. — Муха ответил на рукопожатие. — Хоть один-то еще пакаль остался, нет?

— Остался.

— Ну, и о чем базар? — мгновенно уловив перемену настроения командира, спросил Муха. — Мы до утра трындеть будем или действовать начнем?

— Действовать, — Старый кивнул. — Раз первым упоминается белый пакаль, с него и начнем. Где, думаете, его искать?

— Как было и сказано, — Муха кивком указал на лес у юго-западного горизонта, — в мертвых землях. На местной радиоактивной территории.

— А эта ли территория имеется в виду? — засомневался Каспер. — Насколько понимаю, зона отчуждения вокруг Чернобыля, конечно, радиоактивная, но вовсе не мертвая. Вон, почти вся живая, зеленая. Так что это еще вопрос...

— Как раз не вопрос, — перебил его Андрей. — Сказано, что рисунок на белом пакале — крадущийся тигр. Значит, искать его следует здесь. Так и сделаем. Подъем, бойцы. Погнали!

Зона разлома 29 (Киевская), 17.07.2016 г. (274-й день СК)

«...– А эта ли территория имеется в виду? — засомневался Каспер. — Насколько понимаю, зона отчуждения вокруг Чернобыля, конечно, радиоактивная, но вовсе не мертвая. Вон, почти вся живая, зеленая. Так что это еще вопрос...

— Как раз не вопрос, — перебил его Андрей. — Сказано, что рисунок на белом пакале — крадущийся тигр. Значит, искать его следует здесь. Так и сделаем. Подъем, бойцы. Погнали!»

Команда «подъем» плюс фирменный клич Старого «Погнали!» стали для Каспера чем-то вроде звонка будильника. Костя резко, как глубоко утопленный, а затем отпущенный поплавок, вынырнул из уютной пучины сна и очутился на твердой почве реальности. Вот прямо так — резко вверх, потом чуть вниз и уже на тверди. У Каспера в глубине сознания даже возникла иллюстрация — вот он вылетает из воды, поднимается над ней метра на полтора, а затем вроде бы падает, но уже не в воду, а на толстую ледяную корку, которая вмиг образовалась под взмывшим в воздух ныряльщиком.

Воображаемая иллюстрация вышла качественной, но если сравнивать с приснившимся Косте «разбором полетов» — все же так себе, слабоватой. Вот сон был — это да, мощный. Воспроизведение деталей антуража, образов, реплик... все на высоте. Во сне Каспер будто бы заново пережил этот эпизод из недавнего прошлого. Возможно, кое-что он все-таки упустил, а что-то исказил — память несовершенна, но в целом сон казался очень достоверным. Наяву все почти так и происходило.

«Всего-то два дня прошло. Неудивительно, что прокрутил эпизод так близко к тексту. А вот почему это все приснилось — большой вопрос. Что такого особенного было в том «разборе полетов»? Почему не приснилась, допустим, встреча с гринменами? Тоже был впечатляющий эпизод, запомнился крепко. Но почему-то приснился не он. Почему? В нем не осталось загадок? А какие загадки остались после разбора полетов с Мастером Игры? Непонятный стих-подсказка?»

Костя окончательно стряхнул дремоту и открыл глаза. В старом военном бункере, что спрятался в лесу неподалеку от Чернобыля-2, было темно. Но не потому, что Каспер проснулся среди ночи. Просто в бункере не было окон. Небольшая группа «помощников Мастера» уже вторую ночь отдыхала в этом местечке, а Костя так и не привык к тому, что здесь нет окон.

Каспер уселся на своем матрасе и взглянул на часы. Действительно, было не так уж рано, чтобы все еще спали. Начало восьмого. Андрей и Муха засонями не были. Особенно Муха. Ложился он последним, а вставал первым.

Каспер прислушался. На соседних койках никто не сопел. Значит, все верно. Каспер опять проснулся последним.

Костя поднялся, обулся и протопал к выходу.

Стоило открыть дверь, и все почти сразу забылось. И странный сон, и вызванные им вопросы. Яркая картинка летнего утра в лесу стерла ночные грезы начисто. В памяти остался только факт — снился позавчерашний «разбор полетов» и сон был очень реалистичным.

На небольшой полянке перед дверью лесного убежища шло приготовление завтрака. Занимался этим делом Андрей. Готовил он не на костре, в целях маскировки использовалась походная газовая плитка, но все равно выглядело это здорово. Котелки, миски, древний чайник, вместо стола оружейный ящик, а вместо лавок — бревна. На траве роса, пьянящий свежий воздух и косые лучи восходящего солнца в прорехах крон. Именно так, как мечтается в детстве, когда возникает мысль отправиться в турпоход, да непременно в таежную глушь или в какую-нибудь загадочную аномальную зону.

— Как спалось? — спросил, не оборачиваясь, Лунев.

— Нормально, — Каспер потянулся. — А Муха где?

— За водой пошел. Что снилось?

Каспер хотел было ответить так же односложно, как и в первый раз, но вдруг осекся.

— А почему ты спросил?

— Из вежливости, — Андрей все-таки обернулся и смерил Каспера вопросительным взглядом. — А что? Приснилось что-то необычное?

— Ну, как сказать. — Каспер поскреб макушку. — Не сильно необычное. Бывают сны и повычурнее, но... Короче, «разбор полетов» приснился. Тот, позавчерашний, с Мастером, в Дымере. Почти один в один все прокрутилось. Если честно, впервые такой сон видел.

— Интересно девки пляшут. — Лунев помешал кашу в котелке, постучал ложкой о край посудины и вновь посмотрел на Каспера. — Чем закончилось?

— Как обычно. — Каспер усмехнулся. — «Погнали!»

— Все верно. — Андрей кивнул.

— Что верно-то? — озадачился Каспер. — Тебе тоже это приснилось?

— Это. — Андрей взял нож и банку тушенки. — И тоже будто бы заново пережил. И проснулся на том же месте. Занятно?

— Более чем, — Каспер хмыкнул. — И что думаешь?

— Пока ничего. — Андрей вскрыл банку и вытряхнул ее содержимое в котелок. — Мало ли бывает в жизни совпадений. Вот если и Мухе такой же сон приснился, будем думать. Иди, умывайся, завтрак почти готов.

Каспер кивнул и направился к умывальнику. В бачке было не больше литра воды, но вовремя подоспевший Муха не оставил товарища неумытым. Он торжественно вручил Касперу десятилитровую флягу, а сам уселся на бревно рядом с кухней и принялся что-то рассказывать Андрею. Касперу было интересно, и он прислушивался, как мог, но начало рассказа все-таки пропустил.

— Какие дела? — вернувшись к «костру», спросил Костя.

— Ешь в темпе, — ответил Андрей. — Кажется, появился след.

— Ты насчет сна спросил?

— Не до того сейчас, — отмахнулся Лунев и вновь обернулся к Мухе: — Значит, четверо их? И все в одинаковом камуфляже?

— Камуфляж! — Муха фыркнул и поднял глаза к небу. — В цирке такой камуфляж, у этих... которые реквизит меняют. Черный с желтыми пятнами, это надо было придумать!

— Если цель не замаскироваться, а наоборот — чтоб издалека видели и не трогали, то нормально, — заметил Каспер. — А у кого такая униформа?

— У местных квестеров-нелегалов, — ответил Андрей.

— Серьезно? — Муха покачал головой. — Я думал, только в нашем варианте этой зоны полно клоунов, а их и тут хватает.

— Клоуны клоунами, а пакали добывают исправно. Добывали... Их бригаду три дня назад «серые» зачистили.

— То есть у этих четверых может быть па-каль? — уточнил Каспер. — Тогда понятно! Я готов! Почти.

Он принял у Андрея миску и с энтузиазмом взялся за ее опорожнение.

— Не спеши, — посоветовал Муха, — подавишься еще. Будь у них пакаль, шли бы курсом на выход из зоны. А они в чернобыльском направлении топают.

— Уверенно топают? — спросил Андрей.

— Как по компасу.

— Значит, есть цель. Наши клиенты. Без сомнений.

— Но чай-то попить успеем, — Муха тоже взялся за ложку. — Они к Заполью только через час подойдут. И то если ускорятся. А нам туда пятнадцать минут рысью. Там и перехватим.

— Годится, — согласился Лунев. — Главное, чтобы никто другой не перехватил.

— Не видел больше никого. — Муха покачал головой. — Хотя тут без гарантии.

— Надеюсь, все-таки успеем. — Андрей кивнул. — А нет... перехватим перехватчиков. Не вопрос.

* * *

Обмануть человека очень просто. Говори ему половину правды, не переигрывай и не давай повода зацепиться за детали. Вот и все.

В конструктивно сложном, зато реалистичном сновидении «на троих», которое обеспечил группе Лунева затаившийся неподалеку от лесного бункера высокий худощавый «Серый», были учтены все три «обманные заповеди».

Внутри необычного коллективного сновидения Лунев, Муха и Каспер вспомнили встречу с «Серым» Мастером Игры два дня назад в Дымере, но вспомнили ровно наполовину.

Ну, и для полной достоверности «Серый» не стал внушать спящим людям, что на самом деле он мягкий и пушистый, а их настоящий враг — это Мастер Игры. Такое грубое передергивание могло разрушить всю иллюзию, и коррекция воспоминаний не состоялась бы.

Высокий и худощавый «Серый» сыграл очень тонко. Он «урезал» воспоминания игроков, «вычистил» детали и — самое главное — немного изменил текст подсказки, которую дал Андрею Луневу и компании Мастер Игры. Новый вариант подсказки не был искажен и по большей части нес прежнюю смысловую нагрузку, вот только было в нем на одну строчку меньше:

> Белый тигр крадется по мертвым землям...
> Бескрылая птица скользит по черному льду...
> *Ждут их в горах золотые зубы Иблиса...*
> Кровь земли брызжет на зеркало неба...
> И останавливает время август...

Вот как звучала подсказка на самом деле. Но «Серый» изъял третью строку, и подсказка сделалась бесполезной. И даже опасной.

Казалось бы — только и всего, но именно в этом заключался весь смысл вводной части новой партии Большой Игры. Все трое игроков теперь были абсолютно уверены, что прочитали белое четверостишье, а не пять заветных строк на импровизированном «бортовом» экране во время «разбора полетов» с Мастером Игры — главным и принципиальным противником высокого и худощавого «серого».

2. Зона разлома 29 (Киевская), 17.07.2016 г. (274-й день СК)

— Прожив миллионы лет, могу сказать с полной уверенностью — жизнь удивительна, полна загадок и несправедливо коротка. — Лектор провел окровавленными пальцами по векам жертвы и выдернул из груди убитого нож. — Примерно так должен был сказать Бог, когда созданное им творение покрылось черными трещинами разломов. Ведь это стало началом конца не только мироздания, но и самого Господа! Вместе с этой реальностью он сам начал с хрустом раскалываться на куски! Вот в чем истина, вот в чем смысл и настоящий трагизм происходящего. В этой вселенной больше нет Бога! Ее больше никто не контролирует. Ныне, присно и вовеки веков! Аминь! Следующего в аудиторию!

Бойцы подтащили к центру поляны третьего из четверки квестеров-нелегалов, пойманных отрядом Лектора неподалеку от Чернобыля. Именно этого парня взять оказалось сложнее всего. Он неплохо дрался и даже сумел уложить одного из бойцов, но удар прикладом в затылок остудил его воинственный пыл. Сейчас квестер в нестандартном черно-желтом камуфляже очнулся и снова был настроен сопротивляться. Лектор смерил пленника взглядом и кивнул помощникам:

— Отпустите.

Бойцы выполнили приказ, но руки квестеру не развязали. Пленник гордо выпрямился и грозно уставился на Лектора, главаря довольно крупной банды. Угроза во взгляде черного квестера не смутила Лектора. И не только потому, что в сопровождении четырех десятков головорезов он мог чувствовать себя в полной безопасности. Лектора вообще мало что смущало в этом мире. И раньше, и сейчас. На руках у него было столько крови, что хватило бы на всю банду, а уж сколько он видел недобрых взглядов и сколько слышал угроз в свой адрес — и вовсе не счесть.

— Связанных убивать смелости не надо, — зло процедил пленник сквозь зубы.

— Воистину слова не мальчика, но мужа! — Лектор сунул финку в ножны и поправил «лекторские» очки: в золотой оправе и с двойными стеклами — нижняя часть для чтения, верхняя... скорее для понта. Дальше вытянутой руки Лектор видел нормально. — Уговор такой: я побеждаю — рассказываешь, где спрятал пакаль. Ты побеждаешь — свободен. Годится?

— Договаривался волк с кобылой. — Квестер набычился. — Сделаю тебя, кто твою стаю удержит?

— Мое слово удержит. — Лектор обвел ухмыляющихся бойцов строгим взглядом. — Все слышали? Победит — уйдет!

— Слышали, — пробасил один из бойцов. — Не глухие.

— Развяжите его.

Боец, по-прежнему ухмыляясь, полоснул ножом по вязкам на запястьях квестера и спешно шагнул назад.

Черный квестер тут же ринулся на Лектора и даже успел ударить, но в цель не попал. Лектор неуловимо быстро ушел с линии атаки, эффектно развернулся на сто восемьдесят и, очутившись с противником плечом к плечу, нанес короткий, но мощный удар снизу вверх, точно в челюсть. Пропустив апперкот, квестер «поплыл», но не рухнул. Он попятился, восстановил дистанцию и снова принял стойку.

Вторую атаку начал Лектор. Он резко подался вправо, вынуждая квестера отреагировать и нанести удар. Когда кулак противника уже почти достиг цели, Лектор качнулся влево и сделал полшага вперед с ударом. Теперь захрустела переносица противника. Крупными каплями брызнула кровь, но квестер опять устоял. Более того, он снова бросился на Лектора и почти достал врага мощным свингом. Но все-таки квалификации квестеру не хватило. Как говорится, «почти — не считается».

Лектор в последний миг ушел от удара вниз и сделал полный оборот вокруг своей оси, вместе с тем перемещаясь противнику за спину. А в следующий миг наступила развязка. Лектор выпрямился, молниеносно выхватил из ножен финку и одним движением перерезал квестеру горло.

— Я передумал. — Лектор отвернулся от рухнувшего на землю противника и уставился на последнего из черных квестеров. А вернее, на последнюю — миловидную, чуть полноватую блондинку лет двадцати, в таком же, как был у остальных ее спутников, черно-желтом камуфляже. — А теперь десерт! Ты ведь не станешь упрямиться, милая, и скажешь, где вы спрятали пакаль.

Девушка всхлипнула, покачала головой и с трудом прошептала:

— Я... просто... по кухне... была.

— Кухня — это хорошо. — Лектор усмехнулся. — Нам тоже повариха не помешала бы. Питаемся как попало, а это вредно. Согласна?

Девушка судорожно кивнула.

— Ты ведь понимаешь, милая, что тебе такая легкая смерть не грозит. — Лектор указал на убитых квестеров. — Как тебя зовут?

— Шурочка, — едва сумела выдавить из себя бледная, как полотно, девушка.

— Прекрасное имя, Шурочка. — Лектор причмокнул, будто бы смакуя. — Александра! Величественно и даже царственно звучит. Как-то даже неудобно будет тебя потрошить. Ну что это за царица с кишками на коленках? Величественным особам полагается головы рубить, да непременно мечом. Но меча-то нет! Даже топора не припасли, только ножи в наличии. Не комильфо получится, но мы это переживем, поверь. Знаешь, где тайник?

Лектор вдруг схватил Шурочку за волосы и притянул к себе.

— Я... н-нет... — Голубые глаза девушки стали почти белыми от страха. — Только Иван... С-сергеевич знает... знал... но его... «серые»... твари... убили. То есть наши... когда его твари схватили... То есть «серые» подставили.

— Путаешься в показаниях, Шурочка, — Лектор произнес это строго, но без угрозы. — Жить хочешь?

— Д-да, — Шурочка опять всхлипнула. — Я вспомню! Не убивайте! Я все вспомню... я... п-попробую!

— Кошмарик, воды! — не оборачиваясь, приказал Лектор.

Один из бойцов достал из рюкзака котелок, зачерпнул в ближайшей луже воды и выплеснул ее Шурочке в лицо. У девушки на миг перехватило дыхание, но потом она встрепенулась и начала дышать нормально. А главное, перестала всхлипывать и заикаться.

— Теперь излагай, — приказал Лектор, отпустив ее волосы и вытерев руку о куртку. — Будет польза, останешься в живых. Даже честь твою девичью не тронем. Обещаю.

— Там, у границы зоны отчуждения, есть свалка! — затараторила Шурочка. — Там вертолеты, машины, броневики... много всего! Там радиация — мама дорогая! И никакие приборы... эти... металлоискатели не работают. Столько всякого железа вокруг! Иван Сергеевич говорил, что место надежнее сейфа! Я покажу!

— Теперь и сами найдем, — с усмешкой проронил боец с занятным прозвищем Кошмарик.

— Шурочка покажет, — спокойно возразил Лектор. — Долго бродить по радиоактивной свалке нам не резон. Чем быстрее уберемся с нее, тем лучше. Поняла мою мысль, Александра? Пока идем, вспоминай до мельчайших деталей, что еще говорил твой Иван Сергеевич, каким конкретно местом на свалке интересовался, отлучался ли ненадолго и в какую сторону. Понимаешь меня? Если не вспомнишь, зачет не получишь.

Лектор подбросил на ладони финку, затем лизнул окровавленное лезвие, сплюнул и подмигнул девушке. Шурочку заметно передернуло, и она опять судорожно кивнула.

— Я только... не знаю... — пробормотала она, снова бледнея. — У нас черный пакаль был, но его Иван Сергеевич в разлом уронил. А больше... кажется, не было пакалей.

— Растяпа твой Иван Сергеевич, — Лектор наигранно огорчился. — И себя подвел, и тебя. Если это был ваш единственный пакаль, тебе, повариха Шурочка, крышка... от кастрюли.

— Но ведь... я не виновата!

— Знаю, а что делать? — Лектор вздохнул и развел руками. — Жизнь бывает несправедлива. Может, еще какое-то место твой шеф упоминал?

— Нет. — Шурочка понуро свесила голову.

— Ну, будем надеяться, что и нет никакого другого места, да? — Лектор обнял Шурочку за плечи. — Не журись, милая. Двум смертям не бывать, но одной-то не миновать. Веди.

Он подтолкнул Шурочку и жестом приказал Кошмарику держать пленницу «на поводке». Всем остальным Лектор также жестом приказал двигаться за проводником. Сам он на минуту притормозил, открыл доисторический военный планшет и достал не менее древнюю карту местности.

— Я знаю, где свалка, — притормозив рядом с Лектором, сказал старший помощник главаря, боец по фамилии Дышлюк.

— И я знаю, — проронил Лектор, не отрывая взгляда от карты. — Следит кто-то за нами. Не верти головой, смотри в карту!

— Так, может... проверим. — Дышлюк для маскировки бессмысленно ткнул пальцем в карту.

— На ходу. Минут через десять возьмешь троих и незаметно уйдешь с тропы в сторону метров на двадцать. Там затаитесь и подождете.

— «Языков» брать?

— Бери. — Лектор закрыл планшет. — Морока с ними, конечно... но любая информация в этом проклятом местечке на вес золота. Постой еще секунду, я присмотрюсь повнимательнее. Смотри на меня. И спроси что-нибудь.

Дышлюк вытаращился на Лектора, и главарь присмотрелся к отражению в его зрачках, словно это были два «зеркала заднего вида».

— Что спросить?

— Что угодно. Не моргай! Какая погода завтра, где будем ночевать... не важно. Создавай видимость деловой беседы, тяни время.

— А где ты лекции читал?

— Лекции?

— Ну, ты же Лектор.

— Нашел что спросить! — Лектор принюхался.

— Ты сам сказал — что угодно. Вот я и спросил. Не хочешь, не говори.

— Скажу, но только тебе, Дышлюк. Последние семь лет я на особо строгом режиме находился. И, заметь, не постельном. Там и просвещал народ по части философии. И просвещал бы до конца своих дней, но вдруг начался всемирный бардак, и как-то так вышло, что отворились двери моей пожизненной темницы. Что уж там произошло, куда охрана подевалась... одному богу известно.

— Заливай, — Дышлюк скривился. — Сам, поди, всех и прирезал.

— Господь с тобой, Дышлюк! — Лектор фальшиво возмутился. — Мне и в голову не приходило «читать лекции» вертухаям.

— А пожизненное разве не за «лекции» схлопотал?

— А до этого у меня сплошные студентки были. Девушки нежные, со взорами горящими... любо-дорого! — Лектор усмехнулся. — Вот как эта Шурочка. Отличницы подольше мои лекции слушали, а двоечницы сразу отчислялись за неуспеваемость. Кусками. Большой был у меня курс. Я сам со счету сбился, но прокурор сорок шесть эпизодов насчитал. Можешь моргать.

— Не в Ростове, случаем... преподавал? — Дышлюк невольно зажмурился и потом несколько раз моргнул.

— Нет. Там мой заочный аспирант преподавал. Надо признать, не без успеха. Но все равно до меня ему было далеко. Я ведь не просто так лекции читал, не бубнил скучным голосом. Студентки меня так заслушивались, что и пикнуть не могли, когда я их... отчислял. Короче, эстетика была в моих лекциях. Ораторское искусство высшей пробы... с иллюстрациями, вот что это было! А этот ростовский... мясник, да и только.

— Искусство... — Дышлюк хмыкнул. — Кишки девкам выпускать — это да, искусство.

— Все, закончили базар, — резко произнес Лектор. — Не шевелятся больше наши зрители. Уходим, пока ничего не заподозрили...

...Путь до свалки занял почти три часа, но Лектор не разрешил ни одного привала. И возмутиться никто не посмел. Даже уходившие с Дышлюком бойцы не попросили передышки. Нагнали отряд они уже на подходе к свалке. Взмыленные и без улова.

— Ловкие черти, — доложил помощник. — Одного чуть не взяли, но там болото. Мы, короче, не пошли.

— Отрицательный результат тоже результат, — задумчиво проронил Лектор. — Факт в любом случае налицо: за нами хвост. Разглядели детали?

— Так. — Дышлюк неопределенно помахал рукой. — Экипировка... не разберешь, серая. Оружие... вроде есть. Мы его брать, а он в кусты — шмыг... и с приветом. Короче, непонятно.

— Незачет. — Лектор холодно взглянул на помощника и погладил рукоятку ножа.

— Пересдам, — невозмутимо сказал Дышлюк и тоже взялся за рукоять финки.

— Хорошо. — Лектор обернулся и кивком позвал Кошмарика.

Боец подтолкнул к главарю Шурочку.

— Вспомнила, где тайник, милая? — Лектор смерил девушку строгим взглядом. — Да не трясись ты. В туалет, что ли, хочешь?

— Белый... — Шурочка несколько раз подряд кивнула.

— Что — белый? Я тебя о чем спрашиваю?

— Тайник!

— Верно. А ты что отвечаешь? Моча в голову ударила?

— Нет, я вспомнила! Белому пакалю белая маскировка! Так Иван Сергеевич говорил! Ну, понимаете? Белый... он же на самом деле будто алюминиевый выглядит.

— Вертолеты, — проронил Дышлюк. — Восточный край свалки.

— Да! — Шурочка еще пару раз кивнула.

— Умница, краса девица. — Лектор кивнул: — Можешь отойти, поморосить. Дышлюк, сколько там вертушек?

— Сотня, наверное.

— Десятка четыре, — уточнила Шурочка. Отойти, чтобы справить малую нужду, она не решилась. Да и некуда было отойти. Кругом стояли ухмыляющиеся бойцы Лектора. — Мы слева обходили. Надолго Иван Сергеевич не отлучался.

— Крайние десять проверить — точняк будет, — предложил Дышлюк.

— У нас дозиметры есть? — Лектор обернулся к Дышлюку.

— Один. Только тут, короче, и без приборов ясно — хапнем дозу, мало не покажется.

— Бери Кошмарика, идите первыми, проверьте крайний и назад. И так далее, парами. За короткое время много не хапнете.

— Ну-у. — Дышлюк почесал в затылке.

— Есть вопросы? — Лектор, казалось, превратился в сжатую пружину.

— В болотники обуемся? — Помощник невольно сделал шаг назад.

— Обувайтесь. Также по очереди. Потом здесь их бросите. Час на все. Время пошло.

Когда первая пара ушла в сторону свалки, Лектор разрешил всем, кроме троих часовых, отдохнуть. Сам уселся на поваленное дерево лицом к рыжему, несмотря на обильные дожди, полю, которое отделяло лес от свалки. Шурочка получила приказ усесться прямо на землю в трех шагах от Лектора. Бойцы посматривали на нее с интересом совершенно определенного рода, но Лектор зачем-то держал слово.

— За успех нашего безнадежного предприятия. — Лектор снял с пояса флягу и сделал пару глотков воды. — Шурочка, хочешь пить?

Девушка помялась. Похоже, она не знала, чего ей сейчас хочется больше: пить или писать. Но, в конце концов, она облизнула пересохшие губы и кивнула.

— Пей, — Лектор бросил ей фляжку.

Воды в ней осталось ровно на один глоток.

— Спасибо. — Шурочка вернула флягу.

— Мало? — Лектор усмехнулся. — Да, но ведь ты получила, что хотела. Научись довольствоваться малым, Шурочка, и тогда жизнь будет полна приятных сюрпризов. Впрочем, этот совет не для тебя. Ты ведь наврала, я точно знаю. Ничего мы не найдем на этой свалке, а потому жизнь твоя скоро придет в полную негодность, как лопнувшая на ходу покрышка. Так, милая?

Девушка не ответила. Опять повесила голову и всхлипнула. Но вместо Шурочки предположение Лектора неожиданно опроверг Кошмарик. Именно он первым добежал до места привала.

— Там... кирсановские! — на ходу стряхивая болотные сапоги, крикнул боец. — Прямо на меня как поперли! Мы ноги в руки!

— Вертушку проверили? — спокойно поинтересовался Лектор.

— Да. У Дышла все. Надо сваливать! Кирсановских много. И вояки там, в лесу. Они, по ходу, заодно. Типа зачистки проводят. Минут пять, и здесь будут! Сваливать надо, Лектор!

— Залепи дуло! — Лектор оттолкнул Кошмарика и двинулся навстречу запыхавшемуся Дышлюку. — Что добыл?!

— Что искал, то и добыл. — Дышлюк бросил главарю небольшую квадратную вещицу серебристого отлива. — Пересдал зачет?

— Экзамен автоматом, — Лектор рассмотрел пакаль, спрятал в карман и хлопнул помощника по плечу. — А вот теперь, братва, подъем! Уходим быстро!

— А эту... куда? — спросил Кошмарик и кивком указал на Шурочку.

— «Я бы сам, я бы сам...» — негромко пропел Лектор и с досадой вздохнул: — Да, нет времени. Кончай ее.

Шурочка выпучила глаза, в беззвучном вопле раскрыла рот и попятилась. Кошмарик схватился за автомат, но его осадил Дышлюк:

— Без шума, босота! Легавые кругом! И не вздумай ерундой с ней заниматься, времени нет!

— Понял я, понял, чо. — Бандит достал нож. — Топайте, догоню.

Он расплылся в премерзкой улыбке и двинулся к Шурочке.

* * *

Кошмарик шел вразвалочку, словно играя на публику. А между тем все остальные бандиты во главе с Лектором уже скрылись в лесу, так что начавшийся спектакль могли видеть только сам Кошмарик и его жертва. Против массивного и вооруженного мужика у девушки не было шансов, однако Шурочка вдруг набралась смелости, утробно зарычала и ринулась на бандита. И не просто ринулась, а попыталась ударить Кошмарика некрепко сжатым кулачком.

Кошмарик и не подумал уклоняться. Казалось, даже наоборот, подставился под удар. Может быть, для очистки остатков совести? Первой ударила девица, а бандит ответил. Да, ножом, но тут уж, извините. У кого что есть, тем и защищается. У этой поварихи кулачок, у Кошмарика нож. Что значит, нечестно? А может, у нее кулак железный!

В общем, Шурочкин удар прошел. Свалить им можно было разве что рекламную стойку в супермаркете, но Кошмарик упал! И не просто упал, а рухнул замертво.

Девушка на миг опешила, но уже в следующую секунду развернулась, вломилась в кусты и во весь опор помчалась обратно к месту гибели остатков группы черных квестеров. Почему вдруг рухнул Кошмарик, Шурочку не интересовало. И почему после удара «железным кулачком» у Кошмарика на лбу появилась дырочка, словно от пули? Какая связь? Ни о чем таком Шурочка не думала. Она вообще не думала, просто бежала куда подальше. Бежала от смерти.

И ведь убежала! Не так далеко, как хотелось бы, но убежала! Жаль, что полностью избавиться от неприятностей так и не удалось. Но, во-первых, неприятности и смерть — это две большие разницы, а во-вторых, не факт, что новая встреча вообще грозила девушке неприятностями. Хотя... интеллигентный вид остановившего ее ходока не должен был обманывать. Вон, Лектор тоже в очках и выражается грамотно, а маньяк маньяком.

Когда же Шурочка разглядела второго ходока, она вдруг поняла, что если не крупные неприятности, то приключения на мягкое место действительно продолжаются. Этим вторым оказался

Старый! Тот самый тип, который несколько дней назад сначала устроил диспут с Иваном Сергеевичем возле разлома в Дымере, затем подставил шефа черных квесторов под их же пули, а под занавес еще и навалял твари из другого мира.

Шурочка в этих событиях не участвовала, поначалу она вообще находилась в ближайшей хате, варила обед. Бросилась на подмогу ребятам, лишь когда дело уже дошло до разгрома отряда и драки Старого с ужасной тварью. Потом Старый куда-то подевался, твари ушли из Дымера, а оставшиеся от группы Ивана Сергеевича бойцы и Шурочка спрятались, так что в лицо Старый знать Шурочку не мог, но камуфляж! Такая униформа имелась только у бойцов Ивана Сергеевича. А их Старый должен был считать врагами.

И вот теперь получалось, что за все прегрешения шефа и бывших товарищей отдуваться предстояло хрупкой девушке. Дернул же черт согласиться на предложение Ивана Сергеевича, составить ему компанию в романтическом приключении! Но ведь он так ухаживал, такой был солидный, такие подарки дарил. И вот результат. Одна, без подарков и ухажера в лесу, полном злых вооруженных мужиков. Вляпалась, дура, в историю!

Пока Шурочка соображала, что делать — падать в ноги и каяться или вновь попытаться дать деру, — из кустов выбрался еще один ходок с бесшумным автоматом «Вал» в руках. Путь к отступлению оказался отрезан, поэтому Шурочка рухнула на колени как подкошенная:

— Простите!

— За что? — Старый удивленно взглянул на девушку. — Ты откуда взялась, красавица? — Он опустил взгляд на камуфляжную куртку Шурочки. — Ты черный квестер?

— Отчаянная домохозяйка она, — ухмыльнулся третий ходок. — Драться не умеет, но с кулаками на финку бросилась. Хорошо, мы с «валей» подоспели.

Боец почти нежно погладил ствол оружия, уютно дремлющего у него на сгибе локтя.

— Чувство справедливости воспалилось? — укоризненно глядя на стрелка, спросил первый ходок. — Или гормоны взыграли? А если б засветился?

— Расслабься, юноша. — Стрелок поморщился. — Бандюганы рысью на юг двинули, а квестерам трупаки неинтересны, им след интересен. Я даже помог — догонят, а там одним меньше.

— Квестеры взяли след банды? — переспросил Старый. — Муха, ты ничего не путаешь? На фига козе баян?

— Они... пакаль! — Шурочка всплеснула руками. — Пакаль белый нашли на свалке! Я подсказала! Я не хотела, но они убить могли! Иван Сергеевич тут его спрятал. Он ведь осторожный был, все пакали при себе не таскал. А эти узнали откуда-то... пришли в Дымер, а там... эти, в костюмах. Ну, в смысле — «серые». Наших почти всех убили. Ты же видел, Старый.

— Видел. — Старый жестом потребовал встать. — И еще три трупа видел, там, в Заполье, на окраине. А ты откуда меня знаешь?

— Мы вчетвером уцелели, в подвалах трое суток просидели, там ребята про тебя и рассказали.

Как ты... пакаль у Ивана Сергеевича отнял, а потом... с тварью дрался. А потом мы из Дымера выбрались, решили сходить белый пакаль забрать и уйти из зоны, а тут эти... Лектор. Они всех убили! И меня... хотели...

К горлу подкатил ком, Шурочка умолкла, а потом разрыдалась. И не могла остановиться минуты три. Выплеснув остатки эмоций, Шурочка напоследок всхлипнула и поникла, словно шарик, из которого выпустили воздух.

— Андрей, — негромко позвал первый ходок. — Белый тигр... мертвые земли на радиоактивной свалке... все сходится.

— Заметил, — Старый кивнул. — Красавица, пакаль был местный, с тигром?

— Так, — Шурочка кивнула.

— И теперь он у Лектора, — констатировал Старый. — Лектор — это главарь?

— Так, — голос у Шурочки вновь дрогнул. — Он... очень страшный человек. Очень! Даже не человек... чудовище какое-то!

— Каспер. — Старый обернулся к первому ходоку: — Ты у нас подкованный в этих делах, не слышал о таком субъекте?

— Слышал, — после недолгого раздумья сказал Каспер. — И если это действительно тот Лектор, дело плохо. Не хотелось бы сравнивать, но... думаю, это твой уровень, Андрей, не ниже. И, пожалуй, у него даже есть преимущество — он не признает никаких правил и всяких там кодексов чести.

— Преимущество является таковым, когда о нем не знает противник, — назидательным тоном заявил Муха. — Да и в чем преимущество-то? В том, что Лектор отморозок, который не признает правил? На том и погорит. Да, Старый?

— Посмотрим, — Андрей пожал плечами. — Всякое бывало. Иногда везло и отморозкам.

— Ну да, — Муха усмехнулся. — Только если на круг — ты все еще жив, а отморозки нет.

— Разберемся, — Старый повертел головой. — Идем по следу банды. Надо опередить квестеров. Спасибо, красавица, за информацию.

— Ты не в обиде, да? — Шурочка встрепенулась.

— Да за что? — Андрей нахмурился, припоминая. — За то, что твои приятели хотели меня из автоматов продырявить? Забудь и расслабься. Даже если бы обижался, то на них, не на тебя. Как тебя зовут?

— Шурочка.

— Иди, Шурочка, вон туда, по тропинке. Выведет к Дымеру. Там сейчас военные должны быть. Они тебя не обидят, вывезут из этих мест. Удачи, красавица.

— Постой! — Шурочка вскочила на ноги и попыталась вцепиться Старому в рукав, но не успела и тогда бросилась к Мухе: — Погодите! Я с вами хочу!

— С чего это вдруг? — Муха пожал плечами и аккуратно отодвинул Шурочку с дороги.

— Я пригожусь! — Девушка метнулась к Касперу. — Я много умею! Я только дерусь не очень, а остальное все могу! Я полезная! Серьезно!

— И мы серьезно. — Каспер усмехнулся. — У нас девицы штатным расписанием не предусмотрены. Извини, лапуля. Оставь телефончик, может, потом в Киеве встретимся.

— Ну почему вы злые такие?! — Шурочка проводила группу взглядом и в очередной раз всхлипнула. — Эх, вы, мужланы бессердечные! Я же пропаду одна! Не умею я так!

— Учись, — отмахнулся Каспер. — Когда, если не сейчас? Давай, Шурочка, до свиданья.

* * *

Когда группа скрылась в зарослях, Шурочка еще пару раз тяжело вздохнула, потом вспомнила, что уже давно хочет в туалет, отошла в сторонку и присела. Избавившись от лишней жидкости, она вернулась на тропу и вдруг преобразилась, словно приняла какое-то решение. Может быть, это потому, что больше ничто не мешало думать? Так или иначе, но Шурочка сделалась крайне сосредоточенной и вообще непохожей на прежнюю пухленькую простушку. Со стороны могло показаться, что она даже стала чуть стройнее и выше ростом.

Собравшись, Шурочка прислушалась к лесным звукам, сделала какие-то выводы и уверенно пошагала по следам группы Старого. Пружинисто пошагала, спортивно и ничуть не устало.

До свидания — не до свидания, а упускать Старого «повариха Шурочка» не собиралась. И не потому, что он был завидным женихом. Девушка руководствовалась другими соображениями. Такой была ее главная подсознательная установка. Противиться ей Шурочка не могла. Ведь получила она эту установку не от какого-нибудь экстрасенса-психотерапевта и не от гадалки в подворотне. Шурочка получила ее от «Серого».

Это произошло в финале той самой дымерской истории, сразу после того, как Андрей исчез, твари куда-то ушли, а все люди разбежались по кустам. Шурочка осталась на площади перед разломом реальности одна-одинешенька. Она понимала, что надо бежать со всех ног, но ее взгляд зацепился за изрешеченное пулями тело Ивана Сергеевича, и Шурочка словно окаменела. С гибелью покровителя закончилось не только ее романтическое приключение, но и рухнули все планы на будущее. Что делать дальше? Этот вопрос болезненно пульсировал в сознании, словно нарыв, но даже примерного ответа Шурочка не находила, а потому нарыв никак не вскрывался и все, что ей оставалось — терпеть пульсирующую боль, пока есть силы. И Шурочка терпела. Стояла истуканом посреди площади и терпела.

До тех пор, пока не появился «Серый». Он подошел, взял девушку за руку и развернул к себе лицом. Шурочка на миг оторопела, но потом вдруг расслабилась и начала впитывать информацию. Именно так. Она почему-то чувствовала себя живой губкой, которая впитывает все, что выливает на нее «Серый», — мысленно, конечно. При этом какого-то внятного текста или оформленных образов Шурочка не видела. Информация проваливалась сразу куда-то глубоко и уже оттуда будто бы руководила Шурочкой. Как программа.

Именно эта программа помогла найти убежище, в котором затаились выжившие ребята из отряда Ивана Сергеевича. И эта же программа на третьи сутки сидения в подвале вдруг сообщила, что больше можно не бояться облав, устроенных военными, и выходить. А когда Шурочка попала в руки Лектору, эта же программа помогла не сойти с ума от страха, поскольку внушала девушке, что она обязательно выживет.

А сейчас эта самая программа не только помогла Шурочке узнать Старого, но и приказала идти за ним. И что тут оставалось делать? Конечно же — подчиниться. Ведь раньше программа не подводила, значит, и теперь в ее приказах был смысл. Конечно, Шурочке гораздо больше хотелось вернуться домой, принять ванну и забыть обо всех приключениях в зоне разлома, будто о страшном сне. Но программа не позволяла ей своевольничать. Наверное, и правильно. Выжила благодаря программе, значит, надо отработать. Закон жизни.

Шурочка украдкой вздохнула:

«Вообще-то этот Старый парень ничего. Может, и не просто отработать получится, а с пользой».

Шурочка попыталась прислушаться к новым подсказкам программы, но ничего не услышала. На этот счет «Серый» никаких указаний не оставил. Похоже, в делах сердечных и женской психологии этот загадочный «серый человечек» разбирался слабо. Или просто не задумывался об этом.

«Вот все мужики одинаковые! Хоть «серые», хоть обычные».

Шла по следу Шурочка до последнего. Как ей это удавалось, она не понимала, да и не сильно хотела понимать. Вот как-то так. Опять программа, наверное, не давала сбиться со следа. Когда же Лектор и преследующая его группа Старого остановились на ночлег, Шурочка убедилась, что до утра никто никуда не уйдет, и потопала в сторону границы зоны. И снова достаточно бодро. Подсознательная программа легко и непринужденно подключала к работе скрытые резервы организма, даже не спрашивая разрешения у номинальной хозяйки этого самого организма. Что ж, Шурочка не возражала.

Она только не понимала одного: почему «Серый» не запрограммировал кого-нибудь другого? Почему именно ее? Чтобы никто не догадался? А о чем? Какое секретное задание на самом деле вложил «Серый» в подсознание бедной девушке? А вдруг программа прикажет ей в один прекрасный момент пожертвовать собой? Вот будет шок! Мама не переживет!

Шурочке стало жалко и себя, и маму, и она в очередной раз вздохнула. Но темпа при этом не снизила. А потому к полуночи она уже была в заветном месте. Там, откуда неделю назад группа черных квестеров во главе с Иваном Сергеевичем начала свой трагический рейд в зону разлома.

3. Зона разлома 29 (Киевская), 17.07.2016 г. (274-й день СК)

Группа Лунева имела как минимум два десятка возможностей существенно сократить численность преследуемого отряда. И Мухин каждый раз едва сдерживался, но авторитет Лунева был для Мухи настолько велик, что с катушек Михаил так и не сорвался. Есть такие люди, способные одним взглядом усмирять и слегка неадекватных сограждан, и зверей, и даже тварей из чуждых миров. Лунев относился как раз к этим «усмирителям». Поэтому Мухе оставалось его убеждать, но Андрей был непреклонен.

Крошить всех бандюков в капусту не имело смысла. Зачистки по принципу «кто без погон, но с оружием, тот бандит» были работой военных. Чего ради троица «спасателей мироздания» должна заниматься не своим делом? Кому за это платят, тот пусть и работает. Перед группой Лунева стояла другая задача. Более глубокая по смыслу, как, впрочем, и было сказано в стихотворной подсказке. Даже глубже. Не столько добыть указанные в подсказке пакали, сколько найти связь между ними, а затем правильно их применить. Неужели сложно понять?

— Сложно, — признался Муха. — Попроще бы.

— А если хочешь попроще — следи за бандитами. Возможно, они знают, в чем связь и где искать другие пакали.

— Не факт, что именно те, которые нам нужны.

— Не факт. Но пока других зацепок у нас нет. Поэтому боестолкновение нам невыгодно. Гораздо полезнее — наблюдение.

— Почти ночь, какие наблюдения? — заметил Каспер.

— Тем более нет смысла дергаться.

— Можно проникнуть в их лагерь и взять «языка», — заупрямился Муха. — Он и расскажет, какая связь. Как раз темнеет.

— Вряд ли. Если только взять самого Лектора. Но это ненужный риск.

— Нормальный это риск!

— Муха, — Андрей поморщился, — закончили дебаты. Имей терпение. В нашем деле это первейшее качество.

— Не узнаю тебя, Старый, — проворчал Муха. — То ты вперед рвался, теперь выжидаешь, высматриваешь. Какой ты настоящий, ураганный или осторожный?

— И тот, и другой. Зависит от ситуации. Сейчас выгодно быть занудой, просчитывать все на пять ходов вперед и не делать резких движений. — Андрей указал на удобное местечко для привала: — Здесь остановимся. За Лектором будем следить по очереди. Первый — Каспер.

Каспер без возражений скрылся в зарослях, которые вплотную подходили к околице утонувшей в диких лесах деревни, Муха завалился на хвойную подстилку под старой елью, а Лунев отошел в сторонку и задумчиво уставился на закатные отблески, которые, угасая, играли на кронах деревьев. Мысль почему-то зацепилась за красный цвет, и Андрей машинально сунул руку в карман, где лежал красный пакаль со стилизованным изображением крадущегося тигра.

Прикосновение к пакалю вызвало целую гамму странных ощущений. Гладкая, но не скользкая поверхность пакаля, не теплая, но и не прохладная, была приятна на ощупь, но почему-то вовсе не тактильные ощущения стали первыми в гамме. Луневу вдруг сильно захотелось достать пакаль и еще разок его разглядеть.

Так Андрей и поступил. Он долго разглядывал пакаль, но возникшего желания не удовлетворил.

И это было странно. Нет, не то что желание разглядывать пакаль не пошло на убыль, а сам факт возникновения этого страстного желания. Наверное, нечто подобное испытывают «счастливчики», которые долго ждали выхода нового, допустим, смартфона, затем выстояли очередь и, купив, наконец, заветную вещицу, не могут ею налюбоваться. Теоретически Лунев не испытывал к пакалю никаких страстно-потребительских чувств, но на практике выходило наоборот. Разве что «моя прелесть» не сказал, когда достал вещицу из кармана.

Андрей удивленно хмыкнул и заставил себя сунуть пакаль обратно в карман. Вообще-то в «прежней жизни» Лунев был очень устойчив к внушениям, влечениям, гипнозу и даже к телепатическому воздействию. В каких-то ситуациях это помогало, в каких-то мешало, но факт оставался фактом. Сам Андрей худо-бедно (в сравнении с некоторыми своими приятелями) умл внушать людям нужные подсознательные установки, а вот обратному процессу не поддавался еще никогда. Однако «увлечение» пакалем походило именно на подсознательное постороннее воздействие. Кто воздействовал? Или что воздействовало? Над этим стоило серьезно подумать.

«На досуге. — Андрей все-таки бросил взгляд по сторонам. Очевидных признаков чужого присутствия он не обнаружил. Косвенных тоже. — Пока достаточно понимания, что либо у нас на хвосте висит какой-то наблюдатель-контролер, либо пакаль имеет еще одно не учтенное прежде свойство: как-то воздействует на обладателя. Как? И при каких условиях? Об этом тоже не сейчас. Пока слишком мало фрагментов информационной мозаики на ладони. Картину не сложить. А по отдельным пазлам ничего не поймешь, только запутаешься».

Лунев еще раз бросил взгляд на закатные отблески и вернулся к месту ночевки. Муха уже расположился и достал сухпайки, но товарищи не успели их вскрыть. В зарослях обозначилось движение, и пришлось вновь сменить ложки на оружие. Впрочем, звуки были вполне узнаваемы, поэтому реально к бою изготовился только Муха; он почти бесшумно отполз в кусты. Андрей остался на месте.

Из зарослей выглянул Каспер. Как Лунев и предположил.

— Что случилось? Лектор двинулся дальше?

— Нет, — Каспер махнул рукой. — Там... по-моему «Серый».

— Он тебя видел?

— Не знаю. Прошел мимо, не притормозил. Обошел крайние дома и пропал.

— Тоже следит за Лектором, — вернувшись к месту привала, сказал Муха. — То-то я думаю, как будто хомут на шее висит. Словно крадется кто-то по пятам и взглядом сверлит. Затылок исчесался.

— Вряд ли «Серый» шел за нами, — с сомнением проронил Андрей. — Скорее — параллельно.

— За нами тоже кто-то шел, — вдруг поддержал Муху Каспер. — Может, квестеры?

— Вариант, — Лунев кивнул. — Каспер, останься. Сам посмотрю, что там в деревне. Если объявятся квестеры...

— Наладим пинка, — пообещал Муха.

— Нет, придержите. Хочу с ними поговорить. Что-то тут не так.

— Как скажешь. — Муха пожал плечами и вручил Касперу сухпай Андрея: — Держи, заслужил.

— А так не дал бы? — Костя усмехнулся.

— До моего возвращения не спать, — предупредил Андрей.

— И не собирались, — заверил Муха. — Смысл? В этих местах сны такие, что и не поймешь, сон это или явь. Никакого интереса.

— Да? — Лунев и Каспер переглянулись. — И что за сны конкретно?

— Дымер снился прошлой ночью. Наш разговор с Мастером. А что?

— Точно! — Каспер хлопнул по колену. — Ты прав, Андрей. Что-то тут не так.

— И, кажется, я начинаю догадываться, что конкретно, — окинув товарищей задумчивым взглядом, сказал Лунев. — Ладно, об этом позже. Погнали.

* * *

Сильно ошибается тот, кто думает, что тридцатикилометровая Чернобыльская зона отчуждения пустует. Да, густонаселенными эти места не назвать, но и безлюдными тоже. Практически во всех поселках, не попавших под бульдозеры в первый год после печально известной аварии, до сих пор живут люди. И в Чернобыле живут и работают. И даже в опасной близости от станции. А в лесах полно всевозможной живности. И сами леса, за исключением нескольких навеки «рыжих» участков, выглядят вполне привычно для глаза: зелеными, разве что неухоженными. Но по ночам не светятся, факт. Правда, это не означает, что все тут шоколадно.

Демон Радиации потому и считается одним из самых коварных подручных Смерти, что подкрадывается незаметно и убивает без особых спецэффектов. Это вам не пожар, ураган или свинцовый шквал из амбразуры дота. Вдохнув или проглотив «горячую» частицу, можно прожить еще долго, это ведь не пуля. Но умереть от старости уже не удастся. Тут без вариантов, хоть залечись.

Так что жизнь в зоне отчуждения есть, но элемент «лотереи» в ней имеет в сто раз больший вес, чем на Большой земле. «Найти и потерять» тут гораздо проще, чем в любой другой точке планеты. Вернее, было проще. До 19 октября прошлого года.

Лектор исключительно высоко ценил свою жизнь и здоровье, а потому совершенно не хотел задерживаться в опасных землях, но всему есть предел. Человеческим силам в том числе. Отряд выдохся примерно на десятом километре скоростного марша, и заставить его двигаться дальше Лектор мог, только устроив показательную казнь какого-нибудь слабака из сильно отставшего арьергарда. Скорее всего, это помогло бы пройти еще километра полтора. И все.

Плюс-минус полтора километра проблему не решали, да и запугивание работает, когда его в меру. Человек ко всему привыкает. В том числе к страху. Рано или поздно бойцы привыкнут к чрезмерной кровожадности лидера, и чем тогда их сдерживать?

Существовал еще один способ взбодрить уставшую бригаду: раздать бойцам стимуляторы. Приличный запас старого доброго первитина хранился на дне рюкзака в герметичном контейнере. Но этот способ Лектор решил приберечь на крайний случай. Сейчас случай был не крайний. Да, по следам шли квестеры и военные. Ну и что? Вооружена бригада Лектора была не хуже, обучена тоже неплохо, а местность многие бойцы знали даже лучше любого квестера. Ведь половина отряда была из местных. Оторваться от преследователей бригада могла в любой момент и не сделала этого до сих пор лишь для экономии времени. Нарезать круги, запутывая след, было некогда. Как сказано выше — Лектор не хотел задерживаться на радиоактивной территории. Но опять же, как сказано выше, сделать это пришлось, поскольку все устали.

В общем, «как ни болела — умерла». Запасные варианты так и остались в запасе, и Лектор отдал приказ устраиваться на ночевку в пределах зоны отчуждения. Нравилось ему это или нет, стало вопросом шестнадцатым. Единственное, на чем все-таки настоял Лектор — на дозиметрии. Ворчащий что-то себе под нос Дышлюк обошел все дворы поселка, в котором решил остановиться Лектор, замерил фон и доложил, что «везде один хрен в десять раз больше нормы». Но откровенно «горячих» очагов помощник не обнаружил. Это немного успокоило Лектора, и он выбрал хату для ночевки уже чисто по принципу внешней и внутренней сохранности. Такой хатой оказался дом единственного местного жителя-самосела, деда Семена.

Дед встретил гостей без восторга и немного подобрел, только когда ему щедро плеснули чистого спирта. Пить его Семен не стал. Перелил в баночку с пластиковой крышкой и спрятал емкость где-то в кладовке. Но все равно подобрел. «Сам гоню, но это ж совсем другой продукт», — в меру довольным тоном заявил дед. Еще прочнее стал контакт, когда деду вручили пачку незатейливого копеечного курева. «Самосад тоже имеется, но это ж совсем другой продукт!» А когда выяснилось, что один из бойцов приходится деду дальним родственником, Семен окончательно растаял.

— Я к вам, сынки, претензий не имею, — признался дед. — Но больно много в последнее время тут народу шастает. И не все такие вот душевные. Бывает, бедокурят. И шибко бедокурят! В позапрошлом месяце у тетки Глафиры с хутора корову увели, в прошлом — козу, а намедни сама тетка пропала. Вот я и опасаюсь.

— Правильно, отец. — Лектор осмотрелся и кивком отправил молодого бойца азиатской наружности, который занял место пропавшего без вести адъютанта Кошмарика, к плите, сварганить ужин. — Мы вот товарища сегодня потеряли. Куда подевался — ума не приложу. Как в воду канул. Странные дела творятся.

— Какие места, такие и дела, — проронил Дышлюк.

— А чего места? — искренне удивился Семен. — Вы про станцию? Так ведь это когда стряслось! После этого тихо у нас было, спокойно. Заглядывали разве что ученые и милиция. Да браконьеры иногда. Только с прошлого года как прорвало, сплошной разброд и шатание. А еще хищники какие-то завелись. Слыхали?

— Как завелись, так и от... велись, — буркнул Дышлюк. — Постреляли всех хищников, не бойся, дед. Временно очистили твою зону и окрестности.

— Временно?

— Может, и навсегда, как повезет. Где прикорнуть можно?

— Там койка, тут диванчик. Я сам-то на печке. Еще в сенях можно, кто сырости да нечисти не боится.

— Нечисти? — Дышлюк взглянул на деда исподлобья. — Сказано тебе, постреляли всех хищников.

— А я тебе не за хищников толкую. — Семен погрозил бойцу корявым пальцем. — Нечисть по ночам бродит. Совсем другой продукт!

— Да? — Боец на секунду задумался. — Тогда ты и будешь в сенях спать. Давно с нечистью бок о бок живешь, считай, своим стал, тебя она не тронет.

— Как же?.. — Дед растерянно посмотрел на Лектора. — Не можно мне. Суставы от сырости болят. Зачем же так, сынки?

— Одну ночь потерпишь, — проронил Лектор, не удостоив Семена взглядом.

— Пошел вон. — Дышлюк вытолкал Семена из хаты.

— Что еще за нечисть? — Лектор поднял взгляд на помощника.

— Не знаю. В этой зоне твари зубастые хозяйничали. За чертей могли сойти, но... они для деда хищники. А насчет чего-то еще — я не в курсе. Может, бредит дед, крыша едет от одиночества?

— Китаец, ты слышал о нечисти?

— Нет, босс. — Молодой боец пожал плечами. — Жратва готова. Накладывать?

— Подавать. — Лектор вздохнул. — Потерянное поколение, из-за этого Интернета говорить разучились. Подашь и ступай, прогуляйся, покарауль.

— Там же... нечисть. — Китаец с опаской покосился на окошко.

— А ты крестись, — усаживаясь за стол, сказал Дышлюк. — Умеешь?

— Нет.

— Заодно научишься. Тоже пошел вон!

* * *

Дед Семен сидел на хлипкой лавочке в подворотне и сердито пыхтел самодельной папиросой. Китаец присел рядом, положил на колени автомат и уставился в сумрак. До наступления кромешной темноты, а значит, и до момента возможного появления нечисти, оставались считаные минуты.

— Ты, дед, не придумал... про нечисть?

— Тоже турнули? — Семен покосился на бойца. — Начальство! Ты у нас кто по роду-племени?

— Китаец. А чего?

— Эк тебя занесло.

— Это моих родителей еще в перестройку сюда занесло. А тебе-то чего?

— Ничего. — Семен пару раз чмокнул губами, раскуривая гаснущую папиросу. — Вспомнил поговорку вашу, китайскую. Чем выше обезьяна забирается на дерево, тем лучше видна ее задница. К любому начальству подходит.

— Я таким не стану, — убежденно заявил китаец.

— Доживешь, станешь.

— Доживу? Как это?

— Все до начальства доживают. Кто до крупного, кто до мелкого, вроде вахтера. Даст твой китайский бог, и ты доживешь.

— Хм. — Боец на секунду задумался. — А с нечистью-то чего? Набрехал?

— Собаки брешут, — чуть обиженно ответил дед. — Сам увидишь.

— Как же тут увидишь, темень кругом.

— А ты в темень не гляди. Что с боков, улавливай. Краем глаза. — Дед Семен вдруг перешел на шепот: — Во! Пошла, родимая. Слева. Видишь?

— Нет. — Китаец тоже понизил голос.

— Фигура вроде. Как в этих... магазинах городских. Кукла, на какую одежку вешают.

— Вешалка? — Китаец вскинул автомат и направил его влево.

— Сам ты вешалка! Манин кент, что ли... или как-то так. Вон крадется! Длинный такой, тощий. Чего, так и не видишь, что ли?

— Я, бля, филин тебе, да? — Китаец нервно пошарил по карманам, достал зажигалку и хрустнул колесиком по кремню.

Язычок пламени ничего не осветил, только демаскировал позицию полуночников.

— Спрячь! — потребовал Семен. — Гаси! Дурья башка!

— Сейчас загашу! — Китаец щелкнул переводчиком огня и нажал на спусковой крючок.

Выстрела не получилось. От волнения китаец забыл, что недавно сменил магазин. Сообразив, в чем проблема, боец дослал патрон, но было поздно. В темноте что-то едва слышно хлопнуло, а мгновеньем позже китайца смело с лавочки и отбросило на полсотни метров, к воротам хаты у самой околицы. Боец рухнул мешком и больше не шевелился. На звук падения никто не отреагировал. В крайней хате никто из бойцов не заночевал.

Оторопевший дед Семен выронил папироску, зажмурился и перекрестился, но второго хлопка не последовало. Таящийся в ночи «манин кент» почему-то проявил снисхождение к безоружному местному жителю. Может, просто не хотел расходовать боезапас странного оружия? Может, и так. Главное, что незнакомец сменил планы и оставил Семена в покое.

Подслеповатый на дневном свету, зато необъяснимо зоркий в темноте, глаз деда Семена без труда отследил все дальнейшие перемещения высокого худого незнакомца. Странная обтекаемая фигура легко перемахнула через забор, явно намереваясь обойти хату Семена справа. Что ж, это было правильное решение. Там «манекен» мог неплохо спрятаться в тени покосившейся баньки. Все, что происходит в доме, просматривалось с этой позиции ничуть не хуже, чем с оккупированной Семеном лавки в подворотне. Точно на баньку смотрело второе окно хаты.

Дед Семен стряхнул со штанов пепел, не по годам резво поднялся и двинулся в сторону дальней хаты. По идее, ему было нетрудно предупредить обосновавшихся в его доме непрошеных гостей, что по их души пришла «длинная тощая нечисть». Всего-то подойти к окну, выходящему на улицу, и постучать. Но Семен не стал этого делать.

«Не заслужили. Вот пусть теперь и воздается им по делам их неправедным. Если кого и жалко, так это китайчика... — Семен склонился над китайцем. Парень был мертв. — Ну, хотя бы до начальства не дожил. Не замарался. Упокой, Господи, душу его басурманскую».

4. Зона разлома 29 (Киевская), 18.07.2016 г. (275-й день СК)

Говорят, что на любого хищника всегда найдется более сильный хищник, и только на человека нет управы, кроме самого человека. До последнего времени Лунев был согласен с этим утверждением. Ведь зачастую этой самой «управой» на хищников в человеческом облике выступал он сам. И даже встречи с гринменами в Бангкоке или с агрессивными чужаками из неведомого мира, который лежал по ту сторону Чернобыльского разлома, не поколебали уверенности Андрея, что человек самый опасный хищник на всех доступных уровнях мироздания. Ведь Андрей вышел из схватки с этими тварями победителем.

Теперь же наступил своего рода момент истины. Луневу выпал шанс либо подтвердить, либо опровергнуть эту теорию. Он видел затылок высокого худощавого «Серого» и понимал, что другого случая ему может не представиться. Нет, намерение Лунева атаковать «Серого» имело в первую очередь практическую основу. Академический интерес: «кто круче, люди или серые» — был вторичен. Тем более не факт, что «серые» — это какие-то чужеродные существа. Андрей вполне допускал, что они тоже люди, только более развитые. Например, лазутчики из каких-то иных времен. Чем не шутят загадочные разломы?

В общем, Андрея сейчас не интересовала теория. Пленение этого «Серого» могло принести досрочную победу в текущей партии Игры, вот что было важно. Лунев был уверен, что перед ним тот самый заговорщик, о поимке которого шел разговор с Мастером. Оставалось взять его аккуратно и без шума, чтобы не пришлось разбираться еще и с задремавшими в деревне бандитами. Делать это Андрей умел, а потому не усомнился в правильности принятого решения ни на секунду. И какое-то время ситуация вполне позволяла ему оставаться в плену собственных иллюзий.

Возможно, высокий и худощавый «Серый» действительно был сверхчеловеком из будущего, но первую часть начатой Андреем охоты он прошляпил, как простой смертный. Мало того, что Лунев сумел его выследить и подойти к нему с тыла на расстояние удара, «Серый» не заметил затаившегося противника, даже когда начал обходить хату и почти развернулся к Луневу лицом. Поспешил, помешала темнота или непроницаемая серая маска — не важно.

«Серый» выстрелил из своего оружия в лекторского бойца, который вскинул автомат, чтобы достойно встретить полночного гостя, затем сдал назад, развернулся и сиганул через забор. Видимо, решил зайти на цель — домик, где остановился на ночевку Лектор, — по другой траектории. Но выбор этого пути тоже оказался неверным. Именно здесь, за забором, в высоком бурьяне «Серого» поджидал Андрей.

Атака вышла на загляденье. «Серый» в последний момент все-таки обнаружил Андрея и отреагировал, но Лунев ухитрился выбить у противника оружие, исключив худший вариант развития схватки.

«Серый» мгновенно сменил тактику: непонятно откуда достал нож и попытался нанести серию ударов. В неверном лунном свете матовый клинок был едва виден, движения «Серого» были очень быстрыми, а траектории выпадов не укладывались ни в какие классические схемы ножевого боя, но Андрей избежал неприятностей. С чем-то похожим он уже сталкивался в Дымере, когда ввязался в драку с лидером чужаков. Нет, «Серый» использовал другие приемы, но сходство заключалось как раз в отличиях — такой вот парадокс. Так же, как и лидер чужаков, «Серый» дрался нестандартно, но Лунев был изначально к этому готов. Ну и потом, сам Андрей когда-то обучался вести рукопашный бой вне всяких канонов, иногда даже с кажущимся нарушением законов физики. С точки зрения большинства противников, вести бой так, как это зачастую делал Андрей, было либо нерационально, либо неразумно, либо вообще невозможно. Нет смысла говорить, что противники заблуждались, но понимали это слишком поздно.

Короче говоря, Луневу нашлось чем ответить «Серому». От нескольких выпадов он ушел, несколько заблокировал, а потом и вовсе выбил нож из руки у «Серого», да так, что клинок со свистом улетел в темноту и воткнулся в стену покосившейся баньки справа от хаты. Андрей тут же воспользовался моментом и молниеносной подсечкой уложил «Серого» на землю. Все, что оставалось — броситься сверху, зафиксировать противника в жестком захвате и ударом локтя отправить «Серого» в нокаут. Но противник не позволил Андрею перевести схватку в партер. Прием он использовал из неведомого арсенала, наверняка секретный, но, видимо, «Серый» решил, что лучше пожертвовать секретами, чем жизнью. Как говорится, «не до жиру, быть бы живу».

Рухнув на «Серого», Лунев на самом деле рухнул на землю и сгреб в охапку только сноп терпко пахнущего бурьяна. «Серый» исчез. Не откатился, не выскользнул из захвата, а просто исчез, как будто его и не было. И, что самое противное, тут же появился снова. За спиной у Андрея.

Лунев кувыркнулся вперед, развернулся и выхватил из кобуры запасной пистолет, но выстрелить не успел. «Серый» вновь исчез, через миг опять появился — теперь почти вплотную к Андрею — и провел очень быструю серию из трех ударов: в живот, под локоть и завершающий апперкот. Первый удар Лунев перенес более-менее стойко, хотя дыхание потерял, после второго не сумел удержать пистолет, поскольку рука словно сама собой разжалась, а после третьего Андрей «поплыл».

Пожалуй, такое с ним случилось впервые с тех давних времен, когда он только начал постигать премудрости нестандартной боевой подготовки в стенах мистического хранилища знаний, спрятанного в джунглях Камбоджи. Тренеры не церемонились с подающим надежды учеником, и Андрею прилетало с завидной регулярностью. Но когда это было! С тех пор Лунев не проигрывал ни одной схватки. И вот «на старуху» нашлась-таки пресловутая «проруха».

Каким-то чудом Андрей все-таки остался в сознании, даже сумел быстро разорвать дистанцию, но положения это не улучшило. «Серый» больше не стал отбивать кулаки и тоже сдал назад, но лишь для того, чтобы по-джедайски подхватить утерянное стрелковое оружие. Он вытянул руку ладонью вниз, и серая трубка, подпрыгнув, словно на резиночке, легла в пятерню хозяина.

Бросаться в лобовую атаку теперь было бессмысленно и крайне опасно, поэтому Андрей предпочел ретироваться. За короткий миг, пока рука «Серого» описывала половину дуги — из положения «в сторону» в положение «целься» — Лунев успел сгруппироваться, а затем распрямиться пружиной и выполнить что-то вроде «фосбери-флоп» через двухметровый забор, только с места и с приземлением по ту сторону забора не на спину, а на ноги. Более того, Андрей успел сразу же юркнуть в заросли.

Воображение нарисовало картинку, как «Серый» все-таки нажимает на спуск, и ударная волна выносит часть забора, который с треском рушится на незадачливого прыгуна. А то и вовсе —

обломки летят со скоростью урагана в темноту леса и уносят прыгуна с собой. Но здравый смысл тут же похерил нарисованную воображением картинку. «Серый» старался не шуметь, и треск ломающегося забора не вписывался в его планы. Максимум, на что мог пойти одержавший промежуточную победу «Серый» — перемахнуть через забор следом за Андреем, загнать его поглубже в лес и там закончить дело. Но и на этот вариант у здравого смысла нашелся контраргумент. «Серый» пришел сюда не за этим. Он, конечно, теперь будет иметь в виду, что Лунев опасен и что он охотится именно на него, но с этой проблемой высокий и худощавый будет разбираться позже. Сейчас ему зачем-то требовался Лектор, и никто более. Зачем? Вопрос, как говорится, на засыпку. Единственный ответ пока — черт его знает!

Андрей ощупал припухший подбородок и подвигал челюстью. Вроде бы не сломалась. И то хлеб. Холодненькое приложить бы. Автомат слишком громоздок, да и держать его лучше наготове. Пакаль?

Лунев потянулся за артефактом, и его вдруг словно прошило разрядом тока. Пришедшая в голову мысль была ясной, как погожий июльский день, и обжигающей, как солнце в этот же день.

«Чертова игрушка! Это все из-за нее! Взять в одиночку «Серого»! Такая идея могла прийти в голову только под серьезным градусом или... под воздействием пакаля! Но почему раньше эти штуковины не туманили нам разум? Изменились правила игры? Или это было предусмотрено правилами второго уровня, вот только Мастер забыл предупредить? В любом случае с его стороны это форменное свинство! И что теперь делать с этой «прелестью»? Не выкидывать же!»

Андрей почти бесшумно выбрался на полянку, где расположились товарищи, молча уселся на хвойную подстилку и принял у Мухи сухпай. Прежде чем начать прием пищи, он еще раз подвигал челюстью, покосился на Муху, а затем отложил паек, достал пакаль и вручил его Касперу.

— Что, новый? — Каспер взял пакаль и развернул так, чтобы на него упало побольше лунного света. — Красный вроде, да? Не понимаю. Это твой?

— Это наш. — Андрей снова взял паек. — Теперь ты будешь его хранителем.

— А почему?

— Потому, что тебя не жалко, — с усмешкой «пояснил» Муха.

— В каком смысле? — Каспер опасливо посмотрел на вещицу. — Он радиоактивный?

— Нет. — Андрей осторожно попытался жевать, поморщился, но жевать не прекратил. — Просто... Долго объяснять. Будем считать — твоя очередь.

— Лады, — еще немного поколебавшись, ответил Каспер и сунул артефакт в карман. — Зато теперь буду уверен, что вы меня не бросите.

— Надо будет, и не задумаемся, — пообещал Муха. — Старый, я дежурить?

— Иди, — Андрей кивнул и опять поморщился. От резких движений в голове начинали бить колокола. — Близко к околице не подходи. Во дворе жилой хаты затаился «Серый».

— Так чего ж ты его не снял? — Муха прицелился из «Вала» в ближайшее дерево.

— И тебе запрещаю, — строго произнес Лунев. — Никакой самодеятельности, понял меня? Ты мне нужен живой и здоровый.

— Так ведь я не врукопашную... — Муха спрятал усмешку.

— Отставить, сказано! — Андрей невольно потрогал припухлость на подбородке и смягчил тон: — Не получится ничего, Муха. Поверь.

— Почему?

— Просто поверь!

— Потому, что герой компьютерной стрелялки не может направить оружие на игрока, который им управляет, — вдруг проронил Каспер. — Если игрой управляют «серые», нам их не достать. Так, да?

— Может быть, и так. — Андрей пожал плечами. — Может быть, проще. Или наоборот — сложнее. Пока мы знаем слишком мало, чтобы делать выводы. Ясно одно: «серые» ведут свою игру, и мы в ней пешки, а наши миры — это декорации.

— А якобы спасаемое «серыми» мироздание — игровое поле?

— Как-то так, — Андрей кивнул.

— Ничего нового, — как всегда прямолинейно заявил Муха. — Этого и Мастер не отрицал. Если игра «серых» удержит мир на плаву, какая нам разница, играть или пахать? Вон, раньше вся экономика на биржах держалась, а ведь это чистой воды игровые площадки были. Ничем не лучше казино. Почему мироздание не может на таких же «поплавках» дрейфовать?

— Толковая мысль, — одобрил Лунев. — И насчет «ничего нового» согласен. Топай, философ, на пост. И помни, что я приказал!

— Помню я, помню. — Муха поднялся и махнул рукой. — Все будет правильно. Спите спокойно, дорогие товарищи.

— Тьфу на тебя! — Каспер перекрестился.

— Поздно креститься, юноша, — Муха усмехнулся. — В этом мире теперь не только радиосвязь барахлит. До небесной канцелярии тоже не достучишься, хоть все пальцы о себя отбей.

* * *

Обычно Лектор не жаловался на бессонницу или ночные кошмары. Сон для него был чем-то вроде перезагрузки. Выключился утомленным — включился бодрым. Что-то снилось, не без того, но сны он не запоминал. К чему эта лишняя информация?

Но это обычно. Сегодняшняя ночевка стала исключением из правил. И уснул Лектор не сразу, и сон увидел такой, что забыть его не получилось.

Проснувшись, Лектор сел на койке и бросил взгляд на часы. Стрелки еще светились, значит, проспал он недолго. Лектор припомнил, во сколько лег, и сообразил, что действительно урвал всего-то час. Для полноценной «перезагрузки» этого было мало, но сон больше не шел. Вместо него в голову лезли воспоминания о приснившихся чудесах.

Во сне Лектор непонятным образом очутился под большим черным куполом, размером никак не меньше циркового. И освещено подкупольное пространство было не хуже цирка. Для полного сходства не хватало только зрительских трибун и опилок на «манеже», посреди которого и очутился Лектор.

Он стоял на влажной земле, практически в мелкой луже, вокруг которой громоздились руины каких-то зданий, всевозможные обломки и даже покрытые грязью и тиной остовы машин. Складывалось впечатление, что куполом накрыт участок дна какой-то реки или моря. Причем совсем недавно этот участок был вовсе не дном, а городской улицей. На эту мысль наталкивал тот факт, что машины были вполне современного вида и не особо ржавыми.

Некоторое время Лектор простоял, озираясь, а затем двинулся к останкам ближайшего авто. Идти было тяжело, грязь под ногами казалась вязкой, но до болотной топи не дотягивала. Ноги проваливались только чуть выше щиколоток. Это означало, что под слоем илистой грязи лежит твердое покрытие, например асфальт. То есть версия о бывшей городской улице получала подтверждение. Как бы бонусом за догадливость сон добавил еще пару деталей: слева появился лежащий на боку ларек с желто-красной вывеской, а справа — продавивший крышу легковушки фонарный столб.

Лектор остановился у придавленной столбом машины и заглянул в салон. Рухнувший столб привел в негодность, как любил выражаться Лектор, не только машину, но и жизнь водителя. Его останки оказались зажатыми между продавленной крышей и рулем. Судя по степени разложения трупа, под водой он пробыл несколько дней. Тело было распухшим, кожа серой с зеленым отливом. Удивительно, что его не обглодали рыбы. На пассажирском сиденье Лектор обнаружил вещицу, присутствие которой окончательно подтверждало, что речным или морским дном это местечко стало не так давно. На сиденье лежал планшетный компьютер.

Лектор протянул руку, чтобы взять бесполезный теперь осколок цивилизации, но тут произошло нечто из ряда вон. Труп за баранкой шевельнулся, затем дернулся в сторону Лектора и попытался схватить его за запястье. Хорошо, что даже во сне реакция у Лектора осталась отменной, он успел отдернуть руку. Холодные пальцы утопленника лишь скользнули по руке Лектора.

Как очутился в десяти метрах от машины, Лектор не запомнил. Похоже, что одним прыжком. Из придавленной столбом машины донесся грохот, она даже затряслась, так разбушевался зажатый в капкане покойничек, но ничем опасным это представление не закончилось. Выбраться из машины ожившему утопленнику так и не удалось.

Лектор тем временем наметил другую цель и побрел к ней. Этой целью стала небольшая перевернутая лодка, а скорее гидроцикл. У затонувшего аквабайка тоже имелся хозяин, но, как и предыдущий, он был серьезно ограничен в своих возможностях. Этот утопленник был насажен на кованые заборные колья с гарпунными наконечниками. Какому архитектору пришло в голову соорудить такую ограду и для какого сада — неизвестно, но Лектор готов был сказать ему спасибо. Серо-зеленый зомби был зафиксирован на кольях надежно, и все, на что был способен — злобно шипеть и таращить на Лектора мутные бельма.

Честно говоря, было нестрашно, лишь неприятно. И самое противное — точно под оградой, в луже натекшего с зомби дерьма и слизи, лежал черный пакаль. Лектор разглядел вещицу без всякого труда. Он даже рисунок на ней рассмотрел: птица без крыльев.

Все, что ему оставалось — преодолеть брезгливость и взять драгоценный артефакт. Поскольку Лектор имел жизненный опыт, в свете которого глупо даже упоминать о брезгливости, преодолевать ему ничего не пришлось. Разве что сопротивление вязкой грязи под ногами. Лектор подошел, отмахнулся от протянутой к нему холодной конечности зомби, наклонился и...

Конечно же, проснулся. В каком нормальном сне получаешь желаемое? Ни в каком. Ну, разве что в юношеском, эротическом, за счет поллюции. Но здесь-то был другой случай.

Еще раз прокрутив короткий, но яркий сон в памяти, Лектор сделал вывод, что подсознание не просто дало сбой, а «заглючило» по полной программе. Почему-то Лектору казалось, что этот сон вещий. Вот так вот.

И даже не сон это вовсе, а нечто вроде предвидения, фрагмент из недалекого будущего. Каким образом Лектор его уловил, из какого информационного пространства выудил, почему «ночным провидцем» вдруг стал именно он, а не кто-то другой? Все это были вопросы без ответов. Но Лектора это не огорчало. В полученной информации только одно имело значение: возможно, Лектор теперь знал, где находится черный пакаль!

Нет, Лектор не собирался бросать все и всех ради поисков приснившегося местечка — хранилища черного пакаля с изображением странной птицы без крыльев. Из ума пока не выжил, чтобы верить в сны и предвидения. Но в глубине души у него затаилось нечто вроде готовности поверить во всю эту ахинею, если найдется хотя бы одно подтверждение, что увиденное во сне местечко существует в реальности. Нет, лучше два подтверждения, для надежности. Как выстрел в тело и контрольный в голову.

«А найдутся они, только если поискать. Под лежачий камень вода не течет. Но ведь искать подтверждения ночным кошмарам вроде как глупо. Вот и получается «замкнутый крюк». Однако и отмахиваться почему-то не хочется. Сомнения загрызут. А вдруг и впрямь вещим был сон? Ведь раньше ничего подобного не происходило. Случай уникальный. Может, есть в этом скрытый смысл? Черт, запутался! Надо проветриться, а потом еще на раз обмозговать».

Лектор поднялся с койки, оделся, прихватил автомат и вышел из хаты.

И почти сразу заметил мелькнувшую в лунном свете фигуру. Кто-то высокий, худощавый и вроде бы нескладный, но достаточно проворный, лихо перемахнул через забор и растворился в темноте. Кроме пропорций тела, Лектор взял на заметку и странную экипировку незнакомца. Он был затянут в облегающий костюм, как цирковой акробат. Только вряд ли костюмчик у незнакомца имел цирковую расцветку. Скорее он был черным или... «серым»?! Лектора будто бы обожгло изнутри. Вот о какой нечисти толковал дед Семен! «Серые» в деревне!

Лектор запоздало вскинул автомат и попятился к хате.

«Минуточку! Что делал «Серый» рядом с хатой и почему смылся? А главное, почему его никто не обнаружил?»

Лектор бочком сдал к воротам и выглянул на улицу. Час назад на лавке у ворот сидел изгнанный из собственной хаты дед Семен. Лектор видел из окна огонек его папиросины. Где-то здесь, по идее, должен был отираться и китаец. Но сейчас ни тем, ни другим и не пахло. Ушли ночевать в один из пустующих домов? Ладно, Семен обиделся, дело ясное. Но китаец-то должен был стоять на посту, пока не сменят. Что за самовольная отлучка?

— Слышь, Лектор, ты где? — Из хаты выглянул заспанный Дышлюк.

— Посты проверяю. — Лектор обернулся: — Китаец пропал.

— Да и бес с ним. Утром вздрючим.

— Бес? — Лектор хмыкнул. — Вполне возможно. Тебе ничего не снилось?

— Не-а, — Дышлюк зевнул. — А чего?

— Может, и ничего. — Лектор задумчиво уставился на полоску света, которая пробивалась между косяком и дверью.

— Ну, я досыпать, ага?

— Стой. Ты видел когда-нибудь купол из черного стекла? Огромный, как... как... В общем, очень большой.

— Не-а, не видел. — Дышлюк поежился. — Или не помню. Ты, короче, прости, Лектор, но я сплю. Давай, утром перетрем.

— Хорошо, — Лектор кивнул. — Утро вечера мудренее. Базара нет...

...Утро не принесло желаемого прозрения. Оно вообще началось не так, как хотелось бы Лектору. Бойцы нашли труп китайца и подняли тревогу. Это отвлекло от размышлений, и Лектор разозлился. Хорошо, что под горячую руку попал не кто-то из своих, а дед Семен. Учуяв исходящий от Лектора смертельный холодок, дед в спешном порядке признался, что видел ночью «Серого», но покаяние не уберегло Семена от возмездия. Формально он был казнен за саботаж и пособничество врагу. На самом деле — Лектор утопил в его крови раздражение и недовольство. Потерять за сутки двух бойцов, чем не повод для раздражения? Да еще сон этот непонятный! Отсюда и недовольство.

В общем, оправдание для своего поступка Лектор нашел без труда. А чтобы этот поступок не обсуждали бойцы, Лектор занял их делом. Сначала дал пятнадцать минут на утренние процедуры и завтрак, а затем погнал в темпе вальса к границе зоны отчуждения. Через полчаса марша об утренних событиях в деревне все забыли. Или сделали вид, что забыли.

И только за кордоном, неподалеку от места отдыха дальнобойщиков — дешевого мотеля со стоянкой и заправкой — Лектор понял, что наступил долгожданный момент истины. Пришло то самое прозрение, на которое он рассчитывал утром и которого не получил. Заодно выяснилось, что он и не мог получить никакого прозрения в пределах зоны, но теперь это не имело значения. Теперь-то все состыковалось, ночной кошмар обрел подтверждение, и это было важнее всего.

Дело в том, что на стоянке Лектор увидел сразу десяток тягачей с фурами, на бортах которых красовались одинаковые надписи — «Черная жемчужина» (с красиво выделенной буквой «е») — и логотипы: черные перламутровые купола. Эти эмблемы и купол из ночного видения были очень похожи. С той лишь разницей, что во сне Лектор видел купол изнутри.

Что за фирма «Черная жемчужина», чем она занимается, Лектор не знал, но выяснить это было нетрудно. Лектор подозвал Дышлюка, дал ему десяток ценных указаний, затем скомандовал бойцам, и отряд врассыпную двинулся к мотелю. Сам Лектор в сопровождении трех бойцов зашел с левого фланга. Здесь было больше всего удобных укрытий, на случай если начнется заварушка.

— Сколько можно ждать! — Из-за ближайшей фуры с логотипом «Черной жемчужины» навстречу Лектору вырулил какой-то тип с пачкой деловых бумаг в руке. — График же! Скорее рассаживайте своих людей по машинам. Один в кабину, двое в фуру! И не возражайте! Не рассыплются. Да, там трясет, но мы специально добавили по два поролоновых мата.

— И не собирался возражать. — Лектор мгновенно сообразил, что к чему, и кивком приказал бойцам выполнять распоряжение типа с бумагами. — Автобус сломался, пришлось пешком идти. Где расписаться?

— Вот здесь и здесь. — Тип протянул Лектору ведомость и договор.

В обоих документах речь шла о сопровождении груза компании «Черная жемчужина» сотрудниками частной охранной фирмы «Азов». Без сомнений, распорядитель спросонок принял банду Лектора именно за охранников из «Азова». Вот ведь недотепа!

«Что ж, так тому и быть! — окончательно решил Лектор. — Если путь ведет к пакалю, называйте хоть охранниками, хоть горшками, только довезите до пункта назначения. Кстати, какой там конечный пункт?»

Лектор еще раз заглянул в договор.

Маршрут значился простой: Киев — Москва.

Лектор на миг замер. Городская улица, ставшая дном! Неожиданно Лектор получил и второе подтверждение достоверности ночного предвидения. Ведь всем известно, что с конца октября прошлого года Москва — это не город, а пресное море с редкими стеклянно-скалистыми островками бывших небоскребов.

* * *

Когда банда Лектора в полном составе разместилась в фурах, высокий и худощавый «Серый» удовлетворенно кивнул и сдал назад, поглубже в заросли неподалеку от шоссе.

Спасибо пакалю, ночные эксперименты с подсознанием спящего Лектора дали желаемый результат. Практически такой же, как в случае группы Лунева. И это означало, что новая игра «Серого» идет строго по плану. Более того, он явно вырвался вперед.

Мастер Игры, конечно, без проблем мог догнать соперника. Но ведь Мастер был уверен, что игра идет по его сценарию, а потому даже не думал вмешиваться или догонять! И чем дальше уходили игроки, тем существеннее становился отрыв от Мастера.

5. *Зона разлома 29 (Киевская), 18.07.2016 г. (275-й день СК)*

Андрей вышел на опушку леса первым. Между зеленым массивом и большим шоссе пролегала полоса пыльной травы шириной метров двести. То есть обзору ничто не мешало. Но и смотреть было практически не на что.

По шоссе в обе стороны тянулся автотранспорт всех мастей, а вдалеке кружили несколько вертушек. По другую сторону трассы располагался мотель, перед которым на разлинованной площадке одиноко стоял грузовик с откинутой кабиной — в моторе уныло ковырялся водитель. Вот в принципе и все.

То есть если сравнивать с зоной разлома, жизнь здесь практически кипела, но никаких гейзеров или хотя бы необычно крупных пузырей на ее поверхности Андрей не видел. А между тем на опушке он обнаружил множество свежих следов, да и трава вплоть до обочины шоссе была основательно примята. Без всяких сомнений, банда Лектора, по пятам которой упорно двигалась группа Лунева, вышла из леса именно здесь. И вышла не так давно.

Догадку Андрея невольно подтвердил Муха.

— Вот здесь они разошлись и дальше цепью двинули, — разглядывая следы, сказал Михаил. — На попутки сели, так получается?

— Могли в автобус, — предположил Каспер. — Такой ораве десяток попуток нужен. Или грузовик.

— Или в грузовик, — согласился Муха.

— Идем в мотель, там выясним, — решил Андрей. — Оружие спрячьте. Если придется ловить машину, не остановятся.

— Лектор же остановил, — проронил Муха.

— Ну да, если они толпой шоссе перекрыли, куда было водителям деваться? — сказал Каспер. — А нас трое. Могут и придавить педальку на удачу, на «авось проскочим». И проскочат, мы ведь не лекторские, гражданским кишки не выпускаем, как бандиты тому деду в деревне. А если один проскочит, то и остальные газанут.

— Много говоришь, — вновь буркнул Муха. — Деда жалко. Я его в нашей зоне знаю... или знал... короче, захаживал к Семену. Душевный дядька. Чем не угодил?

— Лектору причина не требуется, — Каспер покачал головой. — Маньяк, одним словом. Лет семь назад его пожизненно упекли. Как раз за мокрые дела. Даже мои криминальные знакомцы тогда с облегчением вздохнули.

— Надо было вмешаться! Я ведь предлагал! Получается, мы деда продали за эти сраные пакали.

Муха мрачно взглянул на Андрея.

— Критика не принимается, — спокойно ответил Лунев. — Спасти деда мы могли только ценой потерь. Допустим, ты мог бы уцелеть в бою с этим Лектором и его сорока разбойниками. А какие шансы были у Каспера?

— Нет, ну я не абсолютный ноль в этом деле, — встрепенулся Костя.

— На три градуса выше, — отмахнулся Андрей. — На самом деле, это лишь десятая часть аргументации. И не самая важная. Муха, когда наступит решающий момент, обещаю отдать Лектора тебе.

— И легко он не отделается, — хмурясь, пообещал Муха. — Под грунт его живьем загоню. Как червяка.

— Каспер, — Андрей остановился у обочины и кивком указал на мотель, — ты у нас хлопец гарный и языкастый, провентилируй тему с женским персоналом мотеля. А мы с шофером поговорим.

Каспер охотно двинулся в сторону мотеля, но дошел только до середины шоссе. Одна из легковушек вдруг ударила по тормозам и в лихом заносе развернулась на сто восемьдесят градусов. Первые аккорды визгливой музыки шин прозвучали как раз в тот момент, когда авто очутилось между Каспером и оставшимися на обочине товарищами. Почему случилось именно так, выяснилось чуть позже, а пока остолбеневшие ходоки лишь молча наблюдали за пируэтами, которые выписывало транспортное средство. По инерции оно пролетело еще полсотни метров и развернулось на этом отрезке еще дважды.

Как машина удержалась на колесах, не перевернулась и не улетела в кювет, известно одному Богу. Ведь вряд ли сидевший за рулем лихач в этот момент до конца контролировал ее. И как вышло, что ни попутно, ни навстречу в этот момент никто не ехал, тоже Божий промысел, другого объяснения не найти. Но все обошлось.

Секунды полторы машина покачивалась на месте, а затем вновь тронулась в путь. Теперь в обратном, северном направлении и намного медленнее.

Впрочем, то, что теперь безумный гонщик вел себя более-менее адекватно, никого не расслабило. Группа дружно вскинула автоматы и взяла машину на прицел. Авто тут же сбросило скорость до минимума.

Вновь поравнявшись с группой, а точнее, с Каспером, легковушка медленно скатилась на правую обочину и остановилась.

— Твою в душу, — процедил сквозь зубы Муха, опуская автомат. — Горилки хлебнул этот Шумахер?

Окошко водителя поехало вниз, и вскоре из машины выглянула сверкающая перевозбужденным взглядом Шурочка!

— Так я и думал, — вновь проронил Муха и сплюнул. — Отчаянная домохозяйка! Сразу было ясно, что за рулем баба.

— Ты ее Шумахером обозвал, — негромко возразил Андрей.

— Я знаю! — крикнула девушка срывающимся голосом. — Садитесь! Я проследила! Колонна! Они там, уже километров на двадцать оторвались!

К месту встречи ходоков с Шурочкой подъехали сразу два пелатона, каждый из десятка традиционных длинномеров и собравшихся за ними «легковых хвостов», поэтому на какое-то время разговор прервался. Из всей группы лишь Каспер успел перебежать на другую сторону шоссе. Товарищи были вынуждены дождаться, когда в потоках вновь появится разрыв. Когда же машины проехали и у Андрея с Мухой появилась возможность перейти дорогу, выяснилось, что Шурочка успела вкратце изложить свои развед-данные Касперу и вполне его убедила.

— По фурам расселись, — сообщил Каспер. — На Москву, похоже, двинули. Или куда-то туда. Короче, на север.

— Какого рожна им в Москве делать? — удивился Муха. — И как будут они туда пробираться? Рисково это, такой бандой за пределами зоны.

— Садись, — приказал Андрей Мухину, а затем кивком указал Касперу на место переднего пассажира. — Шурочка, чья машина? Хахаль ругаться не будет?

— Обижаете! — Шурочка скривилась, а потом горделиво выпятила грудь. — Моя! Мы, когда в зону уходили, свои машины и вещи в надежном месте оставили. Я за ночь туда дотопала.

— Врет, — буркнул Муха и уселся в авто.

— И не краснеет, — в тон ему проронил Каспер.

— Нам границу пересекать, — предупредил Андрей, тоже усевшись в машину. — Если наврала, пеняй на себя.

— Документы показать?! — Шурочка возмущенно фыркнула. — Я к вам с душой, а вы! Почему не верите-то?! Я что, похожа на лялю, которая у хахалей на шее сидит и не может сама на машину заработать?!

— Если честно... — Каспер пристегнулся. — Лады, Шурочка, замяли тему. Гони свой запорожский табун. Сколько тут под капотом, полсотни наберется?

— Не буду с вами разговаривать, — заявила девушка сердито. — Мужичье небритое! Сто двадцать!

— И все пони?

— Как Лектору удалось рассадить своих бойцов по фурам? — меняя тему, спросил Андрей.

— Не знаю, но одну особенность я сразу приметила! — Шурочка мгновенно сориентировалась, что командир группы не склонен издеваться, и это значит, что он может пересмотреть свое отношение к «отчаянной домохозяйке». Она кокетливо поправила локон, но продолжила в деловом тоне. Даже чересчур деловом: — Все фуры, в которые они сели, одной компании принадлежат! И не транспортной, я немного в этом деле разбираюсь. Когда-то на заправке работала. Понимаете, да?

— Редкий случай. — Андрей кивнул. — Богатая компания, если свои машины имеет, да еще в таком количестве.

— Кока-кола? — хмыкнул Муха.

— «Черная жемчужина», — торжественно заявила Шурочка и через салонное зеркало покосилась на Миху. Взгляд у нее также был торжествующий. Судя по всему, Шурочка считала, что «умыла» Мухина и поэтому смотрела на него как бы сверху вниз.

— Ни разу не слышал, — Муха пожал плечами. — Или, погоди, это которая косметику производит? Раньше часто рекламу крутили.

— Ты с Луны? — Шурочка перевела удивленный взгляд на Каспера. — Ты тоже не слышал?

— Я-то слышал. — Каспер обернулся к товарищам: — Кирсановская контора. Не напрямую, но под его контролем работает. Если коротко, все, что в Москве и окрестностях уцелело, вся недвижимость, острова, все теперь ей принадлежит. Ну и вообще, по стране и братским республикам много на чем теперь черная метка стоит, не замечали?

— На мотеле и заправке? — Андрей кивнул. — Получается, Кирсанов не только исследованиями занимается. Под шумок еще и капитал умножает.

— А на какие шиши исследования проводить? — Каспер пожал плечами. — Бизнес есть бизнес, жизнь продолжается. Война кругом или катастрофа, в обоих случаях в конце ссылки «точка ком» стоит. Люди на чем угодно способны деньги делать. Известный факт. Но ведь не только Кирсанову такой подход выгоден. Всем польза. Или в руинах все лежало бы, или хоть какие-то островки стабильности и рабочие места. И сервис. Почему нет? Лично я одобряю.

— Никто и не осуждает. Одно меня смущает. Зачем кирсановцам эти бандюки?

— Как зачем?! — вновь вмешалась Шурочка. — А пакаль?! Они же пакаль утащили у квестеров из-под носа!

— Ну, отняли бы пакаль, и давай, до свидания, — заметил Каспер.

— Это ж тут целая войнушка началась бы!

— Шурочка права, — согласился Андрей. — Скорее всего, «кирсановская жемчужина» пошла на военную хитрость. Решила подбросить бандюков до ближайшего блокпоста и там уже разобраться.

— Или прямо до Москвы, — проронил Муха. — Какой смысл тут их мочить и потери нести? А если разбегутся? Территория здесь гражданская, некрасиво получится. А там зона разлома, все можно. Хоть в фарш их всех, гадов, хоть ломтями.

— Тоже риск, но лично я так и сделал бы, согласен, — сказал Андрей. — Шурочка, какой в Москве у «Черной жемчужины» бизнес, кроме скупки островной недвижимости?

— Ну, там... баржи у них, плавучие заправки всякие... еще что-то, наверное.

— Два больших торговых порта, семь крупных островов и четыре платформы на сваях, вроде нефтяных, — добавил Каспер. — А еще на дне у них кое-что имеется. Но что конкретно — мало кто знает. Официальной информации нет, а утечки из кирсановских контор бывают редко.

— А народ что говорит?

— Ничего. На подводные объекты можно попасть только с платформ, а на платформы простой народ не допускается. Подплыви, сразу потопят. А это гарантированный конец фильма.

Без лодки из центра Московского моря не выплывешь, даже с аквалангом. Русалки с водяными вмиг схомячат.

— Это что? — заинтересовался Муха. — Рыба такая хищная? Или мутанты?

— Утопленники, — коротко ответил Каспер.

— Ой, там такая история! — затараторила Шурочка. — Там под мавзолеем лаборатория была. Зелье там пытались сварить. Чтобы мумии оживляло. Понимаете, да? А тут потоп. Волшебное зелье в воде растворилось и все, кто утонул, ожили! А утонуло там... мама дорогая! Вот теперь под водой, получается, опять целый город живет и процветает, только не люди в нем обитают, а водяные и русалки. И другая всякая нечисть. Так народ говорит...

— А не народ? — перебил ее Андрей и взглянул на Каспера.

— Безмолвствует, — парень усмехнулся. — Не отрицают ничего господа чиновники и ученые, но и не подтверждают. Если подтвердят, это, прикинь, какая головная боль. Во-первых, придется объяснять, кому и зачем понадобилось этакое зелье и как его ухитрились потерять. И не умышленно ли? А во-вторых, от них тут же потребуют ответ, что теперь с этим подводным царством делать? Не дипломатические же отношения устанавливать.

— Катастрофа зла, — с оттенком пафоса заявил Муха. — Мы вот едем же, имея русалку за баранкой.

— Можете выйти! — дернулась в очередной раз Шурочка. — Задолбали! Невелики с вас барыши!

— Закончили подначки, — негромко, но твердо приказал Андрей. — А тебе, Шурочка, заплатим.

— Не надо мне «заплатим». — Шурочка помотала головой и на удивление твердо, по-мужски заявила: — Возьмете в команду, тогда в расчете.

— Насильно милой не будешь, барышня, — выдал очередную народную мудрость Муха. — Хочешь, я тебе трофейный клинок подарю? Хороший, иноземный, дорогой. Продашь, вагон косметики купишь.

— И дальше что?! — Шурочка возмущенно фыркнула. — Пригоню его в свою в деревню и свиней буду помадой раскрашивать?! И вам четвертый нужен! Хотя бы для комплекта!

— Комплект — это три, — возразил Муха. — Три богатыря, три мушкетера, трое из леса...

— Мушкетеров четыре было, — пробурчала Шурочка. — Три плюс Боярский.

— Вот именно, Боярский, — Каспер рассмеялся, — а не Констанция. Нет, Шурочка, нам не по пути. Пардон.

— Вот так, значит?!

Шурочка нажала на тормоз и направила машину к обочине.

— Ты куда заруливаешь?! — Муха резко подался вперед и ткнул Шурочку в бок. — Слышь, птаха! Выруливай обратно!

— Муха, остынь, — приказал Лунев. — Шурочка, без гарантий — исключительно возможность. Домчишь до Москвы с ветерком и без приключений — подумаем. Если не возьмем в команду, то хорошо заплатим. Так пойдет?

— Я же сказала, денег не надо, только возьмите, — попыталась продолжить торг девушка.

— Сказано — подумаем, — вмешался Каспер.

— Подумаем, — подтвердил Андрей. — Продолжай движение.

— Ла-адно, — протянула Шурочка и вздохнула.

Машина вернулась на прежний курс, но газу Шурочка не прибавила. Впереди шла длинная колонна грузовиков с фурами. Примерно такой же караван двигался навстречу. Обгон был крайне затруднен. Впрочем, Шурочка и не стремилась его совершать.

— Вот они, — она кивком указала вперед. — До скоростного участка можно спокойно на хвосте висеть. Типа я блондинка и обгонять боюсь, встречных много. А там придется как-то маневрировать, лишняя полоса появится.

— До этого участка еще границу надо перейти, — заметил Муха. — Или у вас тут уже все, границы отменили?

— У нас? — Шурочка удивленно взглянул в зеркало. — Как и у вас. Стоят мальчики на границе. Толку от них ноль, но стоят зачем-то. Но вы не бойтесь. У меня документы есть.

Она наклонилась и пошарила в бардачке.

— Вот, — Шурочка протянула Касперу пластиковую карточку на шнурке. — На фото Рустам, помощником был у Ивана Сергеевича, но ты похож, должно сработать. Только автоматы надо в багажник.

— Десять «лайков» тебе, Миледи, — одобрил Каспер, разглядывая карточку. — Чья ксива-то? СБУ или ФСБ?

— ЦИК, — Шурочка взглядом указала на логотип в углу карточки. — Как бы лично Кирсановым подписанная. И даже пока не просроченная. Я говорю, вам четвертый нужен. Вчетвером мы легко за квест-группу сойдем, а их никто не трогает.

— Разве в квест-группы берут женщин? — Каспер усмехнулся. — Что-то не встречал.

— Вы что, правда с Луны? — Шурочка покачала головой и вздохнула. — Да в Америке три квест-группы вообще только из женщин! И на востоке есть две смешанные группы.

— А здесь?

— И здесь... — Шурочка осеклась. — Не знаю. Но такая карточка у меня тоже есть. Иван Сергеевич всем нам сделал.

Она вытянула из-за пазухи карточку на шнурке, а затем кивком указала на бардачок:

— Там, в ящике, много запасных, подберите себе.

— Еще один плюс заработала, красавица, — сказал Андрей. — И ножик — твой, как Муха и обещал, если пройдем без вопросов.

— Ладно, ладно, — Шурочка вздохнула. — Я говорила, что пригожусь, а вы не верили. Вы только этими удостоверениями сильно не размахивайте. Иван Сергеевич талантливым был «художником», даже доллары рисовал — не отличишь. Но всякие там штрих-коды и голограммы подделывать так и не научился.

МАПП Троебортное — Бачевск, 18.07.2016 г. (275-й день СК)

В прошлом автомобильный пропускной пункт на границе был основательно загружен работой. И особенно много ее было летом, в разгар сезона отпусков. Но этим летом основной поток машин шел через пункты на востоке. Причем большинство машин ехало вовсе не к морю. Народ ехал в сторону Южного Урала и дальше в Сибирь, где предполагалось наименьшее количество разломов.

Почему народ решил именно так, было понятно. Разломов по всему миру насчитывалось уже больше сорока, из них десяток в европейской части России, на Украине и в Белоруссии, а на территории Западной Сибири — наиболее доступной для европейских беженцев части благословенной лесной страны — появился лишь один, Новосибирский. Да и тот исчез спустя несколько недель. Так что логика беженцев была простой и понятной.

Но и северо-западные пункты пропуска все-таки не пустовали. Через них шли автокараваны с гуманитарными грузами, оборудованием и техникой, необходимыми как раз в зонах бедствия. Как бы ни относились к аномальным территориям власти и граждане, бизнес не сдавался и гнул свою линию. Катастрофа не отменяла прежний уклад жизни, а лишь корректировала его. А в прежнем укладе основным лозунгом был: хочешь жить — умей делать деньги на всем. Даже на бедствиях.

Когда колонна остановилась у пропускного пункта с украинской стороны, Лектор проворно выпрыгнул из кабины здоровенной «Скании», дождался, когда к нему присоединятся Дышлюк и второй помощник — рослый мрачный детина по кличке Хирург, и неторопливо, с деловым видом двинулся вдоль машин.

Роль начальника конвоя давалась Лектору без труда. Бойцы подчинялись беспрекословно, и это было заметно любому стороннему наблюдателю. Экипировка и оружие у тех бойцов, которые сидели в кабинах, тоже были более-менее стандартными. Так что на сотрудников охранной фирмы видимая часть отряда походила вполне. Остальные выглядели, конечно, не ахти, а если честно — как форменные головорезы (коими и являлись), но эта братва сидела под тентами. Если пограничники не станут сильно усердствовать, все пройдет гладко, Лектор был почти уверен. Но чтобы исключить «почти», он все-таки прогулялся вдоль машин и еще раз проинструктировал бойцов: «Не высовываться!»

Пока старший колонны оформлял документы и о чем-то беседовал с пограничниками, Лектор и помощники успели не только проверить, как себя чувствуют бойцы отряда, но и заглянули на нейтральную территорию. До российского пункта было недалеко, около километра по прямой. Слева от шоссе стоял достаточно густой лес, а справа раскинулось поле. В случае осложнений пути отхода были понятны. Эту мысль озвучил Дышлюк.

— Осложнений не будет, — пообещал Лектор, кивком указывая на старшего колонны и пограничников. — Вон как улыбаются. Все на мази.

— Квестеры могут подосрать, — хмурясь, возразил Хирург. — Я засек, хвост за нами. Могут на нейтралке тормознуть. Удобное место. Впереди и сзади посты.

— Вот тогда и двинем в лес, — подсказал Дышлюк.

— Если это те квестеры, что шли за нами от самого Чернобыля, волноваться не о чем, —

возразил Лектор. — У них там вояки были под боком и территория пустая. «Градом» жахни, никто слова не скажет. Нет же, отпустили. Значит, задумали что-то.

— Я и говорю, тут нас решили зажать.

— Нет, Хирург. Здесь не зажмут. У погранцов сил недостаточно. Да и как будут они нас зажимать, если сами на линии огня? Начнут палить — друг в друга попадут. Расслабься, короче.

— Расслабимся, а они с воздуха. — Хирург поднял взгляд к небу. — О! Слышите? Вертушки лопочут!

Лектор и Дышлюк тоже взглянули вверх. С юга в сторону границы летели два больших вертолета. Но вид у них был вполне мирный.

— Это «восьмерки», — определил Дышлюк, — без подвесок, гражданские. На Брянск пошли.

— Почему на Брянск?

— А куда еще? Дальность полета в среднем четыреста километров. Сотку уже пролетели, если из Киева чешут, осталось триста. В этих пределах нормальный аэропорт только в Брянске.

— А оттуда и до Москвы рукой подать, — задумчиво глядя на вертушки, проронил Лектор. — И уже без дозаправки.

— Мысль дельная, — Дышлюк кивнул. — Только где ты вертушки возьмешь? До этих не допрыгнешь, а других поблизости нет.

— Сейчас высадят два взвода спецназа, так запрыгаем, что куда хочешь допрыгнем, — пробурчал Хирург. — Не видите, что ли? Снижаются.

— К машинам! — приказал Лектор. — Только спокойно! Кто в кабинах, пусть займут позиции, остальные на старт, но не высовываться, пока не начнется пальба. И следите за мной во все глаза. Если дам отмашку, крошим всех и уходим в лес.

Вертолеты действительно снизились, но, вопреки опасениям Хирурга, сели они позади российского пропускного пункта и никакой спецназ не высадили. Лектор разглядел это даже без бинокля. Из одной вертушки выпрыгнули человек пять, из другой вообще никто не высадился. Этот факт временно успокоил Лектора, но, с другой стороны, и раззадорил. Его идея насчет захвата вертушек быстро обрела очертания плана. Оставалось только вовремя прибыть на место.

Лектор в который раз оглянулся на пограничников. Старший колонны уже пожимал им руки. Получалось, идея Лектора и впрямь имела все шансы реализоваться, причем без особых издержек. Лектор даже невольно задержал дыхание. Неужели опять удача?

Старший обернулся, увидел Лектора и махнул ему: «По машинам». Лектор выдохнул. Мысленный план окончательно сформировался. Оставалось его реализовать.

«Главное спокойствие, — усаживаясь в машину, подумал Лектор. — Не спугнуть птичек, не начать бучу раньше времени. И тогда мы в дамках...»

...Лектор без труда справился с эмоциями и выбрал для нападения просто идеальный момент. С формальностями на российской стороне было покончено не так быстро, как на украинской, но Лектора эта проволочка не сбила с пути истинного. Вертушки оставались на месте и улетать не собирались по причине того, что у одной из винтокрылых машин возникли какие-то неполадки. То есть посадку вертолеты совершили вынужденную. Поэтому спешить было некуда. У Лектора даже образовался запас времени на отшлифовку плана и обсуждение его с помощниками.

— Если захватим исправную вертушку сейчас, дальше будут проблемы, — заметил Дышлюк. — Все на одной не улетим, половине отряда придется так и ехать в колонне. Тут-то этой половине и кирдык. Где-нибудь под Брянском, на блокпосту.

— Значит, сделаем так, чтобы прямой связи не прослеживалось, — решил Лектор. — Ты поведешь наземную группу. Хирург, бери десять бойцов, уводи в лес. Только незаметно. Я затеряюсь здесь. Когда колонна уйдет подальше, дам отмашку — берем вертолет. Встречаемся с группой Дышлюка в Москве, во Внуковском порту. Или где получится. Там разберемся. Вопросы?

— Мы ведь за пакалем в Москву намылились? — уточнил Дышлюк. — А где ты там его искать собрался?

— Вот мы и выясним, пока вы тащитесь на фурах. А потом все вместе его добудем. Теперь план понятен?

— Теперь да, — Дышлюк кивнул.

Было заметно, что тащиться семь сотен верст на машине ему неохота, но рисковать — особенно в Брянске, в момент неизбежной дозаправки угнанной вертушки — хочется еще меньше. Хирурга, похоже, этот нюанс не волновал. Ему, наоборот, хотелось пощекотать нервы, и вариант с вертушкой его вполне устраивал. И это было хорошо. Лектор всегда считал, что за любое дело надо браться с желанием, с интересом. Иначе все получится через одно известное место. А то и хуже.

Колонна двинулась дальше как раз в тот момент, когда группа бойцов во главе с Хирургом скрылась в лесу. Отсутствия части «охраны» старший колонны не заметил, поскольку Хирург взял с собой лишь тех, кто сидел под тентами, а отсутствие «начальника конвоя» Дышлюк представил старшему колонны как рокировку. Сослался на «внутреннюю инструкцию», согласно которой командир и его помощник должны ехать попеременно в головной и замыкающей машинах. Старшему колонны не особенно хотелось вникать в такие тонкости, и он без возражений принял версию Дышлюка.

Лектор тем временем затаился неподалеку от исправной вертушки и прислушивался к разговорам пилотов, которые прогуливались вокруг своей летающей машины. Если ориентироваться на их реплики, торчать на пограничном пункте им светило, пока не подвезут какую-то деталь, то есть до ночи, и это в лучшем случае. Почему-то лететь дальше без ведомого исправной вертушке не полагалось. Тоже по какой-то внутренней инструкции.

На пропускной пункт въехала новая колонна грузовиков, пограничники занялись своими делами, по территории опять рассыпался народ, и Лектор понял, что пора действовать. Прикинувшись вновь прибывшим, он подошел к вертушке и с интересом уставился на винтокрылую машину.

— Самолетами всю жизнь летаю, а вертушку вблизи и не видал, — с глуповатой улыбкой сообщил он одному из пилотов. — Серьезный агрегат. Быстро летает?

— Нормально. — Пилот смерил Лектора взглядом и зацепился за автомат на плече. — Максималка двести пятьдесят.

— Ну-у, ничего так, — Лектор «с пониманием» кивнул, а затем махнул рукой, как бы обозначая высоту. — А туда? Высоко забирается?

На самом деле, Лектор дал отмашку Хирургу, но пилот об этом не знал, поэтому продолжил беседу спокойно:

— До шести тысяч.

— Ого! — Лектор придал лицу чуть смущенное выражение и описал рукой пару кругов, поторапливая этим жестом Хирурга. Но для пилота он расшифровал свою жестикуляцию иначе: — А заводится как? Я всегда хотел узнать, но спросить не у кого было. Ключом, как машина, или чем? Кнопкой?

— Зачем тебе? — Пилот усмехнулся. — Все равно, если полетишь, то пассажиром.

— Ну-у, это понятно! — Лектор кивнул и хихикнул: — Просто интересно! С детства любопытный, прямо беда. Все, понимаешь, хочу знать. Как что устроено, как работает...

Вид на шоссе и лес перекрыли прошедшие контроль машины, и Лектор потерял своих бойцов из вида. По всем расчетам, нести чушь, отвлекая внимание пилотов, ему оставалось не больше трех минут. Лектору было нетрудно потрепать языком, но выдержит ли пилот?

— ...В юности даже определиться не мог, куда поступать. То ли на инженера пойти учиться, то ли на врача. Мучился года три!

— Совсем одно и то же, — хмыкнув, проронил другой пилот, прежде молчавший, уткнувшись носом в «айфон». На экранчике смарта мелькали сетевые страницы.

— Ну-у, дык, говорю же, все интересно было! А человек ведь тоже хитро устроен, поинтереснее любой машины. Чтоб его изучить, это ж сколько надо всякого разного узнать!

— И что выбрал? — Первый пилот зевнул.

— Армия меня выбрала. — Лектор рассмеялся. — А потом я там по контракту застрял, а когда контузило, уволился...

Хирург, наконец, вынырнул из-за ближайшей фуры. С ним были пятеро, остальные зашли с другой стороны, а потому появились чуть позже. Впрочем, чтобы мгновенно скрутить и затолкать в вертушку пилотов, хватило и половины группы.

Третьего члена экипажа на борту не оказалось. Он помогал экипажу второго борта разбираться с неисправностями. Но для продолжения полета этот третий и не был особо нужен.

— А если так, чего мы ждем? — Лектор сбросил маску контуженого простачка и поиграл финкой перед носом у командира экипажа, того, который проморгал нападение, чересчур погрузившись в серфинг по Всемирной паутине.

— Захват воздушного судна... серьезная статья, — побагровев, сообщил командир.

— Я все статьи лучше тебя знаю, — Лектор ухмыльнулся. — Когда пожизненно сидишь, времени на чтение много. А еще мне кажется, что управлять этим агрегатом может и один пилот. Улавливаешь, к чему клоню?

Лектор приставил финку командиру к горлу.

— Уловил. — Пилот перевел взгляд на второго пилота.

— Только не вздумайте подать какой-нибудь особый сигнал, — предупредил Лектор. — В Брянске будет дозаправка?

— Будет.

— Если заправимся и полетим дальше без проблем, одного отпущу. По жребию. Второго отпущу в Москве.

— А какие гарантии? — Командир недоверчиво покосился на Лектора, а затем на его подручных.

Верить на слово этим людям было глупо. То, что им проще прирезать, чем перекреститься, было написано у них на лицах. У Лектора в первую очередь.

— Никаких, — Лектор махнул рукой. — Базар окончен, взлетай.

Пилот начал щелкать многочисленными тумблерами, двигатели вертолета загудели, пришли в движение лопасти... и уже в следующую секунду вблизи второго борта, а затем и перед зданием пограничного пункта началась суета. И пилоты, и пограничники быстро сообразили, что первый борт не просто прогревает движки. Пожалуй, слишком быстро сообразили.

— Просигналил все-таки, сука! — Хирург схватил пилота за шею и едва не придушил.

Лектор резко хлопнул Хирурга по плечу:

— Погоди! Взлетим — кончишь гада. А пока пусть видят, что у нас два живых заложника!

— Херово это, Лектор! — сказал Хирург. — Не дадут нам дозаправиться! Там всех и положат! Хоть с живыми заложниками, хоть с мертвыми!

— Мужики, мужики, спокойно! — вдруг вмешался второй пилот. — Слышите! Не будут вам мешать! Мы никакого сигнала не подавали! В этом вся фишка, а не наоборот! Наших вертушек тут вообще как бы нет! У нас сугубо частный маршрут! Понимаете?

— Отчего ж не понять. — Лектор внимательно посмотрел на пилота. — Наркоту везете, для «сугубо частного употребления»?

— Мля-я, Лектор, зырь! — вдруг донеслось из салона. — Какие болванки интересные! Бутылочной формы. Размером с полторашки, а тяжелые, заразы... пуда по два! Тут их... е-мое! Штук полста! Снаряды, что ль?

В кабину заглянул боец по кличке Фома. В руках он кряхтя держал черную болванку, по форме сильно напоминающую бутылку из-под минеральной воды. Лектор протянул руку и поскреб по «бутылке» ножом. Из-под слоя черной краски показалась истинная фактура болванки.

— Это ж... золото, Лектор! — Фома восторженно взвизгнул.

— Знакомая форма слитков, — проронил Хирург. — Видал такие. Под Челябинском зона... в смысле — аномалия... где все тлеет, как большой костер под утро. Там это золото добывают. Оно там жидкое, но не горячее, даже не ошпаришься. Прямо из луж его черпают и по бутылкам. А за пределами аномалии оно твердеет, и от настоящего хрен отличишь. Только трудно его оттуда вывезти. Техника в той зоне отказывает на раз, а на себе много не вынесешь.

— Однако вынесли, и немало. И теперь везут кружным путем. Красавцы! — Лектор кивком отправил Фому обратно в салон. — Поставь, где взял. Не нарушай развесовку перед взлетом. Пилоты, правильно говорю?

— Правильно, — согласился второй пилот.

— Сейчас еще кое-что правильное скажу: в Брянск вы залетать не планировали, так? — Лектор прищурился: — Где назначена дозаправка?

— Недалеко от трассы, военный заправщик будет ждать, — признался второй пилот. — Это их груз. Вояк.

— Попали ногами в жир, — хмуро заметил Хирург. — Но все лучше, чем у мафии вертушку с наркотой угнать.

— Взлет, — предупредил командир. — Учтите, граждане разбойники, погранцы в доле, будут стрелять.

— Хирург! — Лектор мотнул головой.

Хирург тут же отпустил шею пилота и бросился к двери.

Дальше пошла тактическая игра на опережение. Пограничники действительно открыли беспорядочную стрельбу, но стреляли они с неудобных позиций, а то и вовсе на бегу. Хирург и составившие ему компанию бойцы стреляли тоже безрезультатно, больше для острастки. Настоящая перестрелка должна была завязаться в момент взлета, на первых его секундах. Вот-вот...

Напряжение достигло пика и вдруг... резко пошло на спад. Все потому, что пилот поднял вертушку не сразу, а после небольшого разбега, чем озадачил и пассажиров, и пограничников. То есть преследователи все-таки заняли удобные позиции и приготовились изрешетить вертолет, как только он поднимется выше загородивших видимость фур, но этого не произошло. Под прикрытием грузовиков вертушка бодро пробежала по шоссе три сотни метров и взлетела там, где никто из пограничников не ожидал ее увидеть. Для очистки совести они дали несколько очередей, но расстояние до цели к тому моменту увеличилось до полукилометра, и все выпущенные пули пропали даром.

— Могешь, — возвращаясь в кабину, сказал Хирург и похлопал пилота по макушке. — Даже не знаю, как теперь с тобой быть, ас бубновый. Слышь, второй, ты тоже так могешь?

— Нормальный взлет, — второй пилот ответил осторожно, явно опасаясь подвоха.

— Живите оба... пока, — успокоил пилота Лектор. — Тебя как зовут?

— Олег... Гребенников.

— А командира твоего?

— Щербинин, Михаил.

— Расслабьтесь, Олег и Михаил. Пока летим, вам ничего не грозит. У дозаправщика охрана будет?

— Оцепление, — охотно ответил второй пилот, Олег. — Но к нам только два техника подойдут... должны были подойти. Теперь не знаю. Может и спецназ нагрянуть. Второй борт наверняка уже доложил... о происшествии.

— Спецназ. — Лектор многозначительно взглянул на Хирурга: — Понял, да? Страшно тебе?

— Не-а, — Хирург расплылся в ухмылке. — Знаем, плавали.

— А мне страшно. — Лектор притворно вздохнул и также на публику передернул плечами. — Аж-ж знобит! И значит... командир, угадай, что это значит?

— Идем все-таки на брянский аэродром?

— Голова! — Лектор одобрительно похлопал летчика по плечу. — Но не угадал, Щербинин. Спецназ тоже решит, что мы туда дернем, когда сообразим, что к чему. А мы не дернем. Ни туда, ни сюда. Мы сядем чуток в сторонке. Прямо там, где заправляют самих заправщиков. Знаете, где это?

— Сверху не подходил, — командир пожал плечами. — Только по дороге туда ездил.

— Значит, снижайся и шуруй вдоль дороги, по которой ездил. И смотрите у меня, летуны, чтобы, как на экзамене, без ошибок. По лезвию ножа ходите. И это не метафора.

* * *

Высокий и худощавый «Серый» проводил взглядом улетающую вертушку и вновь попятился в лес. Прытью Лектора он был удовлетворен. «Серому» даже не пришлось вмешиваться в ситуацию. Ни физически, ни на уровне внушения.

Однако все складывалось не настолько хорошо, как выглядело на первый взгляд. Это «Серый» знал точно. По пятам Лектора шли не только штатные игроки Мастера. С ними увязался случайный попутчик, который не был учтен планом высокого и худощавого «Серого».

Да, «Серый» учитывал в своем плане, что к игре присоединится множество посторонних игроков. И он понимал, что некоторые из них могут оказаться крайне полезными игрокам Мастера. А кое-кто может и вовсе быть еще одним игроком Мастера, просто из другой его команды. Все это «Серый» учел. Однако в текущем эпизоде игры имелся один маленький, но весьма подозрительный нюанс: новый игрок в команде Лунева находился сейчас в непосредственной близости к пакалю, но на внушение не реагировал.

Получалось, что этот человек либо умеет блокировать «расслабляющее» воздействие пакаля на подсознание, либо... умеет блокировать внушение «Серого». Варианты были одинаково невыгодными, поскольку без одного не могло быть другого. Ведь именно пакали делали человеческое подсознание открытым для внушения. Но люди об этом не догадывались, ибо любой сеанс внушения начинался и заканчивался «мантрой», в которой отрицалось наличие у пакалей каких бы то ни было «побочных эффектов». И эту «мантру» читал не только высокий и худощавый «Серый». Так поступали все «серые», даже Мастер. Ведь это заблуждение было одним из главных условий Большой Игры. И вдруг такой вот системный сбой. Нехорошо.

Особенно тревожило «Серого» то, что он не мог и предположить, откуда взялась такая устойчивость у этого человека. Если его, как своеобразного «джокера», так запрограммировал Мастер Игры, дело поправимое. Шальная пуля — и все вернется на исходную позицию. Как говорится, «нет человека — нет проблемы». А вот если этот «джокер» на самом деле игрок более высокого уровня, дело может серьезно осложниться.

Машина Лунева и компании остановилась у шлагбаума, «джокер» высунулся в окошко и принялся что-то втолковывать пограничнику, разгоряченному и нервному после перестрелки с бойцами Лектора. «Серый» не слышал реплик «джокера», но видел, что пограничник вот-вот сдастся. Наверное, потому, что «джокером» была симпатичная блондинка.

«Серый» воспользовался близостью пакаля группы Лунева и сначала попытался еще разок прощупать подсознание «джокера», вновь наткнулся на блок и тогда переключился на пограничника. Он тоже попадал в зону влияния пакаля, был сейчас эмоционально неустойчив и вполне годился для любых экспериментов.

«Серый» подстегнул эмоции пограничника, заставил его подсознание уцепиться за возмутительный факт, что какая-то кукла пытается качать права, и в результате офицер буквально вспыхнул от гнева. Чтобы не перегнуть палку и не выдать своего присутствия, «Серый» тут же прекратил внушение и сосредоточился на реакции «джокера».

Как и предполагал «Серый», реакция последовала только со стороны пассажиров машины, они приготовились к бою. Блондинка осталась спокойной и даже расслабленной. Она вдруг ухватила офицера за ремень, подтянула к машине, потом перехватила за шею, заставила нагнуться и крепко поцеловала. Только и всего. Даже ничего не сказала. И пограничник растаял. Помотал головой, хмыкнул, сдал назад, взмахом приказал поднять шлагбаум и на прощание даже небрежно козырнул.

С точки зрения «Серого», всякие там заигрывания, стрельба глазками и даже поцелуй никак не могли повлиять на решение пограничника. Значит, дело было в чем-то другом. Например, «девушка-джокер» умела не только защищаться от внешнего гипнотического воздействия, но и влиять на людей.

Все это могло означать лишь одно: Мастер действительно ввел в игру скрытые резервы, о которых его соперник даже и не догадывался. А это, в свою очередь, означало, что все преимущество высокого и худощавого «Серого» — иллюзия. На самом деле Мастер не отставал ни на шаг. То есть счет в текущей партии стал равным, все практически начиналось с нуля.

6. Зона разлома 17 (Московская), 18.07.2016 г. (275-й день СК)

Московская зона разлома получила свой порядковый номер не по справедливости. Разлом, как позже выяснили ученые, здесь образовался практически одновременно с первым, тем, что в Найроби. Но, поскольку из московской черной кляксы никакие грязевые фонтаны не били, народ понял, в чем дело, лишь спустя неделю, когда город был уже основательно подтоплен аномально затянувшимся дождем. Сам же разлом обнаружился и вовсе лишь через месяц, когда

Катастрофа получила «официальное признание», а изучение аномальных зон началось в глобальном масштабе.

Кстати, московский разлом нашла одна из первых экспедиций ЦИК, и конкретно после этой экспедиции в обиход ученых вошло игровое словечко «квест». Второй нюанс не столь важен, а вот первый фактически дал кирсановцам моральное право командовать в Москве, словно у себя дома. С оглядкой на «папу с мамой», конечно, — на военных и контрразведчиков.

Пока из тонущей Москвы вывозилось все, что еще можно спасти, кирсановцы вели себя тихо, ныряли там, где им позволяла ФСБ, следили за обстановкой вблизи донного разлома на Болотной площади и старательно делали вид, что интересуются только научной стороной вопроса. Но к новому 2016 году (как раз к моменту, когда вся верховная власть переехала в Казань — единственный из крупных региональных центров, не пострадавший от Катастрофы) город окончательно ушел под воду, и эвакуация завершилась. Ведь глубины в ключевых точках Московского моря стали недоступными для аквалангистов.

Поначалу государственные структуры держали паузу, надеясь на откат вроде того, что случился в Новосибирске. Там разлом появился в начале ноября, но просуществовал несколько недель и бесследно исчез, оставив в бывшей аномальной зоне номер 5 множество разрушений, но и только. Аномальных явлений, чужеродных существ или изменений реальности в границах бывшей пятой зоны не осталось. Но Москве так не повезло. Время шло, и надежды на откат постепенно таяли.

Через месяц после начала потопа стабилизировалась береговая линия. Она прошла примерно по МКАД, плюс-минус полтора-два километра. То есть некоторые жилые районы стали прибрежными, а некоторые торчали теперь, как фьорды на сантиметровом мелководье. Так что окраины Москвы остались частично узнаваемыми.

А через два месяца стало ясно, что принципиально расширяться акватория больше не будет, но и уходить вода не собирается. Сколько ни пытались сотрудники МЧС ее откачивать и строить водоотводные каналы, ничего не изменилось. Дождь продолжал поливать, восполняя любые потери, поэтому уровень воды не снижался.

Прошло три месяца, и точку в сомнениях властей поставили два доклада, внутренней и международной исследовательских групп, в которых убедительно доказывалось, что Московская зона разлома номер 17 — это всерьез и надолго.

Вот с тех пор ЦИК и контролируемые им фирмы — в первую очередь «Черная жемчужина» — получили карт-бланш и взяли инициативу в свои руки. И у них это неплохо получилось. Москва, которую теперь чаще называли Московским морем, стала фактически вотчиной ЦИК.

Нет, присутствие военных и чиновников сохранилось, но скорее условное. Допустим, в акватории дежурила куцая флотилия сторожевиков во главе с крупной штабной посудиной — бывшей плавучей гостиницей «Валерий Брюсов», на которой скучала рота морпехов. В торговом

Внуковском и военно-эвакуационном Раменском портах и на блокпостах перед ними имелась охрана. Более серьезные силы были рассредоточены по границам области на частично подтопленных стратегических объектах. Но толку от всего этого «присутствия» было мало. Если бы не содействие кирсановских бойцов и квестеров, проникновение в зону разлома и миграция внутри зоны всевозможного населения шли бы стихийно и бесконтрольно. Ведь единственное, что рьяно контролировали власти — выход из зоны и вынос хабара. С этого военное начальство имело хороший процент.

Примерно так и разделились обязанности, а заодно и доходы. По длинным понтонным дорогам, проложенным над обширным окраинным мелководьем, тянулись автокараваны с продуктами, предметами первой необходимости, водным оборудованием, а обратно вывозилось все, что еще удавалось поднять со дна. Все входящие, как говорится, бесплатно, а исходящие по тарифам «провайдера», сидящего на Алабинском и Раменском блокпостах.

Непосредственно в портах, особенно во Внуково, кипела торговля, шли какие-то малопонятные сторонним наблюдателям работы, даже свинчивались небольшие субмарины, доставленные грузовиками по частям. И, конечно же, ежечасно швартовались суда и баржи.

Что можно было возить большими баржами в сторону центра? Этим вопросом довольно часто задавались сторонние наблюдатели. Но не получали на него ответа. Каждый второй человек во Внуковском порту был так или иначе связан с кирсановскими фирмами, а потому предпочитал уходить от разговоров на скользкие темы. Работой на господина Кирсанова люди дорожили.

Такой была предыстория. Растянулось становление нового уклада жизни в акватории Москвы ровно на полгода, и за это время произошло много интересных событий, которые изменили обстановку в семнадцатой зоне до неузнаваемости, но одно осталось неизменным. Здесь по-прежнему хозяйничали кирсановцы. А военные и ФСБ лишь контролировали их, чтобы не зарывались. Впрочем, тут можно поспорить, кто кого в этом плане контролировал.

Именно этот безусловный авторитет ЦИК и его «смежников» позволил «смешанной квест-группе» Лунева без особых проблем добраться до границы зоны разлома номер 17 и взять курс на Алабинский блокпост. После него путь вел по двухрядному понтонному тракту, проложенному над мелководьем до Внуковского порта, последней точки сухопутного маршрута.

Ну, а дальше... до бывшей МКАД простирался Внуковский залив, а после — серое море с островками и «скалами» бывших высоток. И так до уровня, где когда-то проходило Бульварное кольцо. Там начиналось резкое понижение дна. По слухам, в центре Московского моря глубина достигала сотни метров, хотя многие считали, что там значительно глубже. Ходила байка, что центр провалился в подземные пустоты еще в начале потопа, и теперь глубина там зашкаливала за триста метров, но так ли это на самом деле, никто не знал. ЦИК держал точные цифры в тайне.

Имелись в море и настоящие острова — тоже не всегда понятно, как возникшие — вроде Университетского, двух Воробьевых или Поклонного. Также имелись десятки и даже сотни «архипелагов» из искусственных скал — то есть бывших высоток. Плюс ко всему — довольно быстро возникло множество плавучих островков. Но в целом картины это не меняло, территория города была во много раз меньше городской акватории. Звучит странно, непривычно, но таковы реалии новой эпохи. Куда денешься?

Обо всем этом неспешно и обстоятельно рассказал Каспер. Когда группа миновала границу, он заметно расслабился и занялся просвещением спутников. Включая Шурочку, которая хоть и была уроженкой этого мира, но интересовалась лишь тремя вещами: шмотками, косметикой и реалити-шоу. Несмотря на глобальные проблемы, шмоток в магазинах меньше не стало, косметика тоже пока выпускалась, а всевозможных «развлекательно-отвлекающих» шоу стало даже больше, потому Шурочка имела только самые общие представления о происходящем в зонах разломов и вообще о сути постигшей мир Катастрофы.

— То есть льет до сих пор без перерыва? — уточнил Муха, глядя в окно на унылый подмосковный пейзаж. — Как в прошлом октябре дождик начался, так и не останавливается?

— Это все, что ты для себя вынес? — Каспер разочарованно вздохнул.

Муха пожал плечами.

— Что все-таки возят кирсановцы в фурах? — спросил Андрей. — Такие караваны приходят... и что дальше?

— Дальше самое интересное! — вновь воодушевился Каспер. — Ходят разговоры, что кирсановские ныряльщики беспрепятственно достают со дна всякий хабар, если прихватят с собой обмен. И знаете, что чаще всего идет на обмен? Мороженая морская рыба и мороженое мясо. В принципе котируются и овощи, прессованные крупы и обычная рыба, но обменный курс на эти товары ниже.

— Погоди, — Лунев поморщился. — С кем обмен?

— Вы чего, с памятью не дружите? — хмыкнул Каспер. — С водяными, конечно. Я ж рассказывал.

— Мы помним, но кто это на самом деле? — Муха оторвал взгляд от окна и покосился на Каспера.

— Вполне приличные люди, если не вдаваться в детали и не бояться, — Каспер коротко рассмеялся. — Ну, как люди...

— Это такие ужасные зомби! — подсказала Шурочка. — Я видела в программе с этим... симпатичным таким, лысеньким. Он раньше для животных рейтинги составлял. Пипец, забыла! Короче, это живые утопленники. Или как сказать... типа живые. Короче, шевелятся, плавают там, жрут всех подряд.

— Уже не всех подряд, — уточнил Каспер. — Поначалу действительно были настоящие битвы. Многие водолазы превратились в мясо и пошли на корм водяным. Но потом кто-то сообразил, что воевать бессмысленно, и начал меновую торговлю.

— Ай, молодца, — без особого восторга проронил Муха. — Представляю такую торговлю. Ты ему ползадницы, он тебе артефакт. Как это мы в своей зоне до такого не додумались? Мутанты были бы довольны.

— Сказано тебе — на рыбу мороженую меняются. Поначалу дело со скрипом шло, но потом этот торговый тренд взяли в свои руки «жемчужные» и кирсановцы. Открыли в центре зоны нечто вроде представительства. На четырех нефтяных платформах, которые были привезены и установлены в сжатые сроки — заметьте, при содействии водяных! — расположились перевалочные базы, склады и офисы людей. А под платформами — считайте, супермаркеты для водяных и русалок.

— «Ашан-акватик»? — Муха усмехнулся. — Круто.

— Но и это не все! Главной фишкой стало подводное представительство. Огромный купол из черного стекла, которым накрыли участок от Болотной площади до Манежной и от Знаменки до Варварки. Заметьте, опять же руками рабочих-водяных. То есть в Кремле снова сидят люди, только не верховная власть страны, а московское представительство «жемчужины», всякие ученые из ЦИК и так далее. А главное, под куполом находится местный разлом! Бытует мнение, что именно сооружение купола над разломом стабилизировало обстановку в зоне и потоп не распространился на прилегающие территории.

— Каким образом? — заинтересовался Лунев.

— Ученые выдвинули теорию насчет пространственно-временной конвекции. Дескать, именно движение влаги над разломом вызвало непрерывный дождь. Вода сливалась в разлом по одному пространственно-временному «каналу», а по другому тут же возгонялась и уже на высоте формирования дождевых облаков оба «канала» вновь соединялись. Получался этакий круговорот. Замкнув сферу над разломом, «жемчужные» как бы перекрыли эти каналы. Но полностью проблему не устранили.

— Значит, дырка в теории, — вывел Андрей. — Видимо, разлом оказался более многомерной и сложной штуковиной.

— Видимо, так, — согласился Каспер. — Но заметьте, уровень воды прекратил расти катастрофическими темпами. Хотя дождь как шел, так и идет, это верно. А потому Московское море осталось, не высохло, не «впиталось» и не растеклось по рекам и озерам.

— Теория глупая, — уверенно высказался Муха. — Но не это странно. Зачем водяные помогали людям строить купол? Им-то какой резон? Пусть бы залило все до Питера. Получили бы морскую рыбу в свежем виде.

— Да, теоретически расширение моря могло дать им больший ареал обитания, с большим количеством пищи и тогда не потребовалось бы налаживать взаимодействие и меновую торговлю с людьми, — согласился Каспер, окончательно переходя на подзабытый со студенческих времен академический язык. — Но водяные отлично осознают свое происхождение, вот в чем загвоздка! И неясность перспектив своего нового биологического вида они тоже осознают. Отсюда у них возникают свои «видовые» страхи. Первый и главный — если именно разлом каким-то мистическим образом превратил утопленников в водяных, не опасно ли от него удаляться?

— Зелье их воскресило, это точно, — опять вмешалась Шурочка. — Под мавзолеем лаборатория была. Они теперь ужасные, но их так жалко!

— Даже если зелье. — Каспер пожал плечами. — Не повлияет ли увеличение объема воды на концентрацию зелья? Но допустим, и то и другое не повлияет. Начнется экспансия, то есть водяные расплывутся по смежным водоемам, это приведет к разобщению и сделает общество водяных слабее, а значит, они станут легкой добычей для охотников за скальпами, которых полно среди «сухопутных людей». Ведь немалая часть водолазов приезжает на «подводное сафари» или «мочить нечисть» как раз потому, что та может перебраться в реки и распространиться за пределами зоны. Мало того, что будет пугать детей и пляжников, но еще и сократит рыбные запасы. А другая часть агрессивно настроенных водолазов не имеет внятной мотивации, им достаточно аргумента: «Водяные не имеют права на жизнь, поскольку не были учтены Творцом». Но и без четкой мотивации эта категория опасна. Так что лучшие шансы у водяных именно в пределах бывшей МКАД. А еще лучше — на больших глубинах, куда недружелюбные аквалангисты не доныривают, а серьезные водолазы просто не лезут, поскольку им этого не нужно. Они привозят еду и меняют ее в торговых центрах на все, что им нравится.

— Есть еще вариант, — задумчиво проронил Андрей. — Насколько я понял, все, что создано разломом или проникло в этот мир через него, не может самостоятельно покинуть зону.

— Или так, — согласился Каспер. — Я ведь озвучивал бытующие в народе поверья и сплетни. Твоя версия на их фоне выглядит даже более логичной. В любом случае водяные решили, что им выгоднее обустраиваться поблизости от разлома.

— Просто шоколадное дно, а не зона, — сказал Муха и ухмыльнулся. — Что-то ты, Каспер, недоговариваешь. Как тот Герасим с Муму.

— Ну, насчет шоколада ты загнул. — Каспер хмыкнул. — Есть и среди водяных отщепенцы со своим особым мнением. Они либо ведут прямую торговлю на мелководье, либо воюют с «рыбаками», но мелкие стычки не влияют на политику организованной массы водяных. Они предпочитают вести дела с платформами и куполом, а не гоняться по мелководью за ныряльщиками и потом убегать от рыбаков, пришедших на помощь аквалангистам. Рисковать жизнью водяным невыгодно еще и потому, что их потери невосполнимы. Ведь пока не было ни одного случая, чтобы водяные и русалки завели потомство.

— Вот с этого места поподробнее, — заинтересовался Муха. — Не стоит? Или русалочьи хвосты мешают?

Каспер поморщился и вздохнул, но ответил по существу:

— Их организмы вроде бы функционируют, в них идут почти понятные биохимические процессы — яркий пример усвоение пищи, но сколько это будет продолжаться, к чему приведет, есть ли у вида водяных будущее — то есть смогут ли они иметь потомство? Пока все это вопросы без ответов. Водяные замечают какие-то изменения в своих организмах, совместно с учеными из купола ведут исследования по этой теме, собирают научный материал, ведут статистику... но времени прошло слишком мало, выводы делать рано. Пока ясно, что «оживляж» утопленников произошел вовсе не по голливудскому сценарию, они не зомби.

— Они зомби, только не страшные, а несчастные, — вставила Шурочка и огорченно вздохнула.

— Да, многие люди считают их именно ходячей — вернее, плавающей — нежитью. Но сами водяные думают, что это не так, что они новый вид с непонятной пока физиологией.

— Как столько слов у тебя в башке помещается, профессор? — недовольно проронил Муха. — Зомбаки они, без вариантов.

— Если честно, и сам считаю, что они все-таки зомби, — признался Каспер.

— И чего тогда усложняешь?

— Образование позволяет, — Каспер ответил спокойно, без вызова. — В общем, водяные надеются на лучшее, и эта надежда их ослепляет. Но ученые видят, что физиология водяных, видимо, подстегнутая разломом или зельем как допингом, постепенно все-таки угасает, и водяные превращаются в тех самых «живых мертвецов». Вся разница с Голливудом — присутствие до последнего момента ясного сознания. И это при очевидных проблемах с мозгом как биоэлектрическим генератором разума.

— Бли-ин. — Шурочка многозначительно посмотрела на Муху и, как бы соглашаясь с его предыдущим высказыванием, неодобрительно покачала головой: — Ни буквы не поняла. Мальчики, может, музычку включим?

— Радио уже не ловит, — заметил Муха. — Мы в зоне.

— А у меня флэшка! — Шурочка оживилась, в надежде, что сейчас последует команда врубить «музычку», поскольку не только ей осточертела заумная лекция Каспера. Но ее надежды не сбылись. Лунев жестом приказал всем, кроме Каспера, умолкнуть.

— Для милых дам выражусь попроще, — продолжил Каспер. — Гнилая жижа, в которую превращается мозг после месяцев замедленного разложения, не может в принципе генерировать никакие импульсы, то есть мысли, но водяные остаются в сознании.

— Это попроще? — Шурочка на миг подняла взгляд к потолку и протяжно, с призвуком выдохнула: — Подъезжаем, мальчики.

— Вот такая странная обстановка в Московской зоне разлома, — резюмировал Каспер. — Есть город и обитатели под водой, есть остатки города и жители над водой, и, что удивительно, они сосуществуют. Мирно или не очень, но сосуществуют. Возможно, благодаря тому, что водяные не заразны. То есть укусить и сделать водяным, как мифические вампиры, они не могут.

— Зато сожрать могут, — напомнил Муха. — Или утопить.

— Сожрать могут. А вот утопить — нет. Ведь любой утопленник автоматически становится водяным, но при этом не факт, что способен резко пересмотреть свои взгляды на жизнь, а вернее — на существование. А возиться и перевоспитывать водяным некогда.

— Это сейчас им некогда, — заметил Муха. — А начнут вымирать, пойдет дело. Да оно наверняка уже идет, просто пока не в масштабе.

— Возможно. Но народ не беспокоится. Естественно, уже существуют легенды о Ромео-Джульеттах, рыбаках и русалках: она его поразила красотой, он прыгнул за ней и пошел на дно. Утонул, ясный день, она принялась рыдать, а он очнулся и стал водяным...

— И жили они счастливо, пока не попали в один день под винты военного катера, — с усмешкой закончил Муха.

— Ну да, примерно как-то так. Возможно, нечто такое и впрямь произошло разок-другой. Но тут следует уточнить. Рыбак наверняка был сильно пьян и утонул не от большой любви к русалке, а просто случайно упав за борт. Ведь вероятность алкогольного эксцесса гораздо выше вероятности возникновения чувств к распухшей сине-зеленой утопленнице с белесо-мутными выпученными глазами. Уже потом, с точки зрения водяного, она, возможно, и становится привлекательной, но живому... столько и не выпить.

— Короче, — вновь попросил Андрей.

— Короче, кирсановцы и «жемчужники» — люди практичные, без предрассудков, пришли к выводу, что пока водяные и русалки не разложились окончательно, их надо использовать по полной программе. И пошли-поехали рефконтейнеры с морожеными продуктами в зону, а спецконтейнеры с матценностями из зоны. А потом ЦИК договорился о покупке и установке шельфовых платформ без оборудования, а еще чуть позже была построена собственно «Черная жемчужина», купол над разломом. Между прочим, уникальный инженерный проект, который без десятков тысяч рабочих рук водяных не удалось бы воплотить ни за что. Такой вот неклассический сюжет о живых и неживых.

— Сюжет что надо, — согласился Андрей. — Авангардный.

— Нет, если вдаваться в частности, можно привести массу «классических» конфликтных эпизодов. Как нежить хватала и жрала рыбаков или как бесстрашные водолазы мочили плавающих зомби в затопленных сортирах. На периферии бывало всякое, но с происходящего в центре можно «списать» только производственный роман в жанре соцреализма. Конечно, с драматической составляющей. Ведь строители были все обреченными, и они об этом догадывались. И все-таки работали не покладая рук. Вероятно, чтобы утопить в работе мысли об отсутствии перспективы.

— Слышьте, академики! Вон уже блокпост, — с явным облегчением в голосе заявила Шурочка. — Там вы сами договаривайтесь, мальчики. Там наши липовые карточки не пройдут. А целоваться мне больше не хочется.

— Я же сказал, не проверяют они въезжающих, — уверенно заявил Каспер.

— Но сало лучше перепрятать. — Муха вопросительно взглянул на Лунева, дождался одобрительного кивка и аккуратно, пальцем постучал Шурочке по плечу: — Тормозни, птаха, я выйду. Не помешает подстраховать.

Муха исчез в серой пелене, а машина медленно двинулась дальше...

...Побережье Московского моря выглядело именно так, как его описал Каспер. Мрачно, серо, уныло. А если без личных впечатлений, то действительно: юго-западная граница зоны разлома номер 17 пролегала на уровне самой дальней окраины Большой Москвы, но Московское море — поначалу мелкое, по щиколотку — начиналось только после МКАД и лишь в случае Внуковского залива — от Алабинского блокпоста. Здесь же, над постом, висел край аномального атмосферного фронта, то есть начиналась зона вечного дождя. Поначалу мелкого, моросящего, но ближе к центру переходящего в настоящий ливень.

От блокпоста и до самого Внуковского порта поверх шоссе лежали понтоны. И если примерно до уровня поворота на Краснознаменск эти понтоны лежали на грунте, так сказать, «на всякий случай», то дальше они выполняли свою работу по-честному. После скрытого под водой перекрестка глубина росла на метр через каждые полкилометра пути. В результате на уровне бывшего поселка Кирпичного завода глубина была уже около трех с половиной метров, а у главных причалов Внуково — все пять. Об этом сообщалось на информационном табло, которое висело над въездом на понтонную дорогу. Бегущая строка красным по черному информировала о местном времени, температуре воздуха и воды, давлении, влажности и контрольном уровне местного моря в районе Внуково. Последний показатель находился на отметке 5,19, а после него стояла стрелочка вверх.

На площадке, слева от ворот блокпоста, собралась небольшая автомобильная очередь из легковушек, а непосредственно напротив ворот выстроились в колонну грузовики с логотипами «Черной жемчужины». Те самые.

Шурочка пристроила машину за фурами, но вынырнувший из дождливого сумрака боец с медальоном военной полиции недвусмысленно указал на хвост очереди из легковушек, а затем чуть откинул полу дождевика и показал ствол упрятанного под плащ автомата. Намек был понятен даже блондинке. Она возмущенно похлопала глазами, но покорно съехала с дороги и пристроилась за видавшей виды «Газелью».

Минутой позже из дождливой мглы вынырнул еще один человек в плаще. Он уверенно подошел к машине, открыл дверцу и уселся рядом с Луневым.

— Все пучком. — Новый пассажир указательным пальцем отвел ствол направленного на него автомата и откинул капюшон. Новым-старым пассажиром оказался Муха.

— Прибарахлился уже, — Андрей усмехнулся и опустил оружие. — А про нас забыл?

— Забудешь вас. — Мухин достал из-за пазухи два свертка и вручил один Луневу, другой Касперу.

— А мне?! — обеспокоилась Шурочка.

— Там только мужские были, — отмахнулся Муха и обернулся к Андрею: — Дальше лучше сменить кобылу. Я на блокпост заглянул, там слишком тихо и напряженные все. Может, Лектора раскусили, но связываться боятся, пока подкрепление не подойдет, а может, и нас поджидают.

— Надо же, модные какие! — обиженно проронила Шурочка. — Все вас боятся!

— Есть предложения? — не обращая внимания на реплики девушки, спросил Андрей.

— Есть три билета в плацкарт. — Муха взглядом указал на стоящую впереди «Газель». — С водилой я договорился.

— А я?!

— Все, Шурочка, спасибо. — Андрей кивнул Мухе.

Тот достал из-под плаща трофейный тесак, но Шурочка демонстративно отвернулась. Муха положил ценную вещицу на сиденье и первым покинул машину. Следующим, неожиданно чмокнув Шурочку в щечку, вышел Каспер. Девушка встрепенулась и даже рефлекторно подняла руку, чтобы отвесить нахалу оплеуху, но запоздала. Каспер, хохотнув, исчез в серой дождевой пелене.

Андрей чуть задержался, подался вперед, что-то шепнул Шурочке на ухо и положил в боковой карман ее куртки какую-то довольно крупную вещицу. Девушка сначала удивленно покосилась на Старого, но затем деловито кивнула. Лунев ободряюще похлопал ее по плечу и присоединился к товарищам...

...Через полчаса колонна «Черной жемчужины» скрылась в серой завесе дождя на подступах к воротам Внуковского порта.

Часом позже группа Лунева на грузовой «Газели» также благополучно миновала блокпост и направилась к тем же воротам.

А еще через тридцать минут заветную черту пересекла и упрямая Шурочка. Да не просто так пересекла, а умудрилась подзаработать: подбросила до порта мужичка, который заплатил талоном на двадцать литров бензина. По местным меркам — небывалая щедрость, но очень уж мужичок спешил. А Шурочке ведь предстояло еще как-то выбираться из зоны, поэтому отказываться от подарка она не стала и с чистой совестью залила двадцатку на «жемчужной» заправке в порту. Только не в бак своей машины, а в бак небольшого катера, который Шурочка арендовала на сутки, заплатив за это трофейным клинком. Тоже, кстати сказать, довольно щедро. Даже чересчур щедро. Шурочка это понимала, но не жалела. Будь это дорогое украшение или дизайнерская вещь — другое дело. А ножик, пусть и неземной... не жалко. К тому же Шурочкиной воли в этом решении была от силы треть.

Подсознательная «серая» программа так и продолжала управлять девушкой, но Шурочка не обижалась. Кроме приказов, программа давала ей еще много чего полезного. Взять хотя бы приличный багаж знаний и умение ими пользоваться. Пока дело шло со скрипом, но Шурочка ощущала, что ей становится интересно и понятно почти все, что происходит вокруг. Ощущение было новое, непривычное, но приятное. Раньше Шурочка и не подозревала, что это так здорово: наблюдать, запоминать, обдумывать и делать выводы. Самой. Без подсказок смартфона или «дополненной реальности» в модных розовых очках.

* * *

Лектор шел к цели наугад, и в то же время ему казалось, что откуда-то он знает верное направление. И не только направление. Необъяснимое чутье подсказывало Лектору, за какие ориентиры цепляться и какие тонкие моменты учитывать, чтобы не сбиться с точного курса. Вот почему двигался Лектор словно по ниточке, даже если приходилось выписывать какие-нибудь зигзаги, чтобы избежать проблем.

Так было на границе, так было в Брянске, на точке дозаправки, так произошло на подлете к Москве, когда Лектор приказал заложить крюк и сесть в одном укромном местечке для частичной разгрузки. Было потеряно больше часа и потрачена уйма горючки, но зато все захваченное золото было надежно спрятано, а взлетная масса вертушки значительно уменьшилась, что отчасти компенсировало топливные потери. К тому же, как выяснилось чуть позже, в результате маневра вертолет разминулся с эскадрильей армейских вертушек, вышедшей на его поиски.

Так что пусть чутье вело Лектора к центру Московской зоны разлома зигзагами, зато делало это почти безупречно.

«Почти», поскольку чутье не подсказало, как можно попасть на одну из платформ в самом центре зоны. Ведь спуститься под купол, где Лектора ждал заветный пакаль, можно было только с какой-то из этих платформ. С какой? Чутье и на эту тему не сообщало ничего конкретного. Но, возможно, дело было в том, что Лектору следовало подойти как можно ближе к центру аномальной акватории?

«Возможно, — подумалось Лектору. — Но как это сделать? Там ливень стеной!»

Вертушки не залетали в ливневую часть зоны, каким бы всепогодным ни было их электронное оборудование. Для всех подлетающих с юга и запада бортов конечной точкой воздушного маршрута становился плавучий островок с веселым названием Зоопарк. Назвали его так не потому, что на островке содержались какие-то животные. Собаки, охранявшие Зоопарк, не в счет. Такая охрана от водяных, которые нет-нет, да и норовили выбраться на условную сушу, имелась почти на всех островах. И даже не в шутку было подобрано название, хотя некоторые из обитающих на островке кадров были и впрямь колоритными. Так и напрашивалось упрятать их за решетку с табличкой. Но ларчик открывался проще: остров стоял на якорях над тем местом, где когда-то располагался Московский зоопарк. Вот и вся история названия.

В районе Зоопарка вечный дождь был мелким, поэтому проблем при посадке не создавал. А вот всего через три сотни метров начиналась зона настоящего дождя, как его называли местные жители — «садового», и там пилотирование затруднялось до предела. Что уж говорить о зоне «бульварного» ливня, который хлестал в центре, в пределах бывшего Бульварного кольца.

В общем, как Лектор ни пытался подобраться к центру, обстоятельства оказались сильнее его желаний. Пилот Щербинин ответил на требования Лектора спокойно и убедительно, несмотря на приставленный к горлу нож:

— Мне по хрену, можешь резать, рухнем здесь, а если сунемся за Бульварное, рухнем там, выбирай.

— Страх потерял, да? — Над пилотом угрожающе навис Хирург. — Хочешь за дружком твоим отправиться? Я устрою, если будешь тупить.

— На, порули, если умный такой! — Пилот поднял руки вверх и кивком указал на приборную панель.

— Заткнулись! — приказал Лектор. — Больше никто никуда не отправится, обещаю.

— Да пошел ты, — Щербинин сверкнул взглядом. — Ты уже обещал, что мы оба уцелеем.

— Я обещал, что одного отпущу. Так я и сделал. Кто виноват, что ты взлетел раньше, чем он вышел?

— Я свидетель, знаю, где ты золото спрятал. — Пилот горько усмехнулся. — Меня ты тоже не отпустишь живым. Так что обещания свои засунь сам знаешь куда.

— Ладно, обещать ничего не буду. — Лектор усмехнулся. — Предлагаю сойтись на компромиссном варианте. Сядешь за Садовым кольцом, и я тебя... не трону. Никто не тронет, разве что запрем на какое-то время, годится?

— Нет, — твердо произнес упрямый пилот. — В зоне Садового есть только две посадочные площадки, обе на востоке. Чтобы на них сесть, придется облететь половину зоны по кругу, а это время. Да и горючее на исходе. Не дотянем.

На эти аргументы у Лектора возражений не нашлось. Хирург тоже промолчал. Пришлось Лектору спрятать нож и смириться.

Впрочем, после высадки на островок он понял, что не прогадал. У причала Зоопарка стояли несколько катеров с закрытыми кабинами. На этих посудинах с комфортом можно было подойти к любой цели в зоне ливня. Поскольку Лектор и его ударная группа прибыли на вертушке, как солидные люди, хозяева катеров не сразу сообразили, что дело пахнет керосином, и за оружие схватиться не успели.

В результате «аренда» двух скоростных катеров обошлась Лектору и компании всего в три десятка патронов. Плюс еще пару магазинов бойцы потратили на зачистку Зоопарка. Так же как свидетели, знающие о местоположении временного хранилища золотого запаса банды, свидетели, которые могут домчаться до порта Внуково и сообщить о прорыве ударной группы отряда, Лектору были не нужны.

Через полчаса на острове не осталось ни одного живого человека. Обитаемый еще недавно клочок суши превратился в обычную большую баржу, «украшенную» понуро свесившим лопасти вертолетом. Хотя нет, кое-какие признаки жизни на острове остались. Их подавала дюжина тоскливо воющих псов. Выжил и один островитянин, которого, так же как и связанного пилота Щербинина, Лектор прихватил с собой. Островитянин понадобился Лектору в качестве лоцмана.

Этот самый островитянин и довел катера до Арбатской платформы, самой важной, по его утверждению, из четырех имеющихся, и даже помог ошвартоваться у выносного причала нижней палубы. За что и получил заслуженную награду — умер мгновенно, без мучений. Что делать дальше, Лектор понимал и без лоцмана. Ведь он теперь точно знал, что прибыл по искомому адресу — об этом ему сообщило все то же необъяснимое чутье.

Впрочем, не только оно. Еще заметно потеплел белый пакаль в кармане у Лектора. Поначалу Лектор не поверил своим ощущениям, но чуть позже признал, что это правда. Пакаль сделался теплым и не остывал, даже если его достать из кармана. Было ли это связано с близостью другой подобной вещицы? Кто их знает, но почему бы нет?

Ступив на причал, Лектор запрокинул голову и попытался разглядеть сооружение. На самом деле, если сравнивать с океанскими нефтяными платформами, Арбатская выглядела скромно. Опоры и пять ярусов, как сообщил покойный лоцман: причальный, с решетчатой палубой, прямо над водой плюс три базовых — складской, жилой и офисный, и верхний, с бесполезной вертолетной площадкой и дозорными башенками. Высоту сооружение имело приличную, но по площади явно проигрывало даже старым Каспийским платформам. Впрочем, к чему эти неуместные сравнения? Нефтяные платформы — это сложный технический комплекс, в котором каждый агрегат, каждая деталь работают на добычу «крови земли». А платформы в Московском море — это искусственные острова на сваях, решающие совсем другие задачи. Ордынская и Театральная были огромными супермаркетами для водяных и перевалочными пунктами для грузов, а Лубянская и Арбатская, кроме тех же функций, но в меньшем объеме, еще и подавали под купол «Черная жемчужина» воздух плюс доставляли туда на лифтах грузы и персонал. То есть вместо бурильных установок и прочего спецоборудования на последних двух платформах стояли дизельные генераторы и мощные компрессоры, а на Театральной и Ордынской — кран-мачты для подъема прибывающих и убывающих грузов. Так что общими у местных платформ и нефтяных аналогов были только очертания и принцип установки. Ну, еще название.

И все-таки, несмотря на относительно скромные размеры и утилитарное назначение, сооружение впечатляло. В серой пелене дождя оно казалось могучей скалой, с вершины которой льются потоки воды. На самом деле источник водопада находился не на вершине «скалы», а в тучах, зависших над центром зоны разлома, но если смотреть от борта нижней палубы, впечатление складывалось именно такое — «скала», а по всем неровным склонам скатываются мощные потоки воды. Роскошное зрелище, даже в вечном дождливом сумраке.

Одна проблема — чтобы попасть на нижнюю палубу с выносного причала, требовалось пройти сквозь стену водопада. Задача почти нереальная. Падающая с такой высоты вода, ударив по макушке, запросто могла нокаутировать, а то и шею свернуть.

Устраняла проблему огромная стальная труба, которая вела от выносного причала на палубу, но эта же труба создавала новую проблему: войдя в нее, гости оказывались в ловушке. Ведь если на том конце трубы кто-то есть и он решит открыть огонь, спрятаться будет негде.

Пару секунд Лектор колебался, но потом решил рискнуть. Почему кто-то должен непременно стрелять? Вряд ли эта платформа настолько серьезный объект, чтобы его охраняли по высшей категории секретности. И вообще, даже если так, обычно сначала говорят «Стой, кто идет?» или предлагают убраться к черту. В общем, предупреждают, что готовы стрелять. Сам Лектор, конечно, открыл бы огонь без предупреждения, но по себе людей не судят.

На другом конце трубы Лектора никто не ждал. То есть вообще никто. Нижняя палуба выглядела совершенно заброшенным местечком. По ней перекатывались какие-то жестянки вроде пустых консервных банок, сквозь дыры захлестывала вода, а вдоль бортов стояла белесая стена из ливня и стоков. Именно эта стена не давала жестяному мусору скатиться с палубы и мирно затонуть.

На верхний уровень с палубы вели несколько трапов, но даже издалека и в свете фонариков было видно, что люки над трапами задраены и открываются только изнутри, то есть со стороны верхней палубы. Теперь становилось ясно, почему ни на причале, ни здесь не было никаких постов. Смысл?

Вообще-то придуманная обитателями платформы задачка легко решалась с помощью пластиковой взрывчатки, но этот вариант выдавал Лектора и его группу захвата с потрохами. Такой «стук в дверь» не мог остаться незамеченным. Лектор мог, конечно, положиться на фактор внезапности — рвануть наверх сразу после взрыва, пока местные не разобрались, что там внизу громыхнуло, но кто знает, какие еще отсечки и сюрпризы ждут наверху? Нет, лихая атака наобум тут не годилась.

Лектор неторопливо прогулялся по палубе, освещая потолок, остановился почти в центре и вдруг отпрыгнул назад. На то место, где он только что стоял, полилась вода вперемешку с изрядной порцией дерьма. Лектор едва не попал под сток из гальюна.

— Мать их! — Лектор хмыкнул и обернулся: — Хирург, иди сюда!

Помощник прекратил изучать один из трапов, подошел и чуть сдвинул назад капюшон дождевика.

— Мы еще ничего не сделали, а они уже обосрались? — Хирург осветил палубу. — Хорошо питаются, обильно.

— Не о том сейчас... — Лектор поморщился. — Как думаешь, через эту систему можно внутрь пробраться?

— По фановой трубе? — Хирург осветил слив в потолке. — Вообще-то труба большая, никакие банки не застревают. Сантимов сорок в диаметре. Но это все равно на ребенка.

— У тебя нет? — Лектор криво ухмыльнулся.

— Может, и есть где-то. — Хирург пожал плечами. — Рано ты лоцмана завалил. Я б ему кой-чего отрезал, как раз прошел бы в трубу. Может, пилота обстругаем? Чего без дела в катере валяется?

— Пилот еще пригодится.

— Взрывать надо люки, да и все дела, — подсказал возникший поблизости Фома.

— Тебя не спрашивали. — Лектор направил луч фонаря на бойца: — Ну-ка, Фома, стой. Иди сюда. Это что?

Лектор отнял у бойца что-то вроде багра с коротким древком.

— Тут нашел. — Фома кивком указал в сторону причальной трубы. — Типа удочки раздвижной.

— Телескопической, — поправил Лектор. — Леска есть, грузило на месте, а крючка нет. Хирург, что думаешь?

— Думаю, наверх надо забираться, а не рыбу ловить. — Хирург покосился на удочку. — Грузило странное. Дай.

Лектор отдал ему непонятную удочку, а сам обернулся и еще раз осветил потолок, или изнанку верхней палубы — как нравится. Других точек доступа не было, факт. Только труба и запертые люки. Если взорвать сразу все шесть, возникал шанс прорваться хотя бы на половине направлений, но неизбежные при этом потери Лектора не устраивали. И не потому, что он сильно дорожил бойцами. Просто десять штыков не такая уж серьезная сила для штурма. А если их станет пять, штурм и вовсе сорвется. А вот десять диверсантов, которые незаметно рассосутся по платформе и по тихой грусти вырежут расслабленный персонал — совсем другая песня. В общем, следовало и дальше шевелить извилинами.

«Может, попробовать взобраться по надстройкам? — Лектор перевел луч на стену из дождя и стоков. — Смоет вмиг. Прямиком к водяным».

— Водяных кормить, — вдруг проронил Хирург, как бы в унисон с мыслями Лектора. — Вот для чего это грузило.

Хирург нажал на верхнюю часть «грузила». Нижняя тут же раскрылась, как бутон с пятью лепестками. На внутренней поверхности каждого лепестка имелись мелкие крючки-зацепы. Хирург ухватил за капюшон Фому и подтянул к себе спиной. Боец попытался развернуться, но Хирург отвесил ему подзатыльник, буркнул «замри», запустил пятерню в рюкзак Фомы и вытащил оттуда банку тушенки. Банка четко зафиксировалась в раскрытом «бутоне», примерно посередине длины лепестков.

— На любой диаметр, — прокомментировал Хирург и подмигнул Лектору: — Порыбачим?

— Ты ж хотел наверх, а не рыбачить.

— Вот мы и выловим того, кто наверх проводит. Место, похоже, прикормленное, долго ждать поклевки не придется. Надо только вовремя сачком подхватить. Сечешь мысль?

— Толковая. — Лектор толкнул в спину Фому: — Драного найди, с Хирургом пойдете. Бегом!

Фома выполнил приказ в рекордные сроки, Драный нашелся буквально через три секунды. А вот рыбалка затянулась почти на полчаса. Как позже объяснил Хирург, поначалу операция пошла не так, как предпологалось, и две банки «тушняка» пропали зря. Водяные не всплывали, а просто забирали консервы, а вместо них цепляли к «грузилу» всякие безделушки. С первой поклевки бойцы разжились массивным золотым браслетом в стиле девяностых, со второй — исправными швейцарскими часами. Лишь после этого Хирург догадался зажать банку в «бутоне» так, чтобы ее не смогли отцепить водяные, и «рыбакам», наконец, действительно повезло. К поверхности всплыла миниатюрная русалка.

Поскольку никто из бойцов не страдал излишней сентиментальностью, вид этого юного при жизни существа не вызвал у них никаких особых чувств. Даже жалости не вызвал, а уж тем более не испугал. Русалка подплыла к причалу и попыталась жестами объяснить Хирургу, что не может отцепить банку, тот махнул рукой «давай, посмотрю, что там заело», наивная нежить протянула руку и... уже в следующий миг очутилась на причале. Драный быстро закутал ее в брезентовый плащ — не чтобы согреть, а чтобы не выскользнула, — Фома схватил за ноги и первым нырнул в трубу. Оттуда русалке было некуда деваться, даже если бы она вырвалась из рук «рыбаков». Впрочем, она не сильно сопротивлялась. Пару раз дернулась, а потом обреченно затихла. Так ее и донесли до палубы — ногами вперед. Вновь зашевелилась русалка, только когда ее бесцеремонно бросили на решетчатую палубу перед Лектором.

— То, что надо, — откинув полу брезентовой «упаковки», сказал Лектор. — Ну, красотка, хочешь обратно в море?

Насчет «красотки» Лектор заметно преувеличил. Серая, покрытая слизью кожа, распухшее лицо и белесые глаза навыкате — красота сомнительная. Даже правильные очертания фигурки обнаженной девушки не компенсировали этой «сомнительности».

Русалка медленно села на колени и свесила голову. Мокрые волосы закрыли лицо. Хирург схватил русалку за волосы и потянул на себя, заставляя существо запрокинуть голову. Русалка попыталась вывернуться и укусить Хирурга за руку, но боец держал крепко:

— Сиди, не рыпайся, тварь!

— Они говорить умеют? — Лектор поднял взгляд на Хирурга.

— Вряд ли. Они ж не дышат. Но она тебя слышит, не сомневайся.

— Хорошо. — Лектор присел и направил луч фонаря русалке в глаза. — Слушай внимательно, рыбка. Проберешься по трубе наверх и откроешь ближайший люк. Без шума! Дальше делай что хочешь, поняла? Марать о тебя ножи не станем. Согласна?

Русалка немного помедлила, а затем отрицательно помотала головой.

— Что тебе не нравится? — удивился Лектор.

Русалка оскалилась, то ли угрожая, то ли в нечеловеческой улыбке. Как понимать ее гримасу, Лектор не мог и предположить.

— Консервов дадим, — пообещал Хирург.

Русалка вскинула руку и показала бандитам средний палец. Хирург мгновенно схватил ее за палец и резко дернул. Послышался хруст ломающихся косточек, но русалка даже не вздрогнула.

— Вот зараза! — Лектор рассмеялся. — Фома, бери удочку. Идите с Драным, еще пару водяных поймайте. Настрогаем их ломтями у нее на глазах, а потом сожрать заставим, может, поумнеет.

— Это легко! — Фома взял удочку и поиграл грузилом-бутоном, раскрыв-закрыв устройство. — Ням-ням!

Русалка исподлобья проследила за телодвижениями Фомы и обреченно кивнула (насколько позволил Хирург).

— Другое дело, умница, — одобрил Лектор. — Ты нам навстречу, мы — тебе. Можешь взять на складе что захочешь. Только люк сначала открой. И не вздумай зашуметь. Там, внизу, сейчас много твоих плавает? Если что, мы им сразу большой бум устроим, поняла? Взрывчатки у нас много, на километр вокруг все водяные пузом кверху всплывут. Так что без глупостей. Поняла?

Хирург ослабил хватку, и русалка вновь кивнула, теперь более отчетливо.

— Подсади ее. — Лектор поднялся и кивнул Хирургу. — Все остальные, к трапам! Оружие к бою!

* * *

Высокий и худощавый «Серый» стоял на смотровой площадке портового маяка — в прошлом диспетчерской башни — и внимательно наблюдал за перемещениями колонны грузовиков «Черной жемчужины» по многочисленным понтонам, дебаркадерам и крышам терминалов, ставшим теперь причалами Внуковского порта.

Почти все нужные «Серому» игроки сейчас находились где-то поблизости от машин. «Серый» видел, как Лунев и главный помощник Лектора едва не столкнулись нос к носу в портовой толчее. В этот миг «Серый» замер. Но людские волны унесли прочь сначала Дышлюка, а затем оттеснили в сторонку Лунева, и «Серый» расслабился. В точке сбора не хватало Лектора, однако этот момент укладывался в рамки замысла «Серого». Лектор опережал противников на целых два хода, но оторваться еще сильнее пока не мог. Как, впрочем, и было задумано.

Возможно, Мастер и наверстал упущенное, но как бы ни старался «Серый» увидеть хоть какие-то признаки вмешательства Мастера в игру, ничего не увидел. Все говорило о том, что игра продолжается в точном соответствии с замыслом «Серого». Либо таков был тонкий расчет Мастера, либо высокий и худощавый «Серый» напрасно беспокоился и приписывал «девушке-джокеру» то, чем она не обладала.

Второй вариант был выгоднее, но ставить следовало на первый. Мастер Игры потому и получил свое высокое звание, что умел хранить интригу до последнего момента и наносить решающий удар внезапно, когда противник его никак не ожидал. Но если этот удар не заставал противника врасплох, партия оставалась за этим самым противником. Мастер безоговорочно признавал поражение. Случалось такое исключительно редко, но если случалось, Мастер вел себя достойно. Собственно, на это худощавый «Серый» и делал главную ставку.

Он неторопливо спустился по лестнице к основанию башни, остановился, будто бы снова задумавшись, а затем двинулся к частному причалу, где его ждал небольшой катер. Спрыгнув на борт судна, «Серый» активировал навигацию и выбрал маршрут до пункта назначения. Конечной точкой стала платформа Арбатская, но маршрут пролегал не по прямой, а с коротким заходом во фьорды архипелага Сити. Именно там сейчас обретался тот, кто должен был гарантировать «Серому» успех. Там находился «джокер» худощавого «Серого». Противовес «девушке-джокеру» Мастера Игры.

Часть вторая
МОСКВА-НА-ДНЕ

7. Зона разлома 17 (Москва), 19.07.2016 г. (276-й день СК)

В жизни порой случаются очень странные вещи. Допустим, крупные выигрыши. И это при условии, что вы никогда не играли в лотерею и счастливый билетик попал к вам абсолютно случайно. Или, наоборот, на фоне полной безмятежности жизненного моря вдруг налетает шквал обстоятельств, который топит вашу лодку ко всем морским чертям. Всякое бывает. И только одна жизненная странность неподвластна воле случая — материализация мыслей. Или можете называть это предвидением.

Если вы заранее узнали, что с вами произойдет (от гадалки, из вещих снов или просто предположили, пофантазировали, а это реализовалось — не важно), какая тут воля случая? Программа, да и только. Программа чего? Вашей жизни, всей цивилизации, вселенной? Трудно ответить. Но факт остается фактом.

Правда, справедливости ради следует заметить, что случай и программа судьбы частенько идут рука об руку, как волна и частица, а бывает, даже превращаются друг в друга.

В случае Степана Васильевича Бибика, пятидесяти лет от роду, уроженца Киева, отставного военного с боевым опытом советских времен, случай и программа соединились просто мистическим образом. А уж результат этого соединения и вовсе выглядел нереальным.

Неизвестно, по какой такой программе действовал господин Кирсанов, известный предприниматель, глава Центра Изучения Катастроф — наиболее серьезной исследовательской структуры в «мире после октября 2015 года», однако научный факт, что в конце апреля 2016 года ему вдруг потребовался именно Бибик. Отыскавшие Степана Васильевича представители ЦИК знали все данные Бибика назубок. То есть спутать его с кем-то другим никак не могли. Недостатка в опытных, толковых и при этом молодых кадрах Кирсанов наверняка не испытывал, но почему-то направил рекрутеров именно к Бибику. Что за блажь? А пойми этих бизнесменов глобального масштаба!

И отдельное спасибо его величеству Случаю, что те самые рекрутеры не просто развеялись, сгоняв по маршруту ЦИК — Киев — ЦИК, а застали искомого кандидата в срединной точке маршрута. Буквально за минуту до появления кирсановских вербовщиков Бибик вышел из дома с большой дорожной сумкой в руке и распечаткой электронного билета на самолет в кармане. Вышел и сразу же наступил, извините, в собачье дерьмо.

Будь впереди длительный пеший марш, Бибик не обратил бы внимания на эту неприятность. Вытер бы ноги о молодую травку на ближайшем газоне, да и потопал бы себе по холодку. Но садиться в такси, а потом бродить по аэропорту и пованивать было как-то не очень. Да и времени в запасе оставалось предостаточно. В путь Бибик отправился, имея так называемый «ефрейторский зазор» по времени. Как чувствовал, что придется вернуться. Впрочем, в данном случае дело было не в предчувствии, а в привычке рассчитывать все дела по формуле «время подлета плюс десять минут».

Короче, спасибо невоспитанной псине и ее бесхребетному хозяину, не сумевшему приучить животное гадить там, где положено, а не там, где приспичит. Бибик вернулся и занялся отмыванием обуви. За этим делом его и застали вербовщики ЦИК.

Выслушав предложение кирсановцев, Бибик задумался, но не стал сразу соглашаться на предложение записаться в квестеры. Все-таки оценивал себя он вполне адекватно. Опыта и навыков в подобных делах ему было не занимать, но форму он потерял давно и, возможно, навсегда. А ведь речь шла не о консультациях, а именно о полевой работе.

Долго размышлять Бибик не любил, поэтому сосредоточился на попытках выудить побольше информации из рекрутеров, но кирсановцы ловко ушли от всех щекотливых тем. Добиться внятного ответа на вопрос «Почему я?» Бибик так и не сумел. Зато в процессе беседы отыскал в глубине души решающий аргумент «за». Простой, но безупречный, как обычно и бывает: «Что я теряю?»

Если учесть тот факт, что самолет должен был унести Бибика в дальние дали, где он собирался начать жизнь практически с нуля (в прежней жизни после отставки он так себя и не нашел), терять Степану Васильевичу было действительно нечего. В дальних далях или в ЦИК, какая разница, где начинать новую жизнь? Или заканчивать текущую, как повезет.

Впрочем, в нынешней мировой обстановке крайняя оговорка была пустым звуком. «Повезти» могло где угодно и в любой момент. Новые участки аномальной активности возникали с завидной регулярностью в самых разных местах планеты, так что нарваться на фатальное невезение имелся шанс у всех и повсюду. Возможно, как раз под крылом ЦИК было даже больше шансов выжить в медленно расползающемся по планете апокалипсисе.

Хотя не той закваски был отставной полковник Бибик, чтобы зацикливаться на выживании. Делай, что должен, и будь, что будет, — этот принцип был ему гораздо ближе, чем стремление непременно уцелеть в глобальной катастрофе. Ну, уцелеешь всеми правдами и неправдами, и что? Мучиться весь остаток жизни от угрызений совести, что не уступил свое место кому-то из более полезной для поредевшего человечества молодежи?

В общем, не за страх, а за совесть и пользу людям согласился Бибик подписать контракт. Ну, и еще потому, что абсолютно ничего не терял от такой рокировки целей.

Так все и началось в апреле 2016-го и продолжалось до сих пор.

«И новая жизнь, надо признать, заскучать не дает. В какие только передряги не попадал за последнее время. За всю предыдущую жизнь меньше было приключений. А в какие места заносило! Федор Конюхов обзавидуется. И все за какой-то десяток недель. Или за сколько там...»

Бибик перевел взгляд на свои часы. Только не на стрелки, а на дату.

«Ровно три месяца! — вдруг дошло до него. — Ровно три месяца, как я квестер. Можно подводить какие-никакие предварительные итоги. Что ж... время есть. Итак... Форма... вернулась, как ни странно. Не помолодел, конечно, но по ощущениям словно лет десять сбросил. А то и пятнадцать. Карьера... не главное, но все-таки... уже месяц, как не рядовой квестер, теперь своя группа имеется. И неплохая группа, котируется на уровне групп Камохина и Трофимова. Ответственность, конечно, но тут без проблем, не привыкать. Интерес к работе... только растет с каждым квестом, а это очень важно, когда работа тебе интересна. Что еще? Наверняка, если подумать, найдутся и еще какие-то достижения. Хотя и без ложки дегтя, как обычно, никуда, но на фоне прочего это мелочь. Даже и не стоит упоминать, наверное. Хотя, нет, если подводить итоги, то без купюр и прикрас. По чесноку».

В общем, Бибик так и не выяснил, почему Кирсанов его разыскал и завербовал в квестеры. Причина была явно не в особых талантах Степана или его бесценном жизненном опыте, но тогда в чем? Для Бибика это до сих пор осталось загадкой.

Не сказать, что этот пробел мешал ему работать, нет. Но неприятные сомнения все-таки изредка всплывали и портили настроение. Ведь если тебе чего-то недоговаривают, высока вероятность, что это делается со злым умыслом. Разменять в нужный момент, подставить или бросить в пекло — вполне реальные варианты. И факт, что на первых порах все складывается вроде бы удачно, без намеков на возможные неприятности, только добавляет веса скрытым сомнениям.

Бибик вновь перевел взгляд на серую дождливую мглу и постарался выкинуть лишние сомнения из головы. Все пустое. Реагировать следует на ситуацию, а не на домыслы. Вот и вся формула успеха. По крайней мере, на этой службе.

Краем глаза Бибик уловил какое-то движение в дождливой пелене и понял, что сейчас ему как раз придется реагировать на ситуацию. Как, впрочем, и было заявлено. С юга, со стороны Внуковского порта, курсом на бывший центр столицы шла самоходная баржа с десятком контейнеров на борту. В принципе ничего особенного, но какая-то деталь резанула глаз.

Бибик навел бинокль на судно. Что-то было не так, но что конкретно? Засек подозрительное сразу, а сообразил с задержкой. Такой вот выкрутас сознания.

«Слишком много охраны, но вся на борту. Никаких судов сопровождения. Непорядок. Нет, будь это коммерсанты — их дело, каждый стро́чит так, как хочет. Но ведь на контейнерах эмблемы «Черной жемчужины», наших «смежников», а значит, и охрана должна быть из «смежной» конторы. А все связанные с ЦИК фирмы соблюдают наши стандарты безопасности. А эта не соблюдает. Нестыковка, однако. Придется разбираться».

Вообще-то разбирательства с нерадивыми «смежниками» не входили в обязанности квестеров. Даже больше, любые побочные дела, пусть и на благо ЦИК, прямо запрещались инструкцией. Но сейчас был особый случай. Коллеги из квест-группы, которая занималась Киевской зоной, сообщили, что в центр Московской зоны разлома направляется «посылка». С какой целью — неизвестно, но известно, что везут ее какие-то архаровцы. Так вот, эти непутевые охранники, что маячили на борту баржи, целиком и полностью подходили под данное определение. Следовательно, у кого-то из них в кармане и лежит «посылка», то есть пакаль неведомого пока достоинства. И поскольку добыча пакалей являлась прямым делом квестеров, круг замыкался. И никакого нарушения инструкции тут не было.

Подойти к островам-башням на минимальное расстояние тихоходное судно должно было минут через тридцать, не раньше. Пока оно лишь пересекло условную линию между островами Университет и Воробьевы горы. Поэтому на причальный уровень Бибик спустился без спешки. Оба стрелка из его квест-группы ждали рядом с катером. Один наблюдал через оптический прицел за баржей, другой прогуливался по этажу от импровизированного причала — пролома в восточной стене — до сохранившего стеклопакет окна в западной. Где бродит док, как обычно оставалось загадкой. Ученые всегда и везде находили какое-нибудь дельце по своему научно-исследовательскому профилю. Даже в таких вдоль и поперек изученных местах, как эти острова Сити.

— Вижу грузовое судно, командир, — уловив краем глаза приближение Бибика, доложил снайпер, бывший сержант-контрактник Антон Поспехов. — Это «девятка», капитан Бисеров лично за штурвалом. Перебор охраны, но признаков захвата нет.

— А я думаю, это захват, — проворчал второй стрелок, высокий русоволосый Юра Макагон, тоже в прошлом военный, но специалист другого профиля — по разведке, а также ближнему бою всех видов. — Как нам и обещали пацаны из четырнадцатой. Надо их тормознуть, командир, пока до платформы не добрались.

— Какими силами? — Бибик покачал головой. — Их там три десятка рыл, не меньше. Да и не подойти к ним близко средь бела дня. Или ты предлагаешь нырнуть?

— К русалкам, на колядки, навести порядки, — хмыкнув, добавил снайпер. — Я недавно такую кралю видел! Фигура — обалдеть! Километра два за нами плыла и глазки строила.

— Слабо себе представляю, как это выглядело, — пробурчал Макагон. — Да и «глазки» у всех зомби навыкате, не состроишь особо.

— То у зомби, а тут русалка, — многозначительно возразил Поспехов. — Почувствуй разницу.

— Русалки или водяные, все условно ожившие утопленники. — Макагон пожал плечами. — То есть один хрен все зомби. Только водоплавающие.

— Ничего ты не понимаешь. — Снайпер вздохнул. — Ну, вот откуда у русалки хрен? А? То-то! Лишь бы поворчать!

— Десять сантиметров! — неожиданно вклинилась в звуковую дорожку реплика дока.

Исчезал и появлялся Дмитрий Иосифович «док» Чернявский, кандидат каких-то там наук, неожиданно и будто бы ниоткуда. Как ему это удавалось, не мог внятно объяснить даже Макагон, бывший разведчик, а значит, специалист по скрытным перемещениям. Сам Чернявский вовсе не понимал, о чем речь, если его пытались расспросить на эту тему. Так что пришлось занести сей факт в графу «особые таланты» и на этом успокоиться.

— Что «десять сантиметров»? — удивился Макагон. — У русалки? Это что за мутант получается?

— Уровень воды поднялся на десять сантиметров! — пояснил док. — В прошлое наше посещение этого объекта я оставил метки. Минуло две недели, но уровень почти не вырос!

— Но и не упал, — заметил Макагон.

— Для кого-то стакан всегда наполовину пуст, — вновь усмехнулся Поспехов. — Мак, помолчи, дай доку высказаться.

— Между тем за две недели только в этой части зоны выпало до ста десяти сантиметров осадков, — продолжил Чернявский, не особо обращая внимание на реплики стрелков и обращаясь по большей части к Бибику: — Это намного меньше, чем в первые две недели потопа, но все равно немало. Спрашивается, куда подевался целый метр?

— Испарился? — предположил Бибик, скорее из вежливости, чем из желания поддержать разговор.

— За две недели в такую погоду, при почти стопроцентной влажности воздуха могли испариться от силы полтора сантиметра. А где еще девяносто восемь с половиной? Представляете, какая это масса воды? Миллионы кубометров!

— Значит, в разлом все лишнее слилось, — коротко резюмировал Бибик и приложил к глазам бинокль. — Извини, док.

— Разлом закрыт куполом! В него ничто не сливается уже давно, — возразил Чернявский, теперь вполголоса и обращаясь к Макагону: — Но и нельзя сказать, что вырос отток воды по рекам...

— Еще посудина! — доложил Поспехов. — Маломерная. Идет за баржей на дистанции в километр без малого.

— Извини, док, — отмахнулся и Макагон. — Где идет, покажи.

— Вон там, — Поспехов указал стволом винтовки в серую мглу на юго-западе. — Не по шарам? А если через бинокль?

— Поучи еще, пехота. — Макагон тоже вооружился биноклем. — Это Гудрон. Точно его корыто. Судя по осадке, с ним два пассажира, не меньше.

— Гудрон вышел из запоя? — удивился Поспехов. — Завтра дождь кончится и выпадет снег. Что ему пообещали эти пассажиры, танкер со спиртом?

— Не знаю, но соображать, похоже, будут на троих. Еще движение. От Универа отчалили три... нет... четыре... пять катеров. По-моему, они идут наперехват.

— На перехват кого... — Макагон навел бинокль на групповую цель. — В смысле — кому? Или чему?

— Держат курс на баржу, — избавил его от грамматических мучений снайпер. — Командир, беспокоюсь за посылку.

— Все на борт, — приказал Бибик. — Будем разбираться.

— «Отдайте нашу посылку!» — пытаясь подражать голосу кота Матроскина, произнес Поспехов и защелкнул колпачок на прицеле винтовки. — Мак, я рулю!

— Отставить, — вмешался Бибик. — Мак, за штурвал. Антон, на бак. Ставь свою машинку на сошки и жди команды. Док... Где он опять?!

Бибик оглянулся. Доктор Чернявский словно провалился сквозь землю. Точнее, сначала сквозь перекрытия затопленных этажей, а уже после сквозь землю. Как всегда, сделал он это не вовремя. Бибик уже сто раз обещал себе, что привяжет дока сыромятным ремешком, ну, или хотя бы не будет выпускать его из вида, но все обещания пропали впустую. Доктор исчезал по своим научным делам, когда ему вздумается, и Бибик ничего не мог с этим поделать. Увещевания, просьбы, требования и даже приказы не действовали на Чернявского. Он рассеянно кивал, извинялся, обещал исправиться и... тут же снова исчезал. Вот, как сейчас. И самое противное, искать его было бесполезно. Пока сам не «всплывет», не найдешь, будь ты хоть Шерлоком Холмсом.

Бибик сплюнул, негромко выругался и дал отмашку бойцам — «идите, ищите!» Мероприятие, как сказано выше, было бессмысленное, но просто сидеть и ждать, когда Чернявский нагуляется, не позволяла инструкция. А положения инструкций ЦИК бывший полковник Бибик привык выполнять, как пункты боевого устава.

Поиски затянулись минут на десять, и за это время оперативная обстановка в видимой части московской акватории осложнилась. Пять неизвестных катеров сократили отставание от баржи до минимума. Правда, на абордаж идти не спешили. Наверное, разглядели, сколько охраны на борту «грузовичка», и всерьез задумались, а стоит ли игра свеч.

Катер Гудрона болтался пока далеко, там, где от кильватерной струи большого судна не осталось и воспоминаний, но курса не менял. По-прежнему шел за баржей, и его экипаж наверняка тоже имел какие-то виды либо на само судно, либо на его груз, либо... на пакаль. Этот вариант нельзя было исключать по одной простой причине: очень уж странный ажиотаж поднялся вокруг обычной на вид баржи, совершающей обычный рейс.

Пока получалось, что первый и второй «эшелоны» преследователей поменялись местами и на этом временно успокоились. Но надолго ли? И успокоились ли? Сидя на месте, понять было трудно.

«Где только носит этого дока?!»

Бибик вновь оглянулся и вдруг увидел Чернявского. Оказывается, док никуда особо и не уходил! Прошел в соседнюю комнату, присел у большой дыры в полу и замер, сосредоточенно глядя в темные глубины нижнего этажа. Сидел он неподвижно, затаив дыхание, поэтому его и не заметили ни Бибик, ни бойцы. Такой вот вышел конфуз. И в первую очередь это камень в огород Мака, бывшего разведчика... чтоб он был здоров!

Макагон словно почувствовал, что командир мысленно его «склоняет», и тут же появился в соседней комнате. Он бесшумно приблизился к пролому с другой стороны и уселся напротив дока. Чуть позже слева на корточках расположился и Поспехов. Поначалу бойцы «выразительно» пялились на дока, ожидая, что тот поднимет взгляд и увидит, с каким укором смотрят на него товарищи, но прошла почти минута, а доктор так и продолжал глядеть в темную воду. Он словно выпал из реальности и полностью сконцентрировался на изучении серых глубин. Что он там умудрился рассмотреть, было совершенно непонятно.

Бибик тоже подошел к пролому, достал фонарь, направил его на воду и щелкнул кнопкой. Мощный луч осветил всю площадь пролома, но в глубину пробился на метр, не больше. Впрочем, этого вполне хватило. То, что увидели квестеры, находилось гораздо ближе к поверхности. Или «те, кого увидели квестеры, находились...» — тут снова возможны варианты, как в том случае с «перехватом».

Несколько водяных и русалок почти неподвижно «зависли» в полуметре от поверхности воды и вытаращились на Чернявского. Вспыхнувший свет немного их расшевелил, но врассыпную они не бросились. Просто задвигались — поначалу хаотично, а затем выстроились в круг и начали плавать друг за другом, как морские котики на манеже водного цирка. Вот только котики существа симпатичные, с лоснящимися шкурами и умными глазками-угольками, а водяные... распухшая, зеленовато-серая, мутноглазая нежить. Соответственно и реакция на нее у «зрителя» совершенно другая. Никакого восторга или умиления. Отвращение и жалость. Да, именно жалость, а не страх.

Во всяком случае, Бибик этих существ жалел. Были ведь нормальными людьми, жили себе, строили планы, и вдруг — получите, распишитесь. Вы все теперь нелюди. Не живые, не мертвые. И вообще непонятно кто и непонятно, как и сколько будете в таком вот виде существовать. Ведь непонятно, почему вы такими стали. А главное — за что?

«В общем, грустно все это, а не страшно».

Бибик поднял руку, жестом приказывая стрелкам убрать оружие, которое они с перепугу вскинули и направили на водяных. Даже при самом плохом раскладе, то есть если водяные настроены недружелюбно, квестерам ничто не угрожало. Выпрыгнуть и схватить человека могли только особо крупные и активные нелюди. Да и то случалось такое лишь поначалу. В последнее время водоплавающая нежить вела себя большей частью пассивно, как сонная рыба. Плавали, едва двигая конечностями, «зависали» и водили хороводы, вот как сейчас.

Некоторые ученые называли это «молниеносным вырождением вида», другие грешили на снижение в воде концентрации мифического «оживляющего зелья», а третьи, взять того же Чернявского, были уверены, что это проблема психологического порядка. По мнению дока и его коллег, в обществе водяных сформировался культ смерти. Многие из «утонувших, но не умерших» желали умереть по-настоящему, но как это сделать, не знали. Вот и решили думать об этом сообща, собираясь большими «косяками». Постепенно стихийные сборища начали обретать признаки упорядоченности, появились правила и традиции, а также другие элементы, присущие всяким сектам. Одной из традиций стали хороводы против часовой стрелки, якобы призывающие истинную смерть.

Короче, водяные вели себя как всегда непонятно, но Бибик не видел в этом особой проблемы. Когда все зафиксировано, запротоколировано и подшито, не имеет значения — понятное это явление или нет. Случалось такое раньше? Да. Закончилось плохо? Нет. Значит, не страшно. Бибик вполне разделял такой подход. Все понимать невозможно, да и зачем?

Но в данном конкретном случае было странно, что Чернявский обнаружил «ячейку секты» во время ее очередного «заседания». Ничто не мешало водяным уйти поглубже и хороводить там. Однако они поднялись к поверхности и вытаращились на дока. Что за блажь?

Бибик не выключил фонарь, а просто направил его вверх. И взгляда от хороводящих водяных не отвел. Смотреть на распухшие зеленовато-серые лица было удовольствием ниже среднего, но тут уж не до жиру. Без визуального контроля в таких ситуациях не обойтись.

— Чего им надо, док? — негромко спросил Бибик. — Почему они на тебя таращатся? Док! Ты меня слышишь? Чернявский!

— Я слышу, Степан Васильевич, не кричите, — ответил док, не отрывая взгляда от хоровода.

Между прочим, движение водяных заметно ускорилось. И водяные продолжали ускоряться с каждым кругом. Похоже, этот хоровод окончательно загипнотизировал дока. Первым признаком стало его обращение к Бибику как коллеге-ученому, по имени-отчеству. Как выражался Макагон, док Чернявский «включил профессора».

— Что все это значит? Док! У нас нет задачи изучать водяных!

— Это часть квеста, — негромко, но твердо возразил док. — Установление доверительного контакта с местным населением. Помните инструкцию 12/67? Если я помогу им, они помогут нам.

— Чем вы им поможете? — Бибик тоже перешел на официальный тон, но дока это не вывело из транса. — Пожертвуете собой ради пропитания аборигенов? Как незабвенный капитан Кук?

— Не говорите глупости, Степан Васильевич. — Чернявский поморщился. — Они просят совета, поскольку знают, что я ученый. Позвольте мне сосредоточиться и подумать над их просьбой. Если я дам дельный совет, они изучат участок дна вокруг этих башен. Разве не выгодный обмен?

— Выгодный, — спокойно согласился Бибик. — Только несвоевременный. И участок вокруг башен давно изучен.

— Пакали могут появляться когда угодно и где угодно, — возразил док, правда, уже без былой уверенности. — Преимущественно вблизи разлома, но известны единичные случаи...

— Вот именно, док. Единичные случаи. То есть вероятность стремится к нулю, не так ли?

— «Мы не будем полагаться на случай», — процитировал героя из «Иронии судьбы» Поспехов. — Док, встряхнись. Ближайший пакаль на барже.

Бибик и стрелки были предельно спокойны, но именно эта их невозмутимость и подчеркнутая терпеливость подействовали на Чернявского гораздо эффективнее, чем уговоры, споры или угрозы. Такое случалось не впервые, и каждый раз после подобных эпизодов доктор негодовал, обвиняя товарищей в том, что они сначала его игнорируют, затем на него морально давят, а после уничтожают его совесть своим укоризненным спокойствием. Вот этой особенностью его тонкой душевной организации и воспользовались в очередной раз квестеры.

— Но ведь и здесь, возможно... — Чернявский с сожалением оторвал взгляд от гипнотизирующего хоровода водяных и посмотрел на Макагона, поскольку именно он сидел напротив.

— Здесь возможно, — согласился Мак. — А на барже точно.

— Мы понимаем, док, — подытожил Бибик, — вы ученый, вам интереснее все тут изучать, а не гоняться за всяким сбродом. Но мы квестеры и в первую очередь должны собирать пакали. Сейчас для этого надо превратиться из поисковиков в военных.

— Да, да. — Чернявский нащупал ствол висящего за спиной автомата «Хеклер и Кох» и поднялся. — Извините, Степан Васильевич. То есть... извини, командир.

Он еще раз взглянул на хоровод, вдруг резко сбросивший скорость, и как-то странно склонил голову или кивнул, не поймешь. Было понятно лишь, что телодвижение выполнено с явным расчетом на водяных. Док пообещал им продолжить разговор позже?

«Интересно узнать, на каком языке он им пообещал? — Бибик незаметно усмехнулся. — На рыбьем? Или морзянку отстучал пяткой о пол? Рта он точно не раскрывал, просто таращился. И они не сильно булькали в ответ. Однако почти договорились. Вот вам еще одна странная способность дока Чернявского. С людьми уживается с трудом, а с чертом договорится запросто, если встретит. Откуда в нем это? Вряд ли в университете научили. Тогда откуда? Просто человек-загадка какой-то».

Со второй попытки квест-группа все же отчалила, но баржа и конвой к тому моменту уже скрылись в мутной дождевой пелене, которая серьезно сгущалась ближе к центру зоны разлома. Поспехов, в прошлом любитель хороших книг, красиво называл рубежи, на которых дождь заметно усиливался, «вуалями». Ссылался при этом на писателя Желязного. Так вот, если за «кольцевой вуалью» противная морось становилась дождиком, то за «садовой вуалью» дождик превращался в полноценный дождь, а за «бульварной» — в ливень. И все эти осадки сохраняли указанную интенсивность вот уже девять месяцев кряду. Макагон, конечно, попытался сократить отставание, но в зоне ливня можно было идти в считаных метрах и не видеть преследуемых. Баржу еще туда-сюда, а мелкие катера точно не увидишь. В общем, Чернявскому в графу «полезность» был занесен большой минус.

— Теперь реабилитируйся, док, если сможешь, — с усмешкой предложил Поспехов. — Видишь что-нибудь?

Чернявский жестом попросил дать ему немного времени и зарылся в свой рюкзак. Минутой позже он достал небольшой прибор, включил его, настроил и опасно склонился над водой. Макагон тут же на всякий случай ухватил дока за плащ. Прошла еще минута, и Чернявский подался назад.

— Все в порядке! — крикнул он. — Баржа идет к Арбатской платформе! Катера разошлись. Пять взяли курс на истукана, а один идет прямо в центр.

— Это что у тебя за прибор такой волшебный? — удивился Макагон. — По гидроакустической части?

— Нет, это... — Док замялся. — Скорее такое переговорное устройство. Долго объяснять.

— Переговорное... с водяными?! Тебе водяные всю раскладку дали?! Ну, ты корки мочишь, док! — Макагон заглянул доку через плечо. — На обычный эхолот похож!

— Да, основа та же. — Чернявский указал на северо-восток: — Если за баржей, нам туда!

— За баржей, — подтвердил Бибик.

— Слышь, док, а притормозить баржу водяные не могут? — спросил Макагон.

— В принципе...

— Не надо! — вмешался Бибик. — Пусть проследят за обстановкой и на подходе доложат. Док, это возможно?

— Я попробую. — Чернявский кивнул.

— Вот и славно. Мак, сразу к причалу не подходи, сделай круг. Полный вперед!

* * *

Каким образом русалка поднялась по трубе, Лектор не понял. Она будто бы ввинтилась в слив и очень быстро исчезла в его черном жерле. Но еще большей загадкой стал вариант ее появления в гальюне, из которого выходил слив. Ведь наверху стояло какое-то сантехническое приспособление вроде унитаза или хотя бы «очка», и оно заметно суживало сливное отверстие. Впрочем, на самом деле Лектора такие нюансы не интересовали. Ему был важен результат. А он последовал достаточно скоро. Люк открылся.

На захват первого, складского уровня ушли минуты, поскольку никого из местных жителей на этом уровне не оказалось, а план этажа и помещений дисциплинированные работники платформы вывесили, как и положено, на самом видном месте — у сдвоенной шахты грузового лифта с решетчатыми стенками.

Лифтом наверх Лектор отправил троицу костоломов во главе с Хирургом. Остальные поднялись по двум запасным лестницам. В обоих случаях никакого сопротивления им никто не оказал. Поначалу. «Легкий шухер» поднялся, только когда диверсанты начали «зачищать» каюты.

Дюжина работников платформы умерла во сне, но тринадцатый номер, как принято считать несчастливый, поднял шум, в результате чего кое-кто из живых пока «жемчужников» заперся в каютах, а один даже начал палить сквозь дверь. Очередь из АКМ в упор легко прошла «четверку» двери (именно такой толщины было железо) и пригвоздила Фому к противоположной переборке коридора.

Ровно через секунду завыла сирена, и диверсия превратилась-таки в штурм. Но Лектор не растерялся. Он бросил всех наверх, оставив на жилом уровне только двух чистильщиков — Хирурга и Драного.

Чистильщики не стали выкуривать засевших в каютах «жемчужников». Просто заклинили им двери, чтобы те не смогли сбежать. Даже «ворошиловского стрелка», уложившего Фому, временно простили. Хирург лично заклинил дверь ломом, который пообещал чуть позже вставить автоматчику куда следует.

К этому моменту штурмовая группа уже прорвалась наверх, потеряв еще одного бойца, и устроила на главном уровне платформы полную Джамахирию.

Лектор поначалу увлекся разорением капитанских апартаментов (помимо капитана там проживали сразу три особы женского пола, и поручить это дело кому-то еще Лектор просто не смог), а когда вернулся в коллектив, увидел, что палуба и стены большинства помещений верхнего уровня имеют, как говорится, радикально красный цвет. Да что там стены и палуба, в кровавую крапинку были даже потолочные подволоки. А между тем экипаж платформы едва насчитывал два десятка человек. Откуда взялось столько крови, трудно было предположить даже сведущему в подобных делах Лектору.

Озверевшие от бойни чистильщики еще какое-то время метались по верхней палубе, а затем сунулись на вертолетную площадку. Большинству это пошло на пользу. Хлесткий ливень быстро остудил горячие головы. Жаль, ненадолго.

Поотставшим Хирургу и Драному захотелось «добавки», и они бросили клич «доломать кубрики». И клич был подхвачен. Уже без дикого воодушевления, но все с той же решимостью. Лектор даже не стал возражать. В таком состоянии люди его не услышали бы, а это вредно для авторитета.

Лектор довольствовался тем, что успел перехватить двух бойцов. Один был тупой мышечной массой, зато другой числился в отряде лучшим электронщиком. Нет, это, конечно, громко сказано, но парень хотя бы разбирался в современной технике на уровне продвинутого пользователя. Вот его-то Лектор и отправил изучать систему управления платформой — связь следовало отрубить, но ни в коем случае не выключать компрессоры, которые подавали воздух под купол, и лифты. А «куску мяса» Лектор приказал следить за обстановкой на эхолоте.

Высокое доверие командира и пара оплеух подействовали на бойцов мобилизующе. «Бройлер» резко успокоился и уставился в экран. Смотреть, чтобы на экране не появилось крупных «точек», бойцу оказалось по силам, и это заставило его окончательно забыть о бузотерстве. Что касается электронщика, ему, чтобы взять себя в руки, хватило словесного внушения. Минут через пять он практически освоил управление платформой, а еще через пять ухитрился сделать так, чтобы замолчала проводная связь — единственный канал, который соединял платформу с берегом.

С одной стороны, когда объект захвачен, лишать его связи поздно и неразумно, однако Лектор решил, что так будет надежнее. Все равно на том конце линии не мог появиться кто-то из своих. Ведь для этого требовалось захватить диспетчерскую Внуковского порта.

«Дышлюк, конечно, хороший боец, но на такие подвиги просто не способен. Не тот уровень. Воспользуемся дедовскими методами связи. Чуть позже. Теперь не к спеху. Пусть зачистят все, успокоятся, а там разберемся».

На зачистку ушло полчаса. На то, чтобы отойти после штурма, еще тридцать минут. Но кураж, в отличие от напряжения, у бойцов не прошел. Им хотелось пира на костях побежденных, и Лектор был вынужден вернуться следом за бойцами на складской уровень. Увиденное там Лектора не вдохновило. Штурмовики снова нанюхались крови, их опять понесло.

— Я видел! — орал боец по кличке Штырь, размахивая отрезанной человеческой рукой, как жезлом. — Там это! Вон в том отсеке! Там баклажки со спиртягой, отвечаю! На них написано по-химически!

— Во-о, бля, точно! — заорал Драный, высовываясь из указанного Штырем отсека. В руках у него была пластиковая пятилитровка. — Хирург! Чо написано?!

— Не то, — отмахнулся Хирург. — Керосин это. Не тут надо искать, а где продукты хранятся.

Хирург развернулся и уставился на дверь продуктового склада. В ее проеме стоял, прохладно улыбаясь, Лектор. И смотрел, тоже прохладным змеиным взглядом, Хирургу в глаза.

— Фу-у, вонь какая! — Штырь отнял у Драного канистру, все-таки отвинтил крышку и понюхал. — Ну, ты чего там, Хирург, ломай пакгауз!

Штырь выглянул из-за плеча Хирурга и осек-ся. Умолкли и другие бойцы, гудевшие до этого, словно осиный рой. И даже боевое возбуждение не помогло им сохранить решительный настрой. Ухмылка Лектора не предвещала ничего хоро-шего. И стоял он так, что было ясно — будешь дальше шалить, папа не только отшлепает, а еще и лишит ужина. Ведь продуктовый склад у него за спиной, а попробуй зайди за нее, за эту спину. Только в мертвом виде.

— Обмыть бы надо. — Хирург выдержал взгляд Лектора, но с места благоразумно не сдви-нулся. — Да и пожрать не мешает. Сутки без нор-мального хавчика. Чего, не заслужили?

— Заслужили, братки, — спокойно ответил Лек-тор. — Штырь и Драный все притаранят в кают-компанию. А вы пока свои посты изучите. Нам эту платформу еще держать, пока весь отряд подойдет. А потом вниз спускаться. Много работы, короче.

Хирург не шевельнулся. Глядя на него, не дви-нулись с места и остальные. Лектор положил ладонь на рукоятку ножа и чуть склонил голо-ву набок. Только и всего. Даже выражения лица не изменил. Но пятеро бойцов от его телодвиже-ний заметно подались назад. На месте остались только Хирург и смелый у него за спиной Штырь.

— Чего работать-то, все сработали, — пробур-чал Штырь. — Пожрать имеем право.

— У тебя что там? — Лектор расплылся в улыб-ке, больше похожей на оскал. — Мясо?

— Чего? — Штырь опустил взгляд на окровав-ленную чужую руку.

— Вот и жри.

— Да не, Лектор, это ж я так... прихватил. — Штырь стушевался.

— Как это «так»? — Лектор не мигая уставился на бойца. — Шутки-юморы у тебя такие? Игрушка?

— Ага, типа того. — Штырь отбросил «трофей».

Лектор вдруг выхватил из ножен финку и неуловимо быстрым движением отправил ее в сторону Штыря. Боец невольно присел, но если бы Лектор хотел в него попасть, это телодвижение не спасло бы Штыря. Однако Лектор целился не в бойца.

Клинок просвистел у Штыря над ухом и с глухим стуком воткнулся в стену. Глухим звук был не потому, что стена была отделана пластиком, а потому, что нож вошел сначала в плоть, а уж после в стену. Правда, плоть эта была не Штыря. Клинок пригвоздил к стене крадущуюся за спинами бойцов русалку. Ту самую, мелкую, длинноволосую, что открыла бандитам люк.

Почему существо не сбежало, когда имелась такая возможность, непонятно. Впрочем, сейчас это было и не важно. Русалка подвернулась очень даже вовремя, вот что имело значение и для Лектора, и для бойцов.

В сложившейся ситуации «перевести стрелки» стало лучшим выходом. И бандиты воспользовались этой возможностью. Обнаружив у себя в тылу русалку, они загудели, окружили пришпиленную к стене пленницу и начали скалиться, наперебой отвешивая в ее адрес матерные реплики.

— Братва, может, кто хочет? — заорал Штырь, явно радуясь, что Лектор фактически дал ему шанс выкрутиться. — Она вам карасей нарожает! Я бы и сам, да триппер еще не вылечил!

Кто-то из бойцов заржал, кто-то пнул русалку в живот, Драный попытался двинуть прикладом. Хирург тем временем вновь встретился взглядом с Лектором, дождался едва уловимого сигнала «прощаю на первый раз, теперь разводи», протолкнулся к русалке, выдернул из ее плеча и одновременно из стены нож и сильно ударил пленницу локтем в затылок. Русалка упала на четвереньки, Хирург наступил ей на спину и обернулся к Штырю:

— Тащи керосин!

Объяснять, что задумал Хирург, было лишним. Штырь метнулся в отсек с химикатами, вернулся с пятилитровкой и начал обильно поливать русалку керосином.

— К люку ее! — Штырь подтолкнул существо к раскрытому люку. — Спасибо, тварь, и прощай! Братва, спички!

Первым зажег спичку Драный. Но керосин не загорелся. Драный зажег вторую спичку, чуть наклонился, чтобы не промазать, но бросить спичку не успел. Русалка вдруг вспыхнула, причем сразу вся. Бойцы отпрянули, но уже в следующий миг начали пинками подталкивать горящее существо к люку.

— Салют! — вновь заорал Штырь и нанес последний удар, столкнув, наконец, полыхающее, корчащееся, но по-прежнему безмолвное существо в люк.

Если честно, Лектору не понравилось огненное шоу. Накоптили, надымили, да и эстетика без кровавых брызг не та. Но главного он добился — бойцы отвлеклись, ситуация выровнялась, конфликт не разгорелся. В отличие от русалки.

«А что до самой русалки... один хрен, нежить. Жалеть ее, что ли? Помогла? Ну, так и автомат помогает, но если сломается, кто о нем горюет? Взял другой и мочи дальше всех подряд! Инструмент и есть инструмент. Та же история с русалкой. Больше того, ей Штырь даже спасибо сказал. С каждым ли инструментом так расстаются? Нет. Вот и закрыли тему».

— Драный, выбирай продукты. — Лектор, морщась, помахал рукой, чтобы отогнать дым. — Остальные наверх.

— Драный, «тушняка» побольше набирай, — подхватил Хирург, а затем обернулся и рявкнул на бойцов во всю глотку: — Наверх, терпилы! Чего замерли?! Слухом маетесь?!

Бойцы потопали к лестницам, Хирург задержался и протянул Лектору его финку. Лектор взял нож, но не спрятал его в ножны, а вдруг выдернул из толпы Штыря и приставил клинок ему к глотке. Штырь замер с выпученными глазами.

— Я... осознал... — прохрипел боец, косясь на Хирурга, как бы в поисках поддержки.

Хирург остался равнодушным. Лишь смерил Штыря взглядом и двинулся следом за бойцами. Ход мыслей Лектора был ему понятен. Русалка на растерзание была тактическим ходом, чтобы стабилизировать ситуацию, придушить в зародыше беспредел. Теперь логичны были репрессии. Хирург в авторитете, он еще пригодится, а вот Штырем можно и даже нужно пожертвовать. Все чисто по понятиям.

— Прокурору будешь про это блеять, — негромко и почти без интонаций произнес Лектор. — А у меня, гнида, будешь отрабатывать.

Прыгнешь сейчас в катер и пулей в порт. Найдешь Дышло и приведешь его с пацанами сюда. На большом корыте. Задание понятно? Повтори.

— Привести Дышло... на большой... посудине, — хрипло повторил Штырь.

— Пошел вниз! — Лектор грубо подтолкнул бойца к люку. — Провожу тебя, проинструктирую. Да пилота из катера заберу. Сделаешь как надо — забуду все. Проколешься — кишки выпущу.

— Я сделаю, Лектор! — горячо заверил Штырь. — Я мухой! Ты не думай! Ну, попутал рамцы, с кем не бывает! Я все сделаю, гадом буду!

— Двигай вниз! И смотри, Штырь, никаких остановок! Причалишь где, водяные порвут на матросские ленточки.

— Да? — Штырь споткнулся на трапе. До него резко дошло, что задание ему Лектор дал не такое уж простое. — Это... из-за этой... твари?

— А ты как думал? — Лектор усмехнулся. — Любишь кататься, люби и саночки возить. Не видишь ее?

Штырь нагнулся и осмотрел нижнюю палубу. В темноте разглядеть что-то было трудно, но по крайней мере тлеющих останков русалки он не увидел. Хорошо это или плохо, Штырь не понимал. Но Лектор помог ему это понять.

— Нет ее. — Штырь нервно сглотнул.

— Значит, все, посылка дошла. Водяные в курсе, как вы над их русалкой поглумились. Теперь уж точно не следует тебе останавливаться. Жми на всю катушку. А если что, лучше подрывайся. Есть гранаты?

— Е-есть. — Штырь совсем сник.

— Одну для себя прибереги. Не вернешься завтра до полудня — один или с Дышлом, — под землей найду. Под водой тоже.

Очутившись на причале, Лектор первым делом заглянул в большой катер. Связанный пилот «мирно дремал» на пассажирской лавке. Лектор проверил, не задохнулся ли Щербинин от плотного кляпа во рту, похлопал пилота по спине и выбрался из каюты. Заперев дверь на ключ, он спрыгнул на причал и подошел ко второму катеру, тому, что должен был стать курьерским. Штырь уже сидел за штурвалом.

— Прикинь, пилота нет! — заявил Лектор без малейших ноток фальши в голосе.

— Развязался? — Штырь задал вопрос чуть растерянно.

— Если сумел развязаться, вряд ли отправился к берегу вплавь, а значит, мы должны были столкнуться с ним на платформе.

— Но там его нет и оба катера на месте. — Штырь оглянулся. — Я бы дал деру на катере.

— А он, получается, где-то здесь спрятался, на причале. — Лектор усмехнулся. — Что за блажь?

— Не знаю. — Штырь не понимал, к чему клонит Лектор, поэтому чувствовал себя неуютно и всем видом показывал, что ему не терпится отправиться в путь.

— Остается третий вариант, самый реальный: пилота утащили водяные, понял, да? — Лектор многозначительно взглянул на Штыря. — В отместку за русалку. Как я и говорил. Ты следующий, если притормозишь.

— Да понял я, Лектор, понял! — Штырь поежился. — Все будет правильно, век воли не видать!

— Ладно, верю. — Лектор протянул Штырю свою финку. — Держи. Отдашь Дышлюку. Малявы писать некогда, это будет вроде послания. Он поймет.

— Сделаю, Лектор! Оттолкни!

— Пошел, бродяга! — Лектор оттолкнул посудину, тут же сдал назад в стальную трубу, остановился и пробормотал, провожая катер взглядом: — Надеюсь, Дышлюк помнит наш уговор насчет финки: кто принесет, того ею и завалить.

* * *

Высокий и худощавый «Серый» наблюдал за происходящим на Арбатской платформе издалека, но видел и слышал практически все. В его распоряжении не было каких-то волшебных шпионских средств. Он просто имел доступ к системам внутреннего наблюдения. Да, сигнал с этих систем шел исключительно на пульт управления платформой, ведь связь с внешним миром Лектор заблокировал. Но когда такие мелочи останавливали «серых»? Это все равно что сидящий за компьютером ребенок попытается прикрыть ладонью экран, чтобы заглянувшие в комнату родители не сумели разглядеть, на каком сайте зависло шаловливое чадо.

Кстати, «чадо» и впрямь расшалилось. Кроме внутренней картинки с платформы, «Серый» сумел разглядеть и то, что творилось на открытой нижней палубе, когда бандиты вытолкнули из люка горящую русалку.

Несколько водяных проворно взобрались на борт, схватили полыхающее существо, прыгнули обратно в море и мгновенно скрылись в глубине. Выглядело погружение эффектно. Огонь погас не сразу, поэтому несколько секунд вода под платформой слегка светилась.

Поступок Лектора имел свои причины, это было ясно. Однако не возникало сомнений, что будут и последствия. Лектор угомонил своих бойцов, но настроил против себя водяных. Это было довольно опасно, если учесть, что платформа посреди зоны вовсе не висела в воздухе, а стояла на опорах, которые водяные запросто могли «слегка укоротить». Но даже если этого не произойдет, Лектор ведь собирался спуститься на дно. Да, под купол, обычно водяные туда не забираются. Но ведь это «обычно». Ради Лектора они могут и поменять правила.

Однако все эти варианты не беспокоили «Серого». Чем ярче себя проявит Лектор, тем лучше. Максимум врагов — это хорошая тренировка для полевого игрока. Пусть он и всего-навсего марионетка в партии, которую ведут настоящие мастера.

8. Зона разлома 17 (Москва), 19.07.2016 г. (276-й день СК)

Выследить бойцов Лектора в толчее Внуковского порта оказалось непросто. По логике их следовало искать поблизости от грузовиков, но как только фуры встали под разгрузку, липовая охрана исчезла. Руками развел даже неутомимый Мухин. Он сделал по всему порту два круга, но не обнаружил никаких следов банды. А между тем это не иголка в стоге сена. Три десятка чужаков с оружием не могли испариться или раствориться. Но, поди ж ты, растворились без остатка.

В чем заключалась хитрость, выяснил Каспер. Пусть и не настолько опытный следопыт, как Муха, в базарной атмосфере порта он чувствовал себя, словно рыба в воде. Всего за полчаса Каспер собрал все сплетни за последние сутки и выяснил, что охрана «крайнего жемчужного автокаравана» полным составом завалилась к Лариске, в заведение, промежуточное между кабаком, гостиницей и борделем, которое располагалось в зоне портового «отстойника», там, где прибывшие машины ждали своей очереди на разгрузку. При этом три бойца из охраны остались на причале. То есть к Лариске завалились не все. Но эта мелкая нестыковка не принижала ценности добытых Каспером сведений. Даже наоборот, именно эта нестыковка навела Андрея на мысль, что банда ждет сигнала. Или гонца, что вероятнее. То есть у банды в акватории Москвы-на-дне имелись какие-то сообщники.

И Лунев не ошибся. Случилось это не сразу, уже затемно, но случилось. Ушедший на третий круг Муха вдруг вернулся из своего «ночного дозора» и сообщил, что к бандитам прибыл посыльный. Ну, как прибыл... скорее убыл... в мир иной, поскольку со стороны моря он не приплыл, а прилетел и крепко треснулся о причал. Но информацию донести успел.

— Мчался на катере, прикинь. — Муха изобразил человека за штурвалом. — Дождь моросит, вода в крапинку, но ни одной волны и никаких посторонних предметов — все ништяк видно, прожектора-то в порту светят круглые сутки. Уже вот он причал, и вдруг — бац! Будто бы снизу, из-под воды, ему пинка дали. Катер на десять метров взлетел, кувыркнулся и у самого причала — бултых! — колом в воду. Местные позже сказали — водяные «подкидку» сделали. Гонщик в последний момент башкой крышу кабины проломил, вылетел и по причалу размазался. Эти трое, лекторские, которые дежурили, были далеко, а я близко. Пока они бежали, я успел пару вопросов гонцу задать. Спросил: что ты так мчался? К кому? Он: «К Дышлу». А я почем знаю, что за Дышло? Ну, думаю, промазал, пустышка. Собрался дальше идти, патрулировать, а он вдруг: «Лектор ждет». Прикинь, да.

— Лектор ждет? — Андрей задумчиво потер скулу. — То есть он уже здесь, в море. Как?

— Может, пакали помогли?

— У него один. С одним не разгуляешься. Или не один?

— Или не один, или ему подфартило, например, с вертолетом. Не вижу пока разницы. Факт, что Лектор в море, а его бригада на берегу. По ходу этот Дышло ею временно командует.

— И если мы проследим...

— Ну, так, о чем и толкую! — Муха всплеснул руками. — Лекторским бойцам гонец тоже успел чего-то нашептать и даже чего-то передал. Ножик, кажется.

— Нож от Лектора? — Андрей усмехнулся. — Чем дальше, тем больше мне кажется, что этот Лектор не так прост, как мы думали.

— А что случилось?

— Гонец принес от Лектора послание. Что ему за это полагается? Допустим, он не размазался по причалу.

— Если б не размазался, сто грамм и ужин. — Муха пожал плечами. — А потом вместе со всеми к Лектору. Он же не левый курьер, член банды.

— Ножик он зачем привез?

— Символ какой-нибудь или тайный смысл в этом есть. Или как бы подтверждение, что гонец именно от Лектора.

— Все проще, Муха. — Андрей обернулся и замер, всматриваясь в темноту за пределами порта. — Лектор дал понять, что гонца следует убрать. Говорю же, Лектор в курсе некоторых традиций, о которых обычные бандиты понятия не имеют.

— А я говорил, — заявил Каспер. — Я говорил, Лектор странный тип. Его даже авторитеты побаивались. Получается, мы взяли след?

— Мы тебе легавые, чтоб след брать? — фыркнул Муха.

— Но все-таки взяли, — констатировал Каспер.

— Вычислили, — упрямо исправил Муха. — А еще я вычислил, на каком судне они пойдут.

— Это просто, — Каспер усмехнулся. — Баржа номер девять, да?

— А ты откуда знаешь?!

— Знаю, — уклончиво ответил Костя. — Более того, я в экипаж записался. Половина команды забухала, а тут вдруг работа свалилась. Груз перебросить на какой-то объект. Вместе с охраной, заметьте. Капитан объявил конкурс. Я прошел.

— Ты с дуба рухнул?! — Муха помотал головой. — Старый, скажи ему!

— Каспер, ты понимаешь, что бандиты захватят баржу, как только она отвалит? — Андрей серьезно посмотрел на парня. — А как только вы причалите к объекту, они могут всех убить. Понимаешь?

— Все понимаю, Андрей. — Каспер махнул рукой. — Но вы же следом пойдете. Я и катер уже присмотрел, и со шкипером предварительно договорился. На крайний случай — нырну. Плаваю хорошо, вода теплая...

— Водяные добрые, — закончил Муха. — И думать забудь!

— Погоди. — Андрей поднял руку. — Идея на самом деле неплохая.

— Бл... — Муха подался вперед. — Ладно, Каспер, уговорил! Как зовут капитана баржи?

— Не знаю, фамилия Бисеров, а тебе зачем? Баржа «девятка», номер метровый, не спутаешь. Вон там стоит, у первого причала, видишь?

— Вижу. — Муха поднялся с ящика. — Ты как представился?

— Так и представился, Каспером. Да зачем тебе? — До Каспера вдруг дошло. — Э-э... Муха, стой! Это моя идея!

— Вот и генерируй идеи дальше, теоретик! Может, что действительно толковое придумаешь. Будем надеяться, в темноте этот Бисеров тебя не сильно рассмотрел. — Муха закинул автомат на плечо и взглянул на Лунева: — Я пошел?

— На объекте — по обстановке, но главное обеспечь мне доступ, — сказал Андрей и кивнул: — Удачи, Муха.

— Постойте! — возмутился Каспер. — Да что вы тут устраиваете! Это моя операция! Я все придумал и сам хочу все сделать!

— Каспер, остынь, — спокойно посоветовал Андрей. — Придумал ты правильно. Видишь, мы даже не в претензии, что ты побежал впереди паровоза. Но «делать» будет Муха.

— Я тоже мог бы!

— Мог бы. — Андрей хлопнул его по плечу. — Но для всего есть специально обученные люди. Одни обучены таскать рояль, другие на нем играть, а третьи пишут ноты. Каждому свое.

— Я, значит, гожусь только таскать рояль. — Каспер обиженно насупился.

— Ты будешь писать ноты, — абсолютно серьезно пообещал Андрей. — Со временем. Но сначала тебе нужно еще многому научиться. Не спеши. Мы пойдем параллельным курсом. Катер наймешь?

— Без проблем. Уже присмотрел один.

— Так идем.

Андрей и Каспер пожелали Мухе удачи и двинулись к частным причалам. Катер, который присмотрел Костя, был не самым новым и большим, зато имел хорошую кабину, что для путешествия в зоне ливня было особенно важно. И со шкипером посудины долго договариваться не пришлось, что тоже порадовало. Он словно ждал полуночных пассажиров.

— Располагайтесь, гости дорогие, — проскрипел Гудрон, хозяин катера. — Уплочено хорошо, так и дорога будет хорошей. Сразу рванем или чуток погодя?

— Темно ведь, — заметил Каспер.

— А это нам не помеха. — Гудрон усмехнулся. — В бульварной зоне и днем ни рожна не видать. Ничего, приспособились, епть.

— Иди за «девяткой», — приказал Андрей. — Видишь, отчаливает?

— Вижу, не слепой. — Гудрон кивком приказал Касперу отдать носовой. — Вы не переживайте, земляки, Бисер быстро не ходит, хоть и груженный только на треть. Можем еще чайку выпить, а только потом за ним отправляться. Один крен, над МКАДом догоним, не позже.

— Надо постоянно его видеть. — Андрей покачал головой. — Кто к нему причалит, кто отчалит.

— Тогда идем сразу. — Гудрон деловито кивнул. — Рассаживайтесь по лавкам, не качайте судно.

— А там у тебя что? — Каспер кивком указал на заднюю часть каюты.

Она была прикрыта заляпанными брезентовыми шторками.

— Гамак там и рундуки. А дальше моторное. А чего?

— Ничего. — Каспер обернулся к Андрею и многозначительно выгнул бровь: — Чихнул мотор.

— Ты не скажи! — обиженно возразил Гудрон. — У меня движок японскай, как часики работает, епть! Даже на говенном бензине. А ему сегодня двадцатка чистого перепала. Если на круг, очень даже вы-со-ко-ок-тановая сумма получилась. Сказано — хорошая оплата, хороший этот... бонвояж. Так-то, епть!

— Мы еще ничего не платили, — заметил Каспер негромко, чтобы слышал только Лунев. — Я только спросил у него: поедешь среди ночи? И он сразу согласился. Не нравится мне это.

За шторкой опять раздался посторонний звук, и теперь его услышали все. Но звук этот шел действительно не от мотора. Чихнул в очередной раз кто-то живой. Каспер резко откинул шторку и удивленно уставился на еще одного пассажира. Этим пассажиром оказалась... Шурочка!

— Я... — Девушка смущенно улыбнулась. — Ты просил, а я забыла... ну и вот... как бы.

— Что я просил? — Каспер в недоумении похлопал глазами.

— Телефончик. — Шурочка тоже похлопала ресничками, но не удивленно, а изображая наивность. — Чтоб потом в Киеве созвониться. Или ты не хотел встречаться? Трепался, да?

Каспер раскрыл рот и обернулся к Луневу в полной растерянности. Андрей давился беззвучным смехом. Только сейчас до Каспера дошло, что из всего экипажа лишь он удивился, обнаружив на борту Шурочку. Остальные явно потешаются.

— Вот вы черти полосатые! — Каспер тоже рассмеялся. — Но я не понял, Старый, за какие заслуги ты все-таки взял ее в команду?

— Теперь нам действительно нужен четвертый, а искать подходящего человека некогда.

— Но...

— То, что она девчонка, не имеет сейчас значения. Важнее, что ей можно доверять. Кстати, возвращай пакаль, твоя вахта закончилась.

— Почему «кстати»? — Каспер нахмурился. — Закончилась вахта потому, что закончилось доверие?

— Не цепляйся, — Андрей поморщился. — Кстати потому, что у вас с Шурочкой теперь будет дескан, а у нас с Мухой пакаль. Улавливаешь ход мыслей?

— Я с ней?! — Каспер возмущенно уставился на Лунева. — Почему я?!

— А еще целоваться лез, — проронила Шурочка. — Лицемер!

— Будете ориентироваться на сигнал прибора, — продолжил Андрей инструктаж, — и дрейфовать следом за меткой. — Он показал пакаль, а затем кивком указал на экран детектора: — Если потребуется, ты, Каспер, придешь к нам в качестве подкрепления. И тогда на подстраховке останется Шурочка.

— Можно не разжевывать, — пробурчал Каспер. Было заметно, что упоминание о «подкреплении» сгладило острые углы. — Ты стрелять-то умеешь, если что?

Он посмотрел на Шурочку.

— Умею. — Она «стрельнула» глазками. — Так?

— Старый, ты уверен, что никого другого мы не найдем? — Каспер вздохнул.

— Тут рази что русалку, — с усмешкой встрял Гудрон. — Но ваша посимпотнее будет.

— Как думаешь, Гудрон, далеко «девятка» пошла? — резко меняя тему, спросил Андрей.

— Тут и думать нечего. — Шкипер пожал плечами. — На Арбатскую платформу держит курс. Бисер еще вчерась туда собирался. Ждал кого-то. Теперь вот, по ходу, дождался, епть.

— Лектора ждал? — Каспер вновь удивленно посмотрел на Лунева.

— Необязательно. — Андрей задумался. — Хотя все может быть. Странно, если так, даже нелогично, но такова участь любых марионеток.

— Наша тоже?

— Наша тоже. — Андрей хмыкнул и кивнул. — Но мы об этом знаем, и в этом наше преимущество.

* * *

Арбатская платформа находилась почти на границе между зонами дождя и ливня, примерно над тем местом, где в прежние времена располагался кинотеатр «Художественный» и выход из метро на Арбатскую площадь и Знаменку. По прямой от границы зоны «садового» дождя до платформы было метров двести, не больше. Но оглохнуть от грохота ливня по крыше кабины можно было и на таком коротком участке пути. Ведь приходилось идти на самом малом ходу, чтобы не перевернуться в случае столкновения с чем-нибудь существенным. Видимость составляла от силы десяток метров. Выручал эхолот, но работал он через раз и постоянно врал из-за многочисленных помех. Так что на каждые сто метров пути уходило минут по десять-пятнадцать. Да еще исполнительный Макагон сделал полкруга, обогнув платформу.

В общем, за полчаса пребывания в зоне ливня барабанные перепонки получили ударную во всех смыслах нагрузку, и ничего удивительного, что Бибик не сразу услышал сигнал дескана. Только когда катер очутился примерно над центром внутреннего дворика здания Минобороны и детектор пакалей запищал вторично, командир квест-группы очнулся и достал прибор.

На разлинованной схеме местности (в памяти дескана это была «допотопная» Москва, добавились только указания глубин и один новый объект — платформа) пульсировали сразу две светящиеся отметки. Одна из точек, обозначающих пакали, совпадала с обозначением платформы, другая светилась на краю сетки. Поскольку никаких надводных объектов или судов квестеры поблизости не наблюдали, вывод о местонахождении второго пакаля сделать было нетрудно. Он лежал на дне. На глубине сотни метров. Но при этом у квестеров имелись все шансы его заполучить. Нет, не с помощью водяных. Этот участок московского дна находился под куполом «Черная жемчужина». Все, что требовалось сделать квестерам, — спуститься под купол и забрать артефакт.

— Легко сказать, — проронил Бибик себе под нос. — Лифт на Арбатской, а там непонятно кто.

— Что?! — не расслышав, переспросил Макагон. — К платформе править?

— Глуши пока! — крикнул в ответ Бибик и поманил дока: — Два пакаля! Видите?

— Это замечательно! — воодушевился Чернявский. — Редкая удача! Чего же мы ждем?!

— Погоды! — усмехнулся Поспехов.

— Проблема в этом! — Бибик указал на первую метку. — Это белый пакаль с крадущимся тигром.

— Киевский, — подсказал док.

— Вот именно! Квест-группа Чижова передала в ЦИК ориентировку еще позавчера. Этот пакаль добыли и привезли сюда вооруженные нелегалы. То есть Мак был прав, когда предположил, что баржа Бисерова захвачена. Теперь, получается, захвачена и платформа. Вряд ли персонал и куцая охрана справятся с такой крупной бандой.

— Командир! — крикнул Макагон. — На платформе габариты погасли!

— Вот! — Бибик со значением указал в сторону платформы. — Слышите?

— Ничего не слышу. — Док пожал плечами. — Ливень мешает!

— А должны! Если возникают проблемы с электроснабжением и гаснут бортовые огни, на платформе обязаны сразу же включить «ревун». Его никакой ливень не заглушит. Но мы ничего не слышим. И не видим. Арбатская стала невидимкой, вопреки всем инструкциям и нормам. Причина, думаю, понятна.

— Командир! — вновь крикнул Мак. — Смотрите! Вспышки!

Сквозь дождь пробилась россыпь характерных мелких вспышек. В районе нижней палубы платформы кто-то открыл стрельбу. Через пару минут все утихло, но в том, что это не привиделось, никто из квестеров не сомневался.

— Может, проверим?! — крикнул Поспехов.

— Умнее ничего не мог придумать? — Макагон покачал головой.

— Получается, мы не сможем спуститься под купол? — обеспокоился док. — Мы должны забрать хотя бы местный пакаль! Может быть, есть другой вход?

— Есть, — Бибик кивнул. — Даже два. На Лубянке точно такой же, как на Арбатской. И донный шлюз для подлодок на Воздвиженке. Но вход на Лубянской платформе временно закрыт. А чтобы попасть под купол через шлюз, нам придется вернуться в порт и дождаться, когда подготовят субмарину. За это время банда легко спустится вниз, найдет второй пакаль и умотает в неизвестном направлении.

— Это возможно, — согласился док. — Прямо из-под купола могут улизнуть, если знают секрет пакалей!

— О чем и речь!

— И как нам быть?

— Для начала отойти на безопасное расстояние! Мак! Слышишь?! Где можно причалить?

— Седьмой ПЭК, плавдок экспедиции! — Макагон большим пальцем указал за спину. — Над Ленинкой дрейфует!

— Найдешь дорогу?

— Найду! Тут два квартала строго на восток! Компас вроде бы не врет пока! Главное — не вписаться во что-нибудь сослепу!

— Я помогу, — пообещал док. — Вернее... нам помогут.

Он кивком указал вниз, очевидно намекая на помощь водяных.

— Давай туда! — Бибик махнул рукой Макогону.

— Есть!..

...Поскольку потоп начался неожиданно и утопил Москву довольно быстро, вывезти все ценности Кремля автотранспортом, а затем по железной дороге, как это было, допустим, во время войны, никто не успел. Начать эвакуацию догадались лишь к тому моменту, когда использовать обычную технику стало невозможно. Но от идеи спасти сокровища никто не отказался. В ход пошли катера, суда и баржи, а затем в зону бедствия были переброшены и легкие субмарины, вплоть до знаменитых «Миров».

Тогда же вокруг Кремля встали на якоря так называемые ПЭКи — перевалочные пункты экспедиции по спасению ценностей. Выглядели они как большие плавучие ангары с вечно распахнутыми воротами, а конструктивно представляли собой «катамараны» из двух отстоящих друг от друга на двадцать метров барж, жестко сцепленных дуговыми перемычками, которые соединяли внешние борта посудин. На эти же дуги-перемычки была прикручена двойная (со звукоизолирующим слоем) кровля, которая защищала доки и от самого ливня, и от его грохота. Было таких ПЭКов сначала четыре, затем стало восемь, а в разгар эвакуации — полтора десятка. Именно в этих доках находились базы водолазов, складировались поднятые со дна ценности, швартовались прибывающие суда и производилась погрузка.

Когда эвакуация закончилась, доки стали прообразами торговых платформ, а когда строилась «Черная жемчужина», через ПЭКи вновь пошли товарные потоки, но теперь в другую сторону — в доки прибывали строительные материалы и оборудование, которые впоследствии уходили на дно. Когда возведение донного купола было в разгаре, строители убедились, что ПЭКи весьма полезное и нужное изобретение, и ЦИК увеличил их количество вдвое.

Теперь же плавдоки использовались по-разному: в каких-то расположились технические службы, следящие за состоянием купола, в каких-то метеостанции и полицейские посты. Некоторые ПЭКи были отбуксированы к периферии зоны и вновь стали мелкими торговыми точками, где шел товарообмен с водяными. Но ни один «катамаран» не пустовал и не бездействовал.

Седьмой ПЭК, в который направил судно Макагон, был поделен между тремя хозяевами. На одной барже-причале дежурила полиция, на другой — метеорологи и гидрологи. По мнению Бибика, массу вопросов можно было задать всем трем группам. Но если метеорологам и гидрологам достанутся вопросы риторические, без ответов, чисто из вежливости и для завязки разговора, то к полиции у Степана Васильевича вопросы были самые острые. Не в бровь, а в глаз, как говорится. Первый, самый простой: «Спите, что ли, сукины дети? У вас под носом платформу захватывают, а вы не чешетесь!»

Поднявшись на причал, Бибик уже практически озвучил эти мысли, но придержал коней, увидев, что полицейских в ПЭКе всего двое и что они не спят, а деловито и споро занимаются делом — снаряжают магазины, гранаты, проверяют экипировку и так далее. То есть о проблемах на платформе полиция уже знала и явно была намерена проверить, что там случилось. Хорошо, что не успела отчалить прежде, чем прибыли квестеры.

— Командир квест-группы Бибик. — Он показал старшему из полицейских свой жетон и протянул руку: — Степан. Далеко намылились?

— Лейтенант Николаев, Олег. — Полицейский пожал Бибику руку. — Арбатская погасла и не завыла. Непорядок. Опасность судоходству. Надо разобраться.

— И часто она гаснет?

— За все время... — Николаев на секунду задумался, — раза три было. Но всегда «ревуны» включались, все по инструкции. А сейчас не включились. Мы вот и озадачились.

Он кивком указал на приготовленное дополнительное вооружение.

— Не хватит, — с усмешкой заметил Макагон. — Вам надо пулеметы шестиствольные с собой брать. И на крейсере туда идти.

— В смысле? — Николаев мельком взглянул на Мака и вновь обернулся к Бибику: — Вы оттуда? В смысле — знаете, что там за беда?

— Догадываемся, — Бибик кивнул. — Захвачена платформа, лейтенант. Архаровцы какие-то высадились. От трех десятков штыков.

— Там же... — Николаев заметно побледнел. — Там же персонал... двадцать человек... плюс... гости.

— Будем надеяться, что бандитов не интересует персонал. — Бибик отвел взгляд. — Я почти уверен, что не интересует. Они под купол собрались.

— Да? — Николаев с надеждой взглянул на Бибика. — Может быть, они спрячутся? Я имею в виду... персонал и гости. Если этим надо под купол, они сразу к лифтам...

— Не сразу, — вместо Бибика надежды лейтенанта разрушил Макагон. — Раз огни вырубили, значит, осваиваются, готовятся закрепиться на случай штурма. Персонал у них теперь в заложниках. В лучшем случае. У тебя знакомые там, на платформе?

— Да. — Николаев оттянул ворот гидрокостюма, словно ему стало душно. — Я здесь вроде участкового. Всех знаю. И меня тоже. И ребят...

Он кивком указал на полицейского сержанта.

— Здорово. — Мак протянул сержанту руку: — Юра. Макагон. Можно просто Мак.

— Дима. Колесников.

Сержант пожал руки всем квестерам и кивнул, как бы подтверждая слова Николаева.

— А где еще ребята? — спросил Поспехов.

— Что? — Николаев был погружен в свои мысли, поэтому вопрос прошел мимо него.

Выручил сержант Колесников:

— Нас трое по штату. Но Серега на Третий ПЭК умчался по делам. Еще до ЧП. В лучшем случае через час вернется. Связи нормальной нет, а кабель рвется постоянно, приходится курьерами обмениваться.

— Это нам известно. — Поспехов вздохнул. — За Садовым семафорить получается, а тут ни черта не видно. Как вы ориентируетесь, я не понимаю.

— Скоро год, как... «ориентируемся», — Колесников усмехнулся, — привыкли. И эхолокацию никто не отменял. С ней, правда, тоже проблемы, много разных помех и дальность так себе, но лучше, чем на ощупь. А еще мы вкруговую сонары от машин поставили. Удобно получилось.

— Слышь, что, правда? — удивился Мак. — Парктроники на лодки ставите?

— Могу показать, — сержант кивнул.

— Покажи!

Мак и Колесников направились к катерам. Командиры их не остановили. Им было не до того.

— Плохо дело, — проронил Николаев. — Очень плохо. Просто мрак.

— Это понятно. — Бибик хлопнул Поспехова по плечу и кивком приказал снайперу занять позицию, с которой будет удобно наблюдать за подходами к ПЭКу со стороны платформы («наблюдать за подходами» громко сказано, конечно, но хотя бы отреагировать, если кто-то причалит). После чего вновь обратился к Николаеву: — Что делать будем, лейтенант? Гонца в порт сможешь отправить?

— На скутере Серега умчался, а катер у меня один. — Лейтенант обернулся и указал на платформу метеорологов-гидрологов. — У ребят есть, но тоже один. А по инструкции оставлять людей без плавсредств запрещено даже в ПЭКах. Они вроде как непотопляемые, но... запрещено, короче.

— Это решаемо. Отправим всех.

— Не поедут, у них же вахта, приборы... все такое.

— Поедут. — Бибик обернулся, сунул в рот пальцы и свистнул.

Ученые отреагировали мгновенно. И что командир квест-группы вызывает их к себе, тоже поняли сразу. Поскольку командиры уровня Бибика считались «полевой элитой» ЦИК, слушаться их были обязаны любые сотрудники Центра, а не только квестеры. Старший группы метеорологов-гидрологов подошел к внутреннему борту своей части «катамарана» и приложил руку к уху, чтобы лучше расслышать приказы начальства.

— На платформе ЧП! — крикнул Бибик. — Вооруженный захват! Нужен спецназ! Понял?!

— Да, да, понял!

— Эвакуируйтесь! — Бибик подкрепил приказ отмашкой. — В порту доложите начальнику охраны!

Метеоролог был недоволен приказом, совершать лишние телодвижения ему явно не хотелось. Но возражения были бессмысленны, и он кивнул. Лишь уточнил задание, приложив три пальца к плечу.

— Нет! — Бибик помотал головой. — Нашему начальнику охраны доложи! Он сам решит, вызывать военных или нет!

Метеоролог сложил ладони рупором:

— Надолго эвакуируемся?!

— Думаю, на сутки! Не волнуйся, полиция тут покараулит! Ничего с вашим оборудованием не случится!

Метеоролог покачал головой и с досадой махнул рукой: «Ладно, не успокаивай, сам все понимаю». Бибик тоже понимал, что ученый волнуется не за сохранность приборов. В любых исследованиях важна непрерывность процесса. Сутки процессом поуправляют и компьютеры, а вот если дольше... запросто мог возникнуть сбой. Именно об этом беспокоился метеоролог. Но ослушаться приказа командира квест-группы, да еще во время квеста, он не мог. Это было первое правило безопасности, которое соблюдалось в ЦИК неукоснительно. И не только потому, что Кирсанов требовал от своих сотрудников железной дисциплины. Жизнь не раз доказывала, что нарушение этого правила — верный путь в могилу.

Бибик постучал пальцем по запястью, а затем показал ученому пятерню. «Пять минут у тебя на сборы». Метеоролог кивнул и трусцой побежал к надстройке, в которой располагались каюты и лаборатория.

— Считай, подкрепление вызвали, — сказал Бибик, вновь обернувшись к лейтенанту Николаеву. — Теперь надо подумать, как самим продержаться.

— Продержаться?

— Когда сюда шли, видели кроме баржи еще несколько катеров. И все они двигались в кильватере у Бисерова, но потом разошлись. Один куда-то в центр двинул, а пять штук где-то поблизости от тебя прошли. Не видел?

— Нет, не видел.

— Я видел, — сказал Колесников, возвращаясь в беседу. — Точнее, слышал. Полчаса назад. Они на Петра пошли. К истукану два ПЭКа пришвартованы — десятый и двенадцатый — там у них база.

— У кого — у них?

— У военных.

— Так чего ж вы... — удивленно проронил Макагон. — Мы этих в порт за подмогой отправляем, а военные, оказывается, здесь и в курсе. Чехарда получается. Или я чего-то не понимаю?

— Вот и мы не понимаем, — признался Николаев. — Военные явно что-то затеяли. Но вряд ли штурм платформы.

— Командир, вижу цель! — крикнул Поспехов. — Еще одну... еще... это те катера! Ложатся в дрейф на траверзе платформы!

— Как ты их разглядел? — Рядом с Поспеховым в три прыжка очутился Мак.

— Впритирку прошли. Наверняка хотели, чтоб мы их увидели. Вон туда умчались, а теперь, слышишь, на холостых молотят.

— Не слышу, — Мак помотал головой. — Эта, блин, Ниагара все звуки глушит.

— Там они, там, не сомневайся, — уверенно произнес Антон.

— Вот вам и пропавшие вояки, — констатировал Бибик.

— Прикрывают платформу от нас, что ли? — удивился Мак.

— Скорее дают понять, что нам лучше не вмешиваться, — предположил Николаев.

— Это вам, — Бибик хмыкнул. — А нам придется вмешаться. Интерес у нас к банде служебный. И под куполом интерес. И вояки нам не указ.

— Тут уж... — Николаев развел руками, — как знаете. Моя компетенция — следить за порядком в мирной обстановке. Раз военные вмешались, я временно пас. От силы — охрана тыла.

— Разумно, — Бибик спрятал усмешку.

— Дважды разумно, — уточнил вдруг Чернявский и постучал пальцем по экранчику своего «эхолота-коммуникатора». — В ситуации и без вас хватает фигурантов. Водяные говорят, с юга к платформе идет большая лодка.

— Вот прямо лодка? — усмехнулся Мак. — Может, все-таки катер?

— Они сказали «лодка», — Чернявский пожал плечами. — Можно уточнить, если это важно.

— Уточнять необязательно, — вновь вмешался лейтенант Николаев. — Захват платформы — штатный сценарий ЧП. Мы по нему и действуем. Военные тоже должны по нему работать. Если все так, к Арбатской действительно идет лодка. Подводная. Со спецназом на борту.

— Выходит, гонцов в порт можно не отправлять, — уточнил Мак. — Военные уже обо всем знают?

— И это очень подозрительно. — Бибик покачал головой. — В море не перехватили, дали высадиться на платформу, а теперь спецназ вызвали каким-то волшебным образом.

— Скорее, подлодка вышла вместе с катерами, — предположил док. — По времени совпадает.

— Вот я и говорю, что-то тут нечисто. Пусть гонцы все-таки отправляются. Заодно и от греха подальше умотают.

— Штатный сценарий, — повторил Николаев и покачал головой. — Думаю, военные еще в порту сообразили, к чему дело идет, но догнать банду не успели. Или решили, что по сценарию выгоднее работать. Не понимаю, что тебя смущает?

— Как раз это и смущает. Вот смотри: и военные, и твоя полиция так пекутся о кирсановских платформах, что даже сценарии проработали конкретно под них. — Бибик задумчиво взглянул на лейтенанта. — И вдруг допустили захват, который могли легко предотвратить. Как-то это странно, не находишь?

— Может быть, дело в куполе? — явно запоздав с комментарием, а потому совершенно «не в струю» опять вмешался док. — Объект очень важный, стратегический, пусть и находится в частной собственности. У военных и ЦИК наверняка есть договоренность о его защите. А с Арбатской платформы есть прямой вход под купол.

— Тем более нельзя было пускать архаровцев на платформу, док, — Бибик снисходительно хмыкнул. — Темнят военные, точно вам говорю. Какая-то особая, нештатная заинтересованность в этом инциденте у них имеется.

— Думаете, военные узнали про пакали...

— Док! — оборвал его Макагон и вздохнул. — Болтун — находка для шпиона!

— Я сказал лишнее? — Чернявский виновато посмотрел на Бибика. — Прошу прощения, командир. Я невольно.

— Расслабьтесь, док, — сказал лейтенант Николаев. — Я здесь вечный участковый. И сержант с первого дня Катастрофы здесь кукует. Все знаем, не волнуйтесь, никаких тайн вы не выдали.

— Знаем даже, как еще можно под купол попасть, — гордо заявил Колесников, но тут же осекся. — Ну, теоретически.

Николаев вздохнул, совсем как только что вздыхал Макагон.

— Сказал «А», говори «Б», — Бибик усмехнулся и покосился на Николаева. — Вечер откровенного обмена служебными секретами объявляю открытым.

Лейтенант еще раз вздохнул, укоризненно посмотрел на сержанта Колесникова, но юлить не стал:

— Можно проникнуть, да. Имеется способ. Только оно нам надо? Пусть спецназ этим занимается. Зачем лезть на рожон?

— Есть причина, лейтенант. — Взгляд Бибика снова сделался задумчивым. — И причина очень серьезная. Поверь.

Николаев не поверил. Это было видно по его взгляду. Но лезть с расспросами не стал. На «вечере откровений» каждый говорил столько, сколько хотел или имел право сказать. Все люди служивые, у всех свои военные тайны, резоны и приказы. Понимаем, сами под присягой.

Бибика вполне устраивала такая понятливость лейтенанта. Ведь он ни при каких обстоятельствах не мог сказать Николаеву главного. Не мог сказать, что у бандитов имеется один пакаль, а на дне, где-то под куполом, лежит другой, и если архаровцы до него доберутся, от суеты военных, квестеров и полиции вокруг платформы будет пользы, словно от бабкиных заговоров. Бандиты просто соберутся в круг, уцепятся за своего командира, а он стукнет пакали один о другой. И все. С приветом. Ищи после этого банду и пакали в одной из дюжины соседних зон. И это в лучшем случае. А в худшем — за тридевять земель.

Несмотря на возникшие недомолвки, лейтенант не заболотил тему. Надо отдать ему должное. Недолго поразмыслив, он кивнул и указал на катера:

— По машинам... то есть по катерам, граждане квестеры. Насчет спуска под купол мы пас, не имеем права, да и пост не на кого оставить, но показать — покажем, чего уж там. Я покажу. Сержант на посту останется.

— Това-арищ лейтенант! — укоризненно протянул Колесников.

— Дима, не начинай, — проронил Николаев. — Ученые эвакуировались, квестеры уходят, кто в лавке останется?

— Да я понима-аю...

— Вот и не начинай! — Николаев забросил на плечо автомат и махнул квестерам: — За мной, граждане!

— Далеко? — поинтересовался док.

— Туда, — Николаев кивком указал в непроглядную серую пелену дождя. — Отмель Христа Спасителя.

— Остров Христа Спасителя? — уточнил Макагон.

— Отмель.

— Погоди, какая отмель? Там же глубина... ого-го! — вмешался Поспехов. — Это ведь рядом с Кремлем. Ну, то есть с куполом.

— Нормальная там глубина, по колено, — возразил Колесников.

— Как так? До купола квартал, а глубина по колено? И когда так стало?

— Месяц или больше, — Колесников пожал плечами. — Только поначалу мимо все проходили. Сами не замечали, как. А две недели назад гидрологи — с нашего, кстати, ПЭКа — нашли лазейку и проникли за шторку.

— За какую шторку?

— За такую, — Колесников жестом изобразил нечто вроде крутого взлета самолета на форсаже, а затем резкое пикирование.

— Увидите, поймете, — вновь включился Николаев и взмахом позвал за собой Бибика. — Степан, идем, со мной поплывешь. Там одному в катере трудно.

Бибик кивнул и обернулся к квестерам:

— Мак, ты старший. Держаться рядом.

— И доктора своего привяжите, — посоветовал с усмешкой Колесников. — Такие любопытные там запросто пропадают. А-ах... голову кверху, бултых назад, и нет его, раззявы!

— Да что там за чудо? — Мак хмыкнул. — И почему мы о нем не знаем?

— Вы удивитесь, — с усмешкой пообещал им сержант Колесников. — А почему о нем не знаете — у Кирсанова своего спросите. Почему он политинформации не читает вам каждое утро? Об аномальных новинках не сообщает. Эх, жалко, я не с вами! Сколько раз там был, а не насмотрелся.

— Ну, ты заинтриговал!

— А то! Я умею. По кастрюлям, пацаны. И удачи!

* * *

Два катера шли сквозь непроглядную завесу ливня медленно, но уверенно. Ведущее судно было неплохо оборудовано для подобных экспериментов, а ведомое держало оптимальную дистанцию. В таком режиме отрезок пути примерно над Моховой не предвещал никаких сюрпризов. Разве что случайно что-нибудь всплывет. А вот чуть дальше, на Волхонке, точнее, над ней, начинался один большой сюрприз в трех плоскостях.

Сначала моторы катеров начали повышать обороты, чтобы удержать прежнюю скорость хода, а потом и вовсе натужно загудели, словно вода стала вязкой. Будь видимость нормальной, со стороны нетрудно было бы разглядеть, в чем на самом деле проблема. Катера будто бы взбирались на гигантскую застывшую волну, а вернее — водяную гору. Если бы удалось взглянуть на загадочное явление сверху, стало бы ясно, что это именно гора, формой как перевернутый тазик в сотню метров высотой, с площадью основания примерно в пару квадратных километров.

Склон нереальной водяной горы становился все круче, и казалось, что скоро катера не смогут больше двигаться вперед-вверх и начнут сползать обратно по склону. И это в лучшем случае. А могут и вовсе нырнуть кормой вниз.

Но дело не дошло ни до сползания, ни до погружения. В какой-то момент суда выровняли свое положение относительно горизонта, и вода под ними будто бы вновь обрела нормальную плотность. Очутившись на плоской вершине водной горы, катера прибавили ход, но ровно через минуту сбросили его до минимального, почти легли в дрейф. Неведомое течение на вершине горы-волны понесло катера по кругу вправо.

Прошла еще минута или чуть больше, и рулевые катеров почти синхронно дали полный вперед. Суда прошли еще какое-то расстояние, не больше сотни метров, и вновь застопорили ход. И снова катера поплыли по течению, но теперь против часовой стрелки. И одновременно это второе круговое течение понесло катера к центру водной горы.

И вот, когда до этого условного центра оставались считаные метры, рулевые дали задний ход. Без фанатизма, ровно настолько, чтобы компенсировать снос к центру и условно зафиксировать катера на месте.

Тут-то для экипажей и наступил момент истины. Катера быстро, но плавно, как на скоростном лифте, ушли на целую сотню метров вниз и практически сели на мель! Водяная гора осталась на месте, но теперь экипажи видели ее как бы изнутри, со дна огромного цилиндрического кратера площадью гектара в четыре. Что самое удивительное, стенки стометрового в высоту цилиндра состояли из воды, и экипажи могли без труда разглядеть панораму-срез подводного мира. Недалеко, на пару метров, но все-таки они его видели. Например, почти у стенки кратера, в толще воды был хорошо различим памятник царю Александру Второму, чуть левее и дальше темнела огромная масса туристического автобуса, а правее — какой-то легковушки.

Взглянув вверх, экипажи могли увидеть не менее впечатляющее зрелище. Крышка нереального кратера-цилиндра состояла из огромных водных масс, которые двигались разнонаправленно — у периферии по часовой стрелке, а ближе к центру — против, и центральной неподвижной части — идеально круглого «глаза» этого странного «циклопа». Центр тоже состоял из воды, но кроме неподвижности имел еще одну особенность. По форме он напоминал гигантскую линзу. Поэтому, если смотреть снизу, все, что происходит над водной горой, выглядело как бы увеличенным, да к тому же почему-то перевернутым. Экипажи могли без труда разглядеть огромные капли дождя, которые будто бы срывались с вершины водной горы и улетали к серым тучам. Зрелище «восходящий ливень» было потрясающим.

Но не это было действительно главным внутри водяного цилиндра. Главным был объект, который расположился точно в центре очерченной основанием цилиндра сухой зоны. Этим объектом был храм Христа Спасителя...

...— Я не понимаю, — прошептал Чернявский.

Он стоял рядом с катером по колено в воде и, запрокинув голову, переводил взгляд с главного купола Храма на «линзу», центр которой располагался точно над крестом.

— Не вы один. — Лейтенант Николаев нашел взглядом Макагона и показал ему большой палец: — Молодец, Мак, отлично маневрировал.

— А? — Макогон не без труда подтянул отвисшую от изумления челюсть. — Это как вообще?! Почему? Или таких пузырей тут много?

— Пузырь один, — Николаев усмехнулся, — и тот искусственный — купол. А это... чудо.

— Это ненаучно! — возразил Чернявский, по-прежнему глядя вверх.

— Нашел о чем вспомнить, док, — вступил в разговор очнувшийся Поспехов. — Какая наука в Сезон Катастроф? Хотя, соглашусь, и чудесами все, что происходит, называть не следует. Аномалии — это ближе к теме.

— Прости нас, господи, — проронил Бибик и перекрестился. — Так сразу было?

— Месяц, как гора выросла, а две недели назад гидрологи вычислили этот вот способ сюда спускаться.

— А обратно как?

— Обратно... — Николаев усмехнулся. — Никак. Мужики тут неделю куковали, чуть не озверели. А потом вдруг выяснили, что под Храмом есть кое-какие коммуникации, и один тоннель выводит под купол. Отсюда полста метров. Правда, тоннель был затоплен, но нашелся среди гидрологов пловец, донырнул. Потом воду откачали, и получился секретный вход в купол. Правда, без выхода. Ну, и алгоритм входа надо знать. Без него можно вечно по течению плавать.

Лейтенант указал на плывущие по далекому «потолку» водные потоки.

— А в Храме какая обстановка? — Чернявский, наконец, сумел оторвать взгляд от «линзы» и принялся с интересом разглядывать Храм. — Выглядит относительно неплохо. С поправкой, конечно, на обстоятельства. А какова сохранность интерьеров?

— Какая может быть сохранность после восьми месяцев под водой? — Николаев вздохнул. — Полный упадок и негодность. В этом плане никаких чудес.

— Смотрю на церковь — все нормально, даже спокойно становится, а обернусь... — Поспехов поежился. — На психику давит вся эта водная масса. Очень уж грозно нависает. А если схлопнется эта труба внезапно и без причины, как и образовалась? Может, двинем уже?

— А катера?! — озадачился Макагон.

— Это мне оставьте. — Николаев махнул рукой. — Заберете свою кастрюлю у нас в ПЭКе.

— Не понял, — Мак усмехнулся. — Ты ж сказал, путь наверх отсюда только через купол. Наврал?

— Нет. — Лейтенант кивком указал на врата Храма. — Идите. Спуск в тоннель прямо посреди Храма, не промажете.

— А ты?

— У тебя ведь такая хорошая память, — Николаев усмехнулся, — не помнишь, что ли, я говорил: только провожу, а под купол — пас.

— Вот я и спрашиваю, как ты наверх-то, да еще на двух катерах?!

— Что ты прицепился к человеку? — вступился за лейтенанта Поспехов. — У нас свои секреты, у него свои! Одно дело делаем, вот и все, что важно. Отцепись!

— Нет, ну ладно, — Мак усмехнулся. — Просто интересно стало. И катер, между прочим, на мне висит!

Он похлопал себя ладонью по шее.

— Получишь свой катер, сказал же, — Николаев протянул руку Бибику. — До встречи, Степан. И смотрите там, под куполом, если начнутся проблемы, стреляйте прицельно и не в стенки. А лучше вообще не стреляйте. Купол прочный, с большим запасом, но береженого... сами знаете... Бог бережет.

Лейтенант обернулся к Храму, но примеру Бибика не последовал, не перекрестился, хотя рука дрогнула, а пальцы сложились в щепотку.

— Спасибо, Олег. — Бибик окинул взглядом квестеров, чуть подумал и крепко ухватил дока за руку: — Мак направляющим. Антон второй. К переходу шагом марш.

На крыльце Храма Бибик отпустил дока, на секунду притормозил и обернулся. Он предполагал, что увидит, поэтому ничуть не удивился, когда лейтенанта Николаева не оказалось на месте. Полицейский исчез вместе с двумя катерами. Каким образом и куда? Не имеет значения. Прав был Антон: мы на одной стороне — и это главное. А какие у кого накопились тайны — лучше и не знать.

В отличие от Чернявского и Мака, прирожденных исследователей и дотошных аналитиков, Антон и Бибик не забивали себе головы загадками без отгадок. Особенно Бибик. Он считал, что у любого человека, который провел хотя бы в одной зоне разлома достаточно много времени, их накапливался воз и маленькая тележка. Все держать в голове — никакой памяти не хватит, а обдумывать — вообще свихнешься. Так что разумнее принимать мир таким, какой он теперь есть, и не усложнять себе жизнь размышлениями, анализом и прочими премудростями.

В случае с Николаевым отстраненно-созерцательная позиция Бибика была верной на все сто. Придет время, сложатся обстоятельства — Олег сам откроет свою тайну. Нет — значит, нет. Хватит и других загадок. Вон они, на каждом шагу россыпями.

Бибик вошел в Храм и снова невольно перекрестился.

«А вот в чем я не согласен ни с Антоном, ни с доком, так это в том, что это «ненаучная аномалия». Слишком просто списать все на этот штамп. Аномалия — и отвалите! Но ведь почему-то эта аномалия возникла именно здесь. Не на Болотной площади над разломом реальности, и не над мавзолеем, а над Храмом. Почему? Кто ответит? Док и Мак, конечно, начнут строить версии, им только дай повод, Антон — уже понятно, штампанет «аномалия». А на самом-то деле — почему?»

Бибик вспомнил о своей философии отстраненного созерцания, попытался выкинуть лишние мысли из головы, но у него не вышло. Он лишь затолкал эти мысли куда-то в глубины сознания. Словно приберег на потом. Но, так или иначе, цели своей он добился. В подвал спускался уже сосредоточенным на текущей задаче, а не на размышлениях «о чудесном и аномальном». И это было правильно...

...Высокий и худощавый «Серый» стоял с другой стороны Храма и не видел квестеров, но поведением почти копировал одного из них, того, который вечно всем интересовался. «Серый» запрокинул голову, словно разглядывал «линзу» или зачарованно наблюдал, как неестественно крупные капли дождя «падают в небо». Поскольку лицо «Серого» скрывала маска, со стороны было бы трудно определить, какое впечатление на него произвел водный цилиндр вокруг Храма и прочие аномальные выкрутасы данного участка зоны разлома. Но стоял неподвижно «Серый» достаточно долго. Почти до того момента, когда квестеры начали прощаться с полицейским.

Как только квестеры вошли в Храм, «Серый» обогнул здание и незаметно заглянул внутрь. Секретный игрок «Серого», тот самый ответ Мастеру на введение в игру «девушки-джокера», был среди квестеров, и группа шла под купол. Все по плану.

А с платформы под купол вот-вот должны были спуститься бойцы Лектора. Кто из них найдет пакаль первым? Это не имело значения. В обоих случаях это были игроки «Серого». А игроки Мастера до сих пор мокли под ливнем где-то наверху. А «девушка-джокер», скорее всего, и вовсе осталась в порту.

Получалось, что худощавый «Серый» вновь вырвался вперед. И на этот раз он не видел решительно никаких предпосылок, чтобы ситуация резко изменилась. Какие могут быть резкие изменения на стометровой глубине под куполом «Черная жемчужина», если оба доступных входа блокированы? Разве что в ситуацию вмешаются случайные игроки вроде боевых пловцов, которые в данный момент на борту подлодки приближались к донному шлюзу.

«Серый» развернулся и уверенно двинулся к ближайшей водной стене. Направление он выбрал не случайно. Именно в этом направлении следовало двигаться, чтобы подойти к донному шлюзу купола «Черная жемчужина».

9. Зона разлома 17 (Москва), 19.07.2016 г. (276-й день СК)

Преследовать тихоходное судно было нетрудно, даже скучно. Вышла из порта баржа в четвертом часу, практически с рассветом, но условную границу большого моря, то есть затопленную МКАД пересекла только к шести утра. За это время катер Гудрона мог десять раз выйти из Внуковского залива и вернуться обратно. Но в этом не было смысла, да и Гудрон, который вот уже вторые сутки сидел без опохмелки, начал нервничать, ворчать и любые инициативы со стороны пассажиров принимал в штыки. Проблему могла решить фляга со спиртом, которую предусмотрительно раздобыл в порту Андрей, но это означало автоматическое возникновение новой проблемы: пьяный Гудрон становился бесполезен как шкипер. А ходить по незнакомому морю без капитана и лоции Андрей был не готов. Сам ведь говорил: для всего есть специально обученные люди. В общем, Гудрон играл роль того ослика, только вместо морковки у него перед носом маячила фляга со спиртом. А что гундел и ворчал — не беда. Главное, чтобы вел катер.

Когда баржа покинула зону противной мелкой мороси и вошла в зону настоящего дождя, Гудрон, вопреки ожиданиям пассажиров, слегка расслабился. Выяснилось, что здесь больше не грозит опасность напороться на скрытые под водой объекты, да и столкнуться с какими-нибудь лихими людишками не так вероятно, как на мелководье. Будто бы в пику словам шкипера, в тылу замаячили сразу пять катеров, которые определенно тоже шли за баржей. Но Гудрон так и остался расслабленным. Он без труда определил, что катера военные, а у военных база на «истукане» — так местные называли памятник Петру Первому, ставший теперь «скалистым островом». Значит, военным было просто по пути, вот и легли в кильватер.

Андрею версия Гудрона не понравилась. Он приказал уйти в сторонку. Шкипер поворчал, но подчинился, и очень скоро даже Гудрону стало ясно, что военные катера идут за баржей не случайно. Установив приемлемую дистанцию, они сбросили ход и дальше плыли, как на веревочке — не отставая и не приближаясь.

Своеобразный конвой так и дошел до зоны ливня: баржа, за ней пять катеров и посудина Гудрона параллельным курсом. Андрей приметил еще один катер, он стартовал с запозданием от скалистого островка Сити, но куда он, в конце концов, двинулся — за конвоем или по своему маршруту, Лунев не успел разглядеть. Конвой вошел в зону ливня, и видимость упала почти до нуля.

Впрочем, это не помешало проследить за конвоем в режиме эхолокации. У Гудрона нашлось соответствующее оборудование.

— Приплыли, епть, — скрипучий голос шкипера прорезал грохот ливня, как раскаленный нож масло. — На Арбатскую платформу высаживаются. А военные дальше пошли.

— Дальше? — Каспер удивленно взглянул на Андрея. — Почему не перехватили?

— А почему на трассе не стали перехватывать или в порту? — Андрей пожал плечами. — Какието особые соображения у них. Говорил же.

— В доле?

— Все может быть. Гудрон, к платформе подойдешь? Только незаметно.

— Незаметно, — Гудрон рассмеялся. — Это запростяк! Такая водопадища! Кто ж заметит сквозь нее? Только ты не надейся, земеля, таким макаром туда не заберешься. Проверено. Вода лупит, аж катера переворачиваются.

— Я попытаюсь.

— Ты глухой? — Гудрон указал себе на ухо. — Катера, говорю, переворачиваются! Не пойду я туда! Надо тебе — за борт и вразмашку! С водяными наперегонки.

— А куда ты можешь подойти?

— Только к причалу. — Гудрон всем видом показал, что других вариантов нет и быть не может.

— Там баржа, — заметил Каспер. — Может, сюда причалим, к этому вот бутылочному горлу, которое причал с платформой соединяет?

— Какой резон? — Гудрон поскреб недельную щетину на шее и сглотнул. Упоминание о недоступной пока бутылке его слегка взволновало, а потому продолжил он нервно-решительно: — Причал, и баста, землячки! Вот уйдет «девятка», причалим. Если не передумаете.

Гудрон отвел катер от платформы, но недалеко, чтобы оставался виден силуэт баржи, и, как оказалось, поступил верно. Не прошло и минуты, сквозь серую пелену ливня пробились многочисленные мелкие вспышки. Это началась какая-то стрельба на нижней палубе платформы.

— Надеюсь, это не расстрел экипажа баржи, а салют по случаю воссоединения банды, — многозначительно взглянув на Андрея, сказал Каспер.

— Экипаж в воду сбросят, — уверенно проскрипел Гудрон. — Зачем патроны тратить?

Андрей и Каспер одинаково угрюмо посмотрели на шкипера.

— Чего таращитесь? — Гудрон снова почесал кадык. — Необязательно, конечно. Но бывали такие случаи, да.

— К барже подойти сможешь? — Лунев пересел на лавку поближе к месту рулевого и положил руку на плечо шкиперу.

— Я ж сказал... — Гудрон вдруг осекся и обмяк.

Андрей сдвинул потерявшего сознание шкипера с места и кивком приказал Касперу сесть за штурвал:

— Давай, на малом ходу. Только не воткнись!

— Ты ж помнишь, — Каспер с готовностью уселся на место Гудрона.

— Шурочка, что там на дескане?

— Кружочек светится, — доложила девушка. — Мы к нему приближаемся.

— На какой отметке кружочек? Цифры видишь?

— Сто пятьдесят.

— Годится. Каспер, плавно подходи!

— Я и так плавно! Как подойдем, покрепче привяжи!

— Как подойдем, так и отойдем, — Андрей покачал головой. — Вернее, вы отойдете.

— А ты?

— А я останусь. И не возражай. Некогда сейчас торговаться.

Каспер хотел все-таки возразить, но вовремя сообразил, что это бессмысленно и даже вредно. Андрею требовалось сосредоточиться. А решения своего он все равно не изменит, даже закати Каспер скандал с потасовкой, а Шурочка истерику с битьем посуды. Между прочим, Шурочка всю дорогу наблюдала за Луневым с явным интересом и теперь, когда он собрался сделать рискованный шаг, забеспокоилась не меньше Каспера. Почему? Потому, что Андрей ей понравился? Или она считала, что без него группа будет беззащитна? В любом случае, настроение у Шурочки было не менее тревожным, чем у Каспера.

Подойти к барже удалось без особых проблем, более того, Каспер ухитрился подвести катер к тому месту, где с борта свисал толстый канат, но причалить не получилось. Вода у борта большого судна бурлила и отталкивала катер, словно упругая резиновая подушка. Пришлось импровизировать. И не Касперу, а Луневу. Андрей выбрался на бак, выждал момент и прыгнул.

Катер понесло в дождливую пелену, и его рулевой не смог рассмотреть, что случилось дальше. Хотя что могло произойти? Андрей ухватился за канат, это точно, а дальше... дело техники. Каспер дал малый задний ход и медленно отошел в глубь маскирующей завесы ливня. Недалеко, чтобы видеть очертания баржи и не пропустить сигнал к возвращению, когда он последует.

«Если последует, — мелькнула тревожная мысль. — Попал Муха под раздачу или нет, встретятся Старый и Муха или Андрей будет воевать на платформе в одиночку — без разницы. Андрей все равно пойдет до конца, но каким будет этот конец — неизвестно. А мне, при любом раскладе, в текущей операции отводится роль встречающего. Моя подстраховка — фикция. Старый просто сбросил меня, как балласт, вместе с этой Шурочкой. Наверное, это правильно, вот только... все равно обидно. Ведь мы уже повоевали вместе, и я был полезен. Взять хотя бы стычку с людоедами в Бангкоке. Хотя... там я тоже был на катере, а всю операцию Лунев провернул самостоятельно. Что тут поделаешь, если он композитор-одиночка, а я... пока лишь таскаю рояль».

Каспер вздохнул, но тут же приказал себе не раскисать. Встретить в нужном месте в нужное время тоже очень важно. А вдруг от этого будет зависеть жизнь Старого? Да и с Мухой пока не все ясно. А вдруг от Каспера две жизни будут зависеть и успех операции заодно? Вот то-то!

— Что там на дескане? — спросил Каспер строго.

— Кружок не двигается. — Шурочка склонилась над детектором. — Ой, нет! Зашевелился! К нам подвинулся. Все. Снова замер.

— Толку от такой слежки ноль, — сделал вывод Каспер. — Надо было со Старым пойти!

— У нас тоже важная задача. — Шурочка подняла взгляд на ветровое стекло. — Ой, а где кораблик?

— О чем ты? — Каспер развернулся. — Что за черт?!

Каспер подался вперед, почти прильнул к стеклу, которое снаружи без устали мели «дворники», и тут же схватился за штурвал. Задумавшись, Каспер и не заметил, что катер отнесло слишком далеко. Силуэт баржи больше не проступал сквозь завесу дождя.

Каспер чуть добавил газу и направил катер вперед. Прошло достаточно времени, чтобы баржа вновь показалась из серой пелены, но этого почему-то не произошло. Каспер на миг растерялся и крутанул штурвал вправо — по внутренним ощущениям, если катер снесло, то снесло влево. Но маневр не принес результата. Впереди по-прежнему было пусто, только море и ливень. Каспер вернул судно на прежний курс и продвинулся еще на два десятка метров вперед. И снова ничего!

Каспер уже хотел застопорить ход, как все-таки разглядел прямо по курсу что-то необычное. Нет, не силуэт баржи, а «неправильный» поток воды. Ливневые струи были не такими, как везде, будто бы ломаными и более крупными.

«Платформа! — осенило Каспера. — Я промазал и опять подошел к платформе! Это водопад, который, по утверждению Гудрона, переворачивает катера. Полный назад!»

Каспер переложил рычаг, чтобы дать задний ход, но катер почему-то не послушался. Позади что-то громыхнуло, корпус судна ощутимо дрогнул, и оно встало как вкопанное. Мотор гудел, обороты росли, но катер не двигался с места.

— Мы врезались, да?! — крикнула Шурочка испуганно. — Мы не утонем?!

Каспер поднял дверцу и выглянул наружу. И вот теперь он увидел баржу. Какими-то неведомыми течениями и водоворотами судно неопытного шкипера занесло в промежуток между пришвартованной к выносному причалу баржей, переходной трубой и платформой. Выбраться из П-образной гавани было нетрудно, только дать малый вперед и вывернуть штурвал влево, но тут возникла пара маленьких проблем. Столкновение с баржей, во-первых, не прошло бесследно для рулевого управления катера, а во-вторых, привлекло внимание дежуривших на причале людей.

Бойцы Лектора вряд ли отчетливо видели цель, но этого им не требовалось. Они направили оружие в нужную сторону и открыли огонь. Первая же очередь окончательно лишила катер управления, а четвертая или пятая — хода. Мотор зачихал (теперь действительно чихал мотор, а не Шурочка, она в это время испуганно скулила, прикрыв голову руками), потом жалобно заскрипел и заглох. Катер тут же потянуло прямиком к водопаду.

Каспер повертел головой в поисках выхода, но ни увидеть этот выход, ни придумать хоть что-то толковое он не сумел. В голове пульсировал только один вариант — прыгать! Но что дальше? Плыть к барже, чтобы получить там пулю в лоб? Плыть к платформе, чтобы утонуть оглушенным падающей водой? Прыгнуть и просто утонуть? Варианты выглядели один глупее другого. Да и пресловутый инстинкт самосохранения был против экспериментов. Пока оставался целым катер, это был наиболее выигрышный вариант, с точки зрения упомянутого инстинкта. Вот за него Каспер невольно и цеплялся.

Шурочка, похоже, также полностью подчинилась инстинкту выживания, поскольку бросилась тормошить настоящего шкипера. Лунев отключил Гудрона качественно, но все-таки не настолько, чтобы шкипера нельзя было растолкать. И Шурочке это удалось. Буквально за полминуты до столкновения катера с платформой хозяин посудины пришел в себя.

— Епть! — проскрипел очнувшийся Гудрон. — Откудова это вода хлещет?! Чего случилось?! Чего это тут за сито?!

— Стреляли! — крикнул Каспер в ответ. — Держитесь! Нас к платформе несет!

— Полный назад! — заорал Гудрон и полез прямо на Каспера, не утруждаясь борьбой за шкиперское кресло. — Дай руля!

— Мы заглохли!

— Ох, епть! — Гудрон слез с Каспера, нагнулся и вытащил из-под лавки багор. — Держи, чалиться будем!

— Ты сдурел?!

— Цыть, мазута! Когда к платформе подтянет, цепляйся! Там палуба вровень с водой решетчатая! Сверху — раз! — как топором! Воткнул и тяни на себя! Со всех сил тяни, земеля, не то кирдык нам всем! Открывай правый люк! На подпорки ставь, не то захлопнет! Девка, подь сюды, держи подпорки!

Шурочка не обратила внимания на грубость Гудрона. Она протиснулась к люку, подняла дверь кабины с правого борта, которая открывалась по схеме «крыло чайки», подставила две трубчатые подпорки и навалилась за них всем весом.

Но старания Шурочки пропали впустую. Спустя пару секунд катер затянуло под водопад, и первый же удар стихии вдребезги разнес хлипкую дверь. В стороны разлетелись куски пластика, а покореженная дюралевая рамка двери едва не наделась Шурочке на шею вроде хомута. Девушка едва успела отпрянуть и невольно оттолкнула Каспера. Так что первая попытка зацепиться за платформу провалилась еще до старта.

В следующий миг мощный удар обрушился на крышу, изрядно ее прогнул, а еще чуть позже судно врезалось правым бортом в условное ограждение нижней палубы платформы. По ушам резанул противный скрежет, борт катера заметно деформировался, но судно осталось на плаву.

Третий удар водопада пришелся почти по левому борту суденышка. Катер накренился сначала на левый борт, но затем несколькими рывками попытался дать крен на правый. Каспера окатило водой через левую дверь и бросило вправо, на Шурочку.

А дальше, наконец, произошло то, о чем предупреждал в свое время Гудрон. Катер сместился еще чуть ближе к платформе и начал стремительно крениться на левый борт. Теперь без вариантов.

— Багром! — заорал Гудрон во всю глотку. — Цепляйся, епть! Тяни!

Шурочка каким-то необъяснимым образом вывернулась из-под прижавшего ее к борту Каспера и убралась из просвета правой двери. Костя, наконец, получил достаточное пространство для замаха. Каспер ударил багром по палубе, но зацепиться не сумел. Только отдачей заработал противный зуд в ладонях.

Катер тем временем, трясясь от ударов водопада, как в лихорадке, почти встал на левый борт, и, чтобы повторить попытку, Касперу пришлось перегнуться через правый борт, а затем свеситься едва не до киля. Хорошо, что за ноги Каспера держала Шурочка.

Второй удар багром получился не столь сильным, зато пришелся в цель. Крюк провалился в просвет палубной решетки и крепко в нем застрял. Каспер, что было сил, потянул багор на себя.

Результат не оправдал ожиданий, но назвать его отрицательным тоже было бы неверно. Судно не выровнялось, оно продолжало биться в агонии и заваливаться на левый борт, зато Каспер обрел надежную точку опоры и покрепче сжал древко багра. В этот же миг Шурочка отпустила его ноги.

— Шурочка, не отпускайся! — чуть повернув голову, заорал Каспер. — Держись за меня! Гудрон, цепляйся за девчонку!

За грохотом водопада услышать хоть что-то было нереально, и вся надежда оставалась на то, что Шурочка и шкипер видят успехи Каспера...

Судно вдруг прекратило биться в судорогах, резко встало на левый борт, поставив палубу вовсе вертикально, а затем перевернулось килем вверх. Или как говорят специалисты, «кильнулось».

Каспер отделался достаточно легко. Он получил сильный удар в живот, и его подкинуло вверх, да так, что Каспер вполне мог совершить сальто, если бы не держался за багор. Каким-то немыслимым образом Каспер в полете сумел сгруппироваться и приземлился не на киль тонущего катера или ограждение борта платформы, а на решетчатую палубу.

Чудесное спасение омрачалось тем, что вместе с катером на дно ушли Гудрон и Шурочка, а еще тем, что Каспер провалил свою часть миссии. Теперь, в случае осложнений, группе Лунева будет не на чем линять с платформы. Но Каспер выжил! Какой ценой, но тут уж все вопросы к Фортуне.

Впрочем, что на самом деле задумала капризная госпожа Фортуна, было пока непонятно. Ведь впереди маячила новая проблема. Бойцы с причала уже перебежали по трубе на палубу и теперь приближались к месту «высадки» Каспера на платформу.

Вряд ли они предполагали, что с затонувшего катера кто-то спасся, шли просто проверить. Но Касперу от этого было не легче. Оружие у него имелось: автомат утонул вместе с катером, но запасная «беретта» никуда не делась, но вот насколько это оружие поможет? Судя по тому, как стреляли лекторские подручные — пять коротких очередей, и катеру крышка! — опыта им было не занимать. В отличие от Каспера, который буквально на прошлой неделе еще и думать не думал, что станет отважным квестером-нелегалом, а оружием только баловался: в тире да на пикниках, по бутылкам.

Каспер в очередной раз повертел головой, пытаясь найти выход из новой ловушки, ничего не увидел и не придумал и решил хотя бы выиграть время. Он бросился в хитросплетение каких-то труб и конструкций, довольно быстро пересек нижнюю палубу платформы и очутился перед противоположной водной стеной. Только в этот момент до него дошло, что бежать на самом деле некуда. Прочесать площадь в три сотни квадратов, пусть и с поправкой на всякие препятствия, было делом десяти минут. Касперу оставалось либо смириться с неизбежным, либо принять бой.

За спиной послышались крики. Это лекторские бойцы нашли брошенный Каспером багор и теперь спорили — выбрался кто-то с помощью этой штуковины или нет? Финальную фразу совещания Каспер расслышал достаточно хорошо: «Давай цепью!» Это означало, что обратный отсчет начался. Касперу оставалось жить десять минут, от силы — пятнадцать, если он надумает сопротивляться и придержит бойцов огнем из своей пукалки.

По палубе заплясали лучи фонарей. Один луч выхватил из темноты узкий длинный технический просвет, вроде большой щели между элементами палубы. Каспер почему-то обратил на просвет особое внимание. Нет, нырять в эту щель он не собирался! Хотя... если станет совсем туго, это будет лучше, чем истечь кровью на палубе.

«Чем лучше-то? — мысленно одернул себя Каспер. — Стать водяным и плавать тут, пока не сгниешь заживо? В смысле — пока не развалишься на куски, будучи мертвым, но в сознании. Вот уж перспектива! Нет! Надо как-то выкручиваться, а не утешать себя всякими глупыми «перспективами». Эх, Андрей бы появился или Муха! Впрочем, это тоже ненужные надежды. Надо самому как-то... Господи... почему же так страшно?!

Ведь не в первый раз такие проблемы! Почему теперь-то... Раньше все было не настолько безнадежно?»

Один из бойцов приблизился почти вплотную. До него оставалось метров пять. Шел он как раз вдоль технического просвета. Каспер поднял пистолет и прицелился, но спустить курок он не смог. Не хватило духа.

Ведь этот выстрел должен был стать пресловутым началом конца. Убив одного врага, Каспер автоматически заряжал оставшихся на беспощадное уничтожение противника. Но и сдайся Каспер на милость этим уркам, синего неба ему больше не увидеть, это точно.

Каспер чуть опустил ствол, медленно выдохнул, вдохнул и снова поднял оружие. До живой мишени оставалось уже и вовсе шага три, но бандит по-прежнему не видел слившегося с платформенными конструкциями Каспера.

Неожиданно в глаза Касперу ударил луч другого фонаря. Костя невольно зажмурился и одновременно нажал на спусковой крючок. Пистолет коротко дернулся, Каспер тут же открыл глаза и увидел, что ближайший бандит заваливается навзничь, его фонарь откатывается в сторону, зато вблизи нового источника электрического света вспыхивает еще и небольшой источник открытого огня. Пули звякнули по прикрывающей Каспера конструкции, одна больно обожгла бедро, и Косте пришлось менять позицию. Он бросился вправо, но стрелок не потерял его из вида. Он проводил перемещения Каспера и лучом фонаря, и новой очередью из автомата. А уже в следующий миг ему на подмогу пришел третий стрелок. Ну, то есть второй, поскольку один из троицы больше стрелять не мог, но и под огнем двух стволов Каспер чувствовал себя крайне неуютно.

Костя продолжил маневры, поскольку отлично понимал, что движение — это жизнь (а в его случае — особенно), но вскоре совершенно выбился из сил и рухнул на четвереньки поблизости от технического просвета. Пожалуй, приближался момент истины. Каспер встал перед выбором — нырять и тонуть или героически гибнуть в бою. Конечно, при погружении имелся шанс спастись. Допустим, проплыть под водой полсотни метров и вынырнуть уже по ту сторону водопада. Каспер плавал хорошо и в юности проныривал даже больше, но то в бассейне и не таким измочаленным.

«А какой выбор-то? — Над головой вжикнула пуля, и Каспер невольно пригнулся, но так и не нырнул. — Отстреливаться? Да! Почему нет?! Их всего-то двое!»

Каспер решительно сжал рукоятку «беретты» и уже почти поднялся, чтобы дать бой наглой парочке врагов, но тут где-то справа стрекотнул новый ствол, и Костя был вынужден вновь присесть. Теперь врагов опять было трое. Причем «третий лишний» выпрыгнул из люка в потолке недалеко от позиции Каспера, но снять его, как первого, шансов не было. Стрелка прикрывали платформенные конструкции и массивный трап, а вот Каспера с этой стороны не прикрывало вообще ничего, кроме темноты.

Костя в полной безнадеге вскинул пистолет, выстрелил и... вдруг осознал, что несколько холодных рук хватают его за одежду и резко тянут вниз, прямиком в технический просвет. Откуда взялись эти руки, понятно. Из того же просвета, из-под воды.

Рухнув в воду, Каспер сначала попытался отбиваться, но никакие руки его больше не держали. Костя понял, что дерганья не имеют смысла, и угомонился. Более того, он нашел в себе силы подавить приступ паники и осмотреться. Вверху мелькали лучи фонарей. Они освещали палубную решетку и отчасти воду, а еще в их свете было видно, как в воду вонзаются пули. Бандиты поняли, что противник рухнул в просвет, но не были уверены, что замертво, поэтому пытались довершить начатое. И у них могло получиться, не оттащи Каспера в сторонку холодные руки неведомых спасателей.

«Неведомых? — мелькнула мысль. — Вот уж вряд ли. Не водолазы были точно. А если не они, значит... водяные. Только зачем? На кой черт им меня спасать?»

Рядом появилась какая-то тень, и Каспер резко обернулся. В отсветах фонарей было видно плохо, да и вообще под водой без плавательных очков или маски все видится мутным, поэтому ничего конкретного Костя не рассмотрел. Понял только, что рядом появился... водяной!

Существо медленно, словно опасаясь напугать человека, протянуло к нему руку. Каспер едва сдержался, чтобы не отпрянуть. Существо удовлетворенно кивнуло, указало вниз и поманило за собой. На отдыхе в Египте и Турции Каспер частенько заныривал с аквалангом, но нырять глубже положенных двенадцати метров не пробовал. А тут его приглашали куда-то явно глубже и без акваланга. Но снова тот же вопрос: какой у него был выбор?

Каспер сделал пару гребков, вода начала давить на перепонки, в душе снова зазвучали отголоски паники, но Костя не остановился. Лишь когда давление выросло настолько, что ушам стало больно, Каспер прекратил грести и попытался оглянуться. Естественно, безрезультатно. Темень вокруг была кромешная.

В груди к этому моменту заполыхал адский костер. Каспер почувствовал, что вот-вот вдохнет воду и утонет, а точнее — станет водяным, но тут в его одежду вдруг снова вцепились несколько холодных рук, которые опять рывком переместили Каспера в сторону, а затем подтолкнули вверх.

Костя не выдержал, выпустил негодный воздух и тут же судорожно вдохнул... но не захлебнулся, поскольку вдохнул опять же воздух, а не воду! Там, где он очутился, было душно, подозрительно пахло застарелым перегаром, но оказалось достаточно воздуха для десятка-другого вдохов.

— Кто тут, епть! — проскрипел знакомый голос. — Отзовись, коли живой!

— Я это, Гудрон, — хрипло ответил Каспер. — Ты один?!

— О, земеля! — обрадовался шкипер. — Я... вдвоем.

— Я тоже здесь, Каспер, — тихо сказала Шурочка.

— Слава богу, ты жива! Мы где?

— Где мы, где мы! — вновь заскрипел Гудрон. — Под катером, где ж еще? Тонем, епть!

— Воздушный колокол получается? — догадался Каспер.

— Братская могила получается. — Гудрон сплюнул.

Шурочка всхлипнула.

— Одно не пойму, — продолжил шкипер, — чего тонем-то, если воздуха полно? Должны плавать кверху килем.

— Быстро тонем?

— А ты не чувствуешь, как давление растет? Камнем идем. Как якорь, епть!

— Может, тянут?

— Кто?

— Ну, там... водяные, например.

— А хрен его знает? — Гудрон закашлялся. — Один фиг. Чего нам с ними на дне делать? В преферанс играть?

Каспер не ответил. Просто не успел. Неожиданно его ухватили за ноги и рывком вытянули из-под катера. Он едва успел вдохнуть. Страшная тяжесть воды почти выдавила воздух из легких, но Каспер зажал руками рот и нос, и этот нехитрый трюк (больше психологический) помог ему удержать воздух на месте. Впрочем, даже выпусти Каспер весь воздух, захлебнуться он не успел бы. Водяные вновь швырнули его в сторону и подтолкнули вверх. И снова Каспер вынырнул в воздушном колоколе. Только теперь огромном, как самолетный ангар, и даже освещенном. Света было очень мало, но достаточно, чтобы Каспер сориентировался и увидел лестницу, по которой можно выбраться на что-то вроде причала.

Рядом забулькало, послышались громкие всплески, и под сводами колокола зазвучал сначала протяжный хрип, а затем отчаянный кашель.

Каспер невольно подался в сторону источника звуков и ухватил за плечо трепыхающуюся Шурочку. Девушка вцепилась в руку Каспера мертвой хваткой.

— Полегче! — сказал Костя. — Успокойся! Дыши медленно! Вдо-ох!

Шурочка снова закашлялась, но теперь уже не так судорожно, а затем вдохнула и помотала головой.

— Чуть... не... того, — хрипло проронила она.

— Теперь все нормально будет, — пообещал Каспер. — Держись за меня, на берег будем выбираться.

Шурочка кивнула и снова закашлялась.

До «берега» было всего десять метров. Единственная лампа на весь воздушный шлюз висела как раз над лесенкой, поэтому, выбравшись на причал, Каспер сумел осмотреться более детально.

В первую очередь он обернулся и отыскал взглядом водяных. Они не спешили уплывать и с интересом следили за Каспером и его напарницей. Будто бы поспорили, что будут делать спасенные, и теперь спорщикам не терпелось узнать, кто из них выиграет пари.

Каспер обвел водяных взглядом, а затем кивком указал на центр шлюзового бассейна:

— А где Гудрон?

Ближайшие к причалу водяные переглянулись. Видимо, один из них ставил именно на этот вопрос. Он и ответил. Не словами, жестами. Он сложил ладонь лодочкой, медленно поднял руку, держа ее тыльной стороной вверх, а затем перевернул вверх ладонью. Второй водяной тоже принялся жестикулировать, изображая движение на веслах. Следовало понимать, что катер Гудрона всплыл, встал на киль и теперь шкипер работает веслами, улепетывая из проклятой зоны.

— Долго будет грести, — сказал Каспер с заметным облегчением.

Водяные почти синхронно развели руками: «А что делать?»

— Лады, — Каспер усмехнулся. — А нам куда теперь? Туда?

Он обернулся и окинул взглядом дверь с массивным винтовым запором, что виднелась в серой стене под лампочкой.

— Туда, — хрипло сказала Шурочка. — Кружочек там. За дверкой.

Каспер посмотрел на девушку. Лунев явно не ошибся, зачислив Шурочку в команду. Умом она не блистала, но зато во всех передрягах умудрилась сохранить доверенный ей дескан. Каспер вновь посмотрел на водяных.

Они синхронно кивнули, как бы соглашаясь с девушкой.

— Вам бы выступать. — Каспер отсалютовал: — Спасибо за помощь, люди!

Водяные на какое-то время оцепенели. Причем не только двое на первом плане, но и все остальные, что плавали в полумраке ближе к центру шлюзового бассейна. Каспера такая их реакция сначала насторожила, а потом его бросило в жар — до него дошло, какую глупость он только что сморозил.

«Люди! Вот я тупица! Сейчас обидятся, и как передумают... нам и хана!»

Водяные не передумали. Более того, из задних рядов выплыла пожилая русалка, которая положила на причал почти не ржавый «калаш». Следом за ней подплыли два водяных. Первый принес еще один «калашников» и две разгрузки со снаряженными автоматными магазинами, а другой — герметичную пластиковую коробку, которая оказалась упаковкой суточного сухпайка, и литровую бутылку без этикеток, но характерной формы и с легко узнаваемым по цвету напитком.

Шурочка подползла к краю причала и не без опаски, стараясь не смотреть на жутковатых существ, приняла все подарки.

— Спасибо еще раз, — Каспер прижал руку к груди. — Что нам для вас сделать?

Водяные снова переглянулись, но теперь в пантомиме участвовала и пожилая русалка. Чуть помедлив, один из водяных указал вверх, а затем провел пальцем по горлу. Каспер понял все без дополнительных комментариев.

— Сделаем, что в наших силах, — пообещал он, надевая разгрузку. — С нами еще двое были, они через баржу на платформу пошли. Не знаете, где они сейчас?

Водяные дружно указали на дверь.

— А что там? — Каспер склонил голову в сторону двери.

Один из водяных сложил руки, изображая полусферу.

— Серьезно?

Каспер разобрал автоматы, осмотрел, продул детали, собрал и зарядил. Затем он помог Шурочке тоже надеть разгрузку, вручил ей автомат и окинул девушку оценивающим взглядом.

— Хороша, что тут добавить.

— Да? — Шурочка, как сумела, поправила прическу. — Только губы синие, да? Холодно в мокром.

Она зябко поежилась и провела рукой по камуфляжным штанам, как бы отжимая воду.

— Ты прекрасна и с синими губами, поверь знатоку. — Каспер, красуясь перед Шурочкой, встал в киношную позу: закинул автомат на плечо и гордо поднял голову. Теперь следовало сказать что-нибудь героическое, такое, чтобы и на публику, и спутнице, но почему-то ничего приличного в голову не шло. — Ну, лады, народ, мы пошли. Даст бог, свидимся.

Водяные проводили Каспера и Шурочку негромкими, но дружными аплодисментами. Звучало это странно и даже нелепо, но с другой стороны, как еще могли выразить свое одобрение и моральную поддержку эти безмолвные существа? Плюнуть под ноги слизью, как бы иллюстрируя напутствие «скатертью дорожка»?

За дверью обнаружился не сам купол, а короткий коридор с еще одной массивной дверью в конце. Причем эта дверь открываться не пожелала, но Костя сразу сообразил, в чем проблема. Здесь работал принцип любого воздушного шлюза. Пока не заблокируешь наружную дверь, внутренняя не откроется. Каспер вернулся, крепко завинтил первый замок, а затем кивком подал сигнал напарнице. Шурочка повторила попытку открыть вторую дверь, и она легко подалась.

Когда дверь открылась, Каспер смело шагнул через высокий порог... и едва не рухнул с высоты третьего этажа. Ведь он очутился на краю плоской крыши какой-то будки, вроде трансформаторной или бывшего теплового узла, только повыше.

«Вот было бы смеху!»

Каспер смущенно покосился на Шурочку, но девушка будто бы и не заметила неловкость напарника. Она встала рядом и зачарованно уставилась на открывшееся перед ними пространство. Над головой у парочки возвышался сверкающий, как черный лед, свод купола, а впереди лежали неплохо освещенные непонятными, но многочисленными молочно-белыми шарами развалины центра Москвы.

Вполне сухие развалины, надо заметить, и не так уж сильно «разваленные».

* * *

Трудности похода и горячая встреча остались позади, а все самое лучшее маячило впереди. Точнее — внизу. Примерно таким был смысл короткой речи, которую двинул Лектор перед воссоединившимся отрядом. Тот факт, что операция по передислокации в новую зону прошла успешно, изрядно добавил Лектору авторитета. А когда бойцы узнали о припрятанном золотом запасе — «по два пуда на каждого!» — Лектора подхватили на руки и стали качать. Чуть нос ему не расквасили о низкий потолок. Но Лектор не стал кочевряжиться, стерпел это выражение чувств, дождался, когда эмоции слегка улягутся, и поставил бойцам новую задачу: спуститься под купол и найти пакаль.

Для наглядности Лектор достал белый артефакт и пояснил, что искомая вещица «точно такая же, только черная». Насчет рисунка уточнять он не стал. Лишняя информация. К тому же не все бойцы блистали интеллектом. Вдруг найдут черную, но с другим рисунком и не возьмут? Вот чтобы исключить такие варианты, Лектор и не стал уточнять. Более того, чуть поразмыслив, он снова достал пакаль и предупредил, что ориентироваться следует на форму, вес и ощущения. А цвет и узоры могут быть любыми. После чего пустил пакаль по рукам.

В сравнении с передислокацией или захватом платформы новая задача выглядела плевой. Ведь под куполом, если верить слухам, которые бродили среди портового персонала, постоянно находились несколько десятков ученых и техников, дюжина администраторов и всего один полицейский. Никакого реального сопротивления эти люди оказать не могли. А поживиться под куполом определенно было чем. И пусть теперь каждый боец отряда мог считать себя настоящим богачом, когда и кто отказывался от легкой наживы?

В общем, единственным спорным моментом стала очередность дежурства на платформе. Лектор не хотел оставлять голый тыл, а подавляющее большинство бойцов желало спуститься под купол. Но это недоразумение было улажено просто. Тем, кто останется на платформе до конца донной операции — читай, останется без дополнительного заработка, — Лектор пообещал увеличить долю в золотом запасе: распилить пайку погибшего Фомы. Если таковых не окажется, вахты на платформе будут нестись посменно, и доля Фомы разойдется на всех, что скорее в минус, чем в плюс.

Бойцы недолго погудели, совещаясь, и приняли решение, что вахта останется одна. Бегать туда-сюда и терять «донную прибыль» никому не хотелось. На том и сошлись.

— Слышь, Лектор. — Пока бойцы собирались в рейд, к главарю подошли пошептаться Дышлюк, Хирург и боец по кличке Таран (или это была его фамилия — Лектор не уточнял), который оставался старшим караула на платформе. — Надо какие-то рюкзаки взять. Для хабара.

— И определиться сразу, куда стаскивать будем.

— Нет, — Лектор поморщился. — Вы не поняли сути моей лекции, господа студенты. Мы ищем пакаль... или пакали. В этом весь смысл. А побочный хабар... это лишь бонус.

— Не, ну, мы-то поняли, — заверил Дышлюк. — А вот братва наоборот думает. И хрен ты их переубедишь. Ну, не допрут, даже при желании. Чего такое эти пакали и чего — золото? Второе для них продукт, как тот дед говорил, а пакали... цацки научные, и только.

— Я уловил твою мысль. — Лектор на миг задумался. — Хорошо. Сколько можно собрать хабара?

— Смотря кто чего будет брать.

— Если пообещаю удвоить золотую долю тому, кто найдет пакаль, это покроет?

— Так-то да. — Дышлюк переглянулся с Хирургом.

— Значит, доля Штыря теперь приз.

— Все равно будут хабар собирать, — пробасил Хирург. — Автоматически. И таскать его в укромные места будут. Хрен кого в кучу соберешь. А нам надо, я так понимаю, цепью идти. Вот если б кто относил мешки в надежное место под охрану, тогда получилось бы цепь удержать... наверное.

— Хотя бы эту проблему решить, уже будет ништяк, — подытожил Дышлюк. — Этот... как его...

— Компромисс, — подсказал молчавший до сих пор Таран.

— Во-во, — Дышлюк покосился на бойца. — А ты чего не идешь? Сам ведь вызвался на платформе остаться. Хабаром не интересуешься?

— Клаустрофобия у меня.

— Чего?

— Ссыт, — коротко пояснил Хирург.

— А в табло?! — Таран дернулся и схватился за оружие.

— Замри! — негромко, но грозно рявкнул Лектор. — Клаустрофобия — это сдвиг такой! У нас у всех свои сдвиги! Нормально это!

— Каждый сходит с ума по-своему? — уточнил Дышлюк с ухмылкой. — Теперь понятно.

— Зато у Тарана слух — дай бог каждому, даже ливень с водопадом не мешают, каждый шорох слышит, — расширил тему Лектор. — Кто лучше его за платформой присмотрит?

— Никто, базара нет, — Хирург все-таки ухмыльнулся.

— Вот и заткнулись! Таран, ты набрал себе группу? Сколько студентов?

— Шесть. Я седьмой. Думаю, хватит.

— Распределяй по точкам! Дышлюк, поведешь цепь, а ты, Хирург, возьми авторитетных аспирантов и гоните к лифту экипаж баржи! И пилота прихвати, он там, в катере! Это и будут рабы-носильщики, пусть таскают хабар к лифту, чтобы студенты не отвлекались и шли налегке. Все ясно? Тогда заседание ученого совета окончено, вперед! То есть вниз!..

...Приказ Лектора подействовал на помощников, как вспышка света на тараканов. Разбежались кто куда и очень быстро. Новый подручный Лектора — чем он заметно гордился — умчался к своей группе. Она ждала ценных указаний в главной рубке. Так называли комнату, куда были подведены провода от всех систем наблюдения и жизнеобеспечения платформы. Топать было неблизко, поэтому Таран успел обдумать не только собственный план дальнейших действий, но и всю затею Лектора.

С точки зрения Тарана, никакого хабара отряду не светило. То есть при желании братва найдет чем поживиться, но это будут слезы в сравнении с тем, что когда-то хранилось на покрытой куполом территории. Да и слезы-то вряд ли будут. Шутка ли, три месяца тут шуровали водолазы, а потом, уже после осушения территории, еще раз десять прошли ученые и квестеры.

Нет, все не вывезли, кто бы спорил! Все ценное отсюда не вывезут никогда. Ведь кроме сокровищ и всякого там культурного наследия, что находилось на поверхности, сколько всевозможного хабара было занукано в тысячах подвалов, тоннелей, хранилищ и так далее. Бродить тут всяким сталкерам до морковкина заговенья, а все равно не откопать из-под слоя ила и грязи всех секретов. Веками копились клады, тайны и загадки внутри Бульварного кольца, значит, веками их будут находить, раскрывать и отгадывать. Закон равновесия. Но суть даже не в этом.

Все, что найдут бойцы, будет иметь как минимум негуманные габариты. Ведь им обломятся не россыпи, а всякий антиквариат и прочая утварь или оружие. И куда это грузить? На баржу? Ладно, а дальше? Придет баржа в порт, а там архангелы: мордами в палубу, клешни на затылок, хабар под конфискацию!

В общем, затея была глупая. Нет, Таран не осуждал Лектора, боже упаси! Ведь не его была придумка. Таран был не согласен с братвой. Но как это сказать? Никак. Только остаться и получить свой куш без всех этих донных телодвижений. Позиция, конечно, хитрожопая, но, пока никто из братков ее не просек — вполне нормальная. Ну и пусть подтрунивают над липовой клаустрофобией Тарана. Когда окажется, что Таран выиграл, уже он будет подтрунивать, а эти станут с тоской взирать на своих трофейных Рембрандтов и подсвечники семнадцатого века и тихо материться.

В рубке было на удивление тихо. Когда Таран собирался на совещание, бойцы шумели (за исключением Ботана, который молча сидел за пультом еще с момента захвата платформы), обсуждая несправедливость, которая обрушилась на их буйные головы не хуже водопада, что перекрывал всю видимость. Теперь все умолкли. Смирились, что ли?

Таран вошел в рубку и осмотрелся. Ботан сидел, как прежде, за пультом, вдохновенно пялясь на какие-то заумные графики в главном экране. На сонарах и управлении автоматическими пулеметными колонками нес вахту Цой. Куда пропали еще четверо, было непонятно.

— Я не понял! — Таран встал посреди рубки подбоченившись. — Че за бардак?! Где братва?!

— Внизу, на первой палубе. — Ботан поднял взгляд на командира поверх очков. — Там появился посторонний, они пошли его ловить.

— Всей толпой? — Таран покачал головой. — Вот бараны! Поймали хотя бы?

— Нет, — Ботан указал на экран. — Он в воду упал. Застрелили, наверное. Поднимаются, скоро сам спросишь.

— Не, а чего надо было делать? — донеслось из коридора. — По головке погладить?! Вот я и шмальнул!

На пороге рубки появились трое бойцов. Все были крайне возбуждены, но смотрели на Тарана не победно, а чуть виновато. Причина была ясна. Уходили четверо — вернулись трое.

— Бар-раны, — проронил командир.

Бойцы не возразили. Они вообще повели себя странно. Хаотично задергались, словно в припадке, и повалились на пол. Но не в ноги Тарану, чтобы вымолить прощение, а просто рухнули. Замертво.

Таран рефлекторно пригнулся и схватился за автомат, но это было неправильное решение. Следовало для начала отпрыгнуть в сторону, чтобы убраться из просвета двери, а уж после хвататься за оружие. И эта ошибка стоила Тарану очень дорого. Новая очередь из бесшумного оружия отбросила командира охраны к дальней стене, как раз на Цоя.

Третьей очередью неизвестный стрелок прошил Ботана. Жив остался только Цой. Он с поднятыми руками выбрался из-под тела Тарана и на коленях выполз на середину каюты:

— Сдаюсь!

— Где экипаж баржи? — спросил стрелок.

— Вниз повели, — Цой указал на экран. — Рабочие руки будут. Все вниз ушли! Вот только что лифты на дно пошли. Только мы наверху остались. Я сотрудничаю со следствием, зачтется?

— Ты меня с кем-то путаешь. — Стрелок влепил ему пулю в лоб и сдал назад в коридор...

...Хирург мог поклясться мамой, что услышал подозрительные звуки, очень похожие на стрельбу из специального оружия. Ровно за секунду до того, как двери лифта закрылись, серия хлопков прозвучала где-то наверху, в районе рубки. Но Лектор не захотел слушать Хирурга. Минутой раньше трескотня «калашей» доносилась с нижней палубы, там возник какой-то шухер, и бойцы Тарана начали палить из всех стволов, поэтому Лектор свалил происшествия в кучу и списал стрельбу наверху на отголоски стрельбы внизу. От факта, что внизу трещали «калаши», а наверху сандалили из специального оружия вроде «Вала», Лектор отмахнулся. Оно и понятно, ему было не до того, операция входила в решающую фазу.

— И ты расслабься, — посоветовал Хирургу Дышлюк. — Как ты вообще расслышал выстрелы из бесшумного оружия?

— Это в компьютерных стрелялках, вроде «Сталкера», оно бесшумное, — Хирург хмыкнул. — А в жизни не бывает по-настоящему бесшумного оружия. Щелчок курка, хлопок выстрела, лязг затворной рамы, звон гильзы... Это что, не звуки? Понятно, что, если в помещении садануть из охотничьего ружья, бам-м, будет погромче. Словно кувалдой по чугунной ванне. Но и хлопушки слыхать, если знаешь, что слушать.

— Вернуться не получится, по-любому. — Дышлюк пожал плечами. — Будем надеяться, Таран справится.

— С обороной периметра система и без него справится. А вот если диверсанты... — Хирург задумчиво уставился в стенку и невольно погладил рукоятку ножа. — Был у меня в Сомали один крендель... мог целый гарнизон за ночь вырезать. Бесшумно ходил, как тень, а убивал... Нас команда наемников зажала, так он в полночь один ушел, без оружия, с двумя ножами только, и к утру мы свободно из ловушки умотали. Всех положил, без шума и пыли, ни один даже не пикнул. Я когда Лектора встретил, думал, грешным делом, это он и есть, только постаревший. Но нет. У того другие понятия были. Совсем другие.

— Ты чего в Сомали-то делал?

— А? — Хирург очнулся, покосился на Дышлюка и отвел взгляд. — А-а... ну-у... типа инструктора там. Короче, давняя история, забытая.

— Пиратов тренировал? — Дышлюк усмехнулся. — Ладно, твои дела.

Лифт остановился на донном уровне, и все разговоры и беспокойства за обстановку на платформе остались в прошлом, так же как те давние сомалийские дела Хирурга. Авангард во главе с Дышлюком высыпал из лифта и рассредоточился, взяв на прицел видимое пространство. Никакого сопротивления или хотя бы помех бойцы не встретили. Пространство перед лифтовой площадкой и обозримая часть Знаменки были пусты, как брошенная декорация после съемок фильма.

Неторопливо вышедший на площадку Лектор проследил за выгрузкой из лифтов остальных бойцов, деловито раздал команды и указал направления, а Хирург распределил по цепи «рабов».

Всего, без капитана Бисерова, матросов было шесть душ. Капитана оставил при себе Лектор. Дышлюк взял в рабы пилота Щербинина, а Хирургу достался самый странный из матросов, какой-то «потерянный» и слабо вменяемый, но физически крепкий. Как его зовут, никто из экипажа не знал, поскольку матрос, на свою беду, записался в команду Бисерова буквально за полчаса до появления отряда Дышлюка на барже. Такая вот непруха. Бисеров называл его то Кастором, то Каспером. Хирург решил использовать последний вариант.

— Это тебе, горемычный. — Хирург вручил пленнику большой рюкзак. — Будешь таскать за мной, а когда наполнится, отнесешь сюда. Задача понятна? Слышишь меня, терпила? Задача понятна, спрашиваю?!

Хирург хлопнул раба по шее. Другой от такого удара рухнул бы на колени, а этот устоял. И впрямь оказался крепким бродяга. Пленник поднял на хозяина мутный взгляд, но ничего не ответил.

— Будем считать, понял, — Хирург вздохнул. — Вот по жизни у меня эта тема. В Африке немтыри черножопые кругом были, ни слова по-русски, тут опять... везет мне на убогих.

По цепи уже прокатилась команда «Вперед!», а Хирург только удосужился осмотреться. Местность была ему знакома по прежней жизни, разве что в те времена Знаменка была почище, здание Минобороны выглядело получше, и освещалось все это не десятками светящихся шаров, которые плавали, как воздушные медузы, на разной высоте, а солнцем или уличными фонарями. Но в целом местность осталась узнаваемой.

Хирург обернулся. Все правильно, позади развилка, а дальше, за черной стеной купола — Арбатская площадь. Впереди... по левую руку сгнившая зелень сквера с памятником Фрунзе, а справа бывшие жилые дома. Увидеть все это снова Хирург и не надеялся, но никаких особых эмоций встреча с утонувшим в Лете прошлым у него не вызвала. Только практический интерес.

— Здесь ловить нечего, — проронил Хирург. — Разве что дальше, в бизнес-центре. Плесенью воняет, чуешь?

Раб не ответил. Вообще не отреагировал.

— Топай, Каспер.

Хирург толкнул пленника в спину. Матрос послушно двинулся вперед, но почти сразу поскользнулся в грязи и упал. Пока он поднимался, пока отряхивал, а точнее, размазывал, по штанам налипшие комья грязи, цепь ушла достаточно далеко и некоторые группы бойцов успели нырнуть в подворотни. Хирург с досадой крякнул, ухватил пленника за ворот и снова подтолкнул вперед:

— Топай, сказано! И под ноги смотри, каракатица!

Пленник виновато потупился и кивнул. Очнулся, наконец! Надолго ли?

Хирург решил воспользоваться просветлением в мозгах у раба и объяснить ему, наконец, политику партии. Он ткнул кулаком Касперу под ребра, предваряя инструктаж, а затем выдал вводную:

— Слушай, коли очнулся, фраер. Тема такая...

Хирург прервал инструктаж на полуслове, поскольку пленник неожиданно исчез. Вот прямо так. Стоял рядом, и вдруг — раз! — и нет его. Будь Хирург менее опытным бойцом, он начал бы удивленно вертеть головой, но как раз опыта ему было не занимать. Поэтому Хирург первым делом ушел в сторону, словно от удара, и принял боевую стойку. Впрочем, это не помогло, первый удар он пропустил.

Пленник атаковал сзади. Подпрыгнул и обрушился сверху, вкладывая в удар локтем всю силу и вес тела. Попади он чуть точнее, Хирург свалился бы без сознания, и это в лучшем случае. Но первый удар очень редко получается убойным, так получилось и сейчас. Хирург поплыл, рухнул на колени, но не отключился. Пленник тут же ударил снова, но теперь промазал, как говорится, на целый километр. Хирург успел резко податься в сторону и перекатиться. А в процессе выполнения этих гимнастических упражнений он умудрился еще и приготовить к бою оружие.

Но противника это не испугало. Он атаковал ногами, заставил Хирурга отвести ствол в сторону, а затем нырнул на ближнюю дистанцию, где автомат был бесполезен и даже мешал. Однако Хирург не растерялся и зажал противника в борцовский захват, как в тиски. Обычно от таких «объятий» у врагов трещали ребра, но пленник выдержал.

В следующий миг он крепко боднул Хирурга в нос. Когда бандит ослабил хватку, пленник скользнул вниз и врезал кулаком Хирургу между ног. Этот удар, мягко говоря, обескуражил бандита. Он шагнул назад, отмахнулся автоматом и попытался снова поймать врага на прицел. А чтобы пленник не повторил финт, вновь сократив дистанцию, Хирург решил прицелиться от бедра.

Но все-таки пленник оказался чуть быстрее. Пока Хирург поднимал оружие и пытался поймать врага на прицел, пленник переместился вправо и шагнул за спину бандиту. Хирург резко развернулся, но было поздно. Как раз это движение — резкий разворот тела — стало для Хирурга роковым. Пленник успел поднять руку на уровень подбородка Хирурга, а другую руку приложил ему к затылку. Массивное тело бандита развернулось влево, а голова осталась неподвижной. Шейные позвонки не выдержали такого выкрутаса, и жизнь Хирурга закончилась практически самоубийством. Ну, разве что с некоторой помощью фальшивого матроса Каспера.

Пленник подхватил обмякшее тело Хирурга под мышки и быстро оттащил в сторонку, под прикрытие небольшой будки КПП на нечетной стороне улицы. Сняв с убитого разгрузку и прихватив его автомат, бывший пленник перебежал на другую сторону улицы и юркнул за угол здания Минобороны. Оттуда он перебежал к часовне и ненадолго замер, оценивая обстановку.

Увлеченные изучением мелиорированных территорий, бандиты пока не хватились Хирурга, но вечно это длиться не могло. Хирург был одним из ближайших помощников Лектора. Раньше или позже главарь должен был его хватиться. И скорее раньше, чем позже.

Бывший пленник выбрал момент и метнулся к лифтам. Все четыре кабины были на дне. Пленник достал из кармана мятое военное кепи и бросил на пол ближайшей кабины. После чего хлопнул по кнопке «вверх» и тут же вернулся на позицию рядом с часовней.

Путь наверх и обратно занимал примерно пять минут, и, пока кабина не вернулась, бывшему пленнику требовалось продержаться на занятой позиции во что бы то ни стало. Три с половиной минуты пролетели незаметно, без осложнений, а вот ближе к старту пятой минуты Лектор приказал найти Хирурга. Это было слышно издалека. Отправленный на поиски Хирурга боец шел не слишком быстро, но зато прямиком к тому месту, где лежало тело убитого. Плюс в его поле зрения попадали лифты, и он вполне мог увидеть прибытие кабины. Оставалось надеяться...

Бывший пленник не успел сформулировать, на что остается надеяться. Боец поравнялся с КПП и боковым зрением уловил непорядок на нечетной стороне улицы. Как раз в тот момент, когда он бросился к Хирургу, на дно прибыла кабина. Убедившись, что Хирург мертв, боец выскочил на улицу и раскрыл рот, чтобы закричать, но вместо крика у него изо рта вылетела вошедшая в затылок девятимиллиметровая пуля. Выстрела при этом не услышал никто, кроме бывшего пленника, поскольку выстрел был сделан из условно бесшумного «Вала» и остальные «слушатели» находились чересчур далеко.

— Муха, я правильно разобрался в ситуации? — появляясь рядом с бывшим пленником, спросил прибывший на лифте стрелок.

— Правильно, Старый. — Бывший пленник кивком указал влево: — Нам туда.

Напарники бросились в закоулки между зданиями и вскоре исчезли из вида. На все про все ушло три секунды.

И только в этот момент убитый Старым лекторский боец рухнул ничком на покрытый илом и плесенью асфальт.

* * *

Тоннель был завален всевозможным хламом, но осложнялось продвижение не этим. В первую очередь было очень скользко. Ил, плесень и какая-то пузырящаяся слизь устилали пол толстым ковром. На стенах тоже хватало черной плесени, а с потолка свисали мерзкие на вид «сопли», которые, цепляясь за одежду квестеров, вытягивались длинными нитями на многие метры. А еще приходилось то и дело сверяться с картой и компасом, очень уж много тут было всевозможных развилок и боковых коридоров. Чуть легче стало, когда на краю масштабной сетки дескана вспыхнула метка пакаля. В нужном направлении вел только один коридор, по нему и двинулись. И не прогадали. В конце тоннеля не было света, зато обнаружилась лестница, которая вывела в подвал жилого дома в Лебяжьем переулке.

Когда квест-группа выбралась наверх, стрелки рассредоточились, а Бибик и док осторожно прошли до края Боровицкой площади, чтобы уточнить показания дескана. Сомнений не осталось, пакаль находился где-то в Александровском саду. Перейти через площадь — и вся любовь.

Вот только быстро сделать это не представлялось возможным. Площадь была завалена машинами. Именно завалена. Множество ржавых легковушек громоздились высоченным валом, этажа в три, занимая все видимое пространство от Знаменки до Большого Каменного моста.

— Грандиозно, — проронил Чернявский.

— Да, баррикада знатная, — согласился Бибик.

— Нет, я о другом... — Док указал вверх, а затем широким жестом обвел все, что можно было увидеть с занятой квестерами позиции. — Это все... просто невероятно! Как можно было выстроить такое большое и сложное в инженерном плане сооружение за какие-то полгода? И что это за технологии? Взгляните на этот купол, Степан Васильевич. Он будто бы из черного льда. А эти светящиеся шары... их тысячи, но что в них светится? Какова природа источника света?

— Химическая, наверное. — Бибик тоже поднял взгляд.

Чернявский был прав. Купол из неведомого материала, шары, здания с зияющими оконными проемами, сгнившая трава и желтые ели, кремлевская стена и частично разрушенные башни, едва видные за автомобильной баррикадой... все это впечатляло. Но многочисленные квесты приучили Бибика в первую очередь обращать внимание на оперативную обстановку, а уж после на то, как изменились попавшие в зону разлома места. Даже не так. Сначала обстановка, затем план действий и только потом личные впечатления. С обстановкой на этом участке все было понятно, явных угроз поблизости не наблюдалось, теперь следовало выработать план действий. Этим Бибик и предложил заняться.

— Собственно, два варианта, — окинув взглядом преграду, сказал док. — Либо идти в обход через Знаменку, либо... карабкаться. Но завал очень высокий, а мы не альпинисты.

— Ценное наблюдение, — Бибик усмехнулся. — Отчасти жаль, что ушла вода. Могли бы переплыть на ту сторону. Но, ладно, что есть, то есть. Карабкаться дольше. Да и опаснее, ты прав, док. Сам черт ногу сломит на этой баррикаде. Идем в обход.

Бибик обернулся и махнул стрелкам. Сразу отреагировал Макагон, а вот Поспехов задержался. Он изучал через оптику подходы к Шиловской галерее. Что-то ему не нравилось.

Бибик навел бинокль на здание, но ничего особенного не увидел. Подступы тоже были загромождены ржавыми машинами, правда, в один «слой», подозрительные личности вроде бы не мелькали, осветительные шары висели на разной высоте и практически неподвижно. Все как везде.

— Антон, — позвал Бибик. — Что увидел?

— Сам не понял, босс. — Поспехов присоединился к группе. — Может, не увидел, а услышал. Как будто бы топот... или что-то такое.

— О, я тоже слышу! — вдруг заявил Мак. — Только это не топот. Это стрельба! Где-то далеко.

— Нельзя же под куполом стрелять, — Антон покачал головой.

— Нельзя в купол стрелять, да и то условно, — возразил Бибик. — Стрельбу калибров меньше противотанковой пушки он выдерживает без проблем. Но стрелять здесь все равно запрещено, Антон прав.

— Пойдем, накажем? — предложил Мак. Правда, без особого вдохновения. Он понимал, что командир не согласится.

— Спецназ накажет, — Бибик указал на Боровицкую башню Кремля. — Наша цель вон там. Чуть левее. Обойти баррикаду по Знаменке теперь не получится — есть риск попасть под раздачу, а нам это невыгодно — значит, придется выходить на Кремлевскую набережную и топать под мостом.

— Или по воде. — Мак взглядом указал на купол. — Я слыхал, Москву-реку... ну, в смысле ее бывшее русло, тоже вот таким льдом покрыли.

— Вот и посмотрим. — Бибик кивком указал вправо. — Мак, дозорным. Антон, замыкающим, оглядывайся на галерею. Двинули.

До набережной было метров сто пятьдесят, не больше, но чтобы пройти это короткое расстояние, потребовалось минут десять. Все опять из-за машин. На тротуарах они не громоздились в три этажа, стояли, «как живые», разве что бампер к бамперу и дверца к дверце. Протиснуться между ними было невозможно, и пришлось все-таки карабкаться, а затем перепрыгивать с крыши на крышу и с капота на капот. Стрелки выполняли упражнение легко и весело, а вот Бибик и док передвигались не так спортивно и с опаской. Поскользнуться на покрытых плесенью машинах можно было запросто.

А вот на Кремлевской набережной машин не было вообще. Не считая тех, что наглухо забили проезд под мостом. Все остальные, видимо, были нарочно свезены на мост и Боровицкую площадь.

«И будет неудивительно, если продолжение баррикады обнаружится на Моховой, а потом на Красной площади и Васильевском спуске, — подумалось Бибику. — А то и дальше, на Москворецком мосту. Здесь баррикада уходит по мосту на Якиманку, значит, эта стена как минимум ограживает и Болотную площадь. И это логично, ведь там разлом. Только зачем было городить этот огород? На случай таких вот осложнений? Или баррикада требуется и в мирной жизни? Чтобы ограничить доступ к разлому? А Кремль тут при чем? Какие-то режимные объекты в Кремле расположились? А чьи? ЦИК или властей? Нам туда доступ будет или как?»

— Ну и чего? — Мак перегнулся через парапет набережной. — Придется скользить? Тут коньки не помешали бы.

— Я не рисковал бы, — сказал Поспехов. — Сами посудите, на мосту баррикада, но выход на «лед» свободный. Почему?

— Потому что баррикада от транспорта.

— Тогда хватило бы пары машин поперек дороги. А тут завал, что и пешеход не протиснется. И вдруг свободное пространство на льду. На ловушку смахивает.

— Да ладно, — Мак усмехнулся. — Это ж все наши строили, циковские, значит, нам здешние ловушки не страшны. Командир, я разведаю?

— Жетон поверх разгрузки повесь, — посоветовал Поспехов. — А то на лбу у тебя не написано, что ты настоящий квестер из ЦИКа. Хотя если ловушка — тонкий лед, жетон не поможет.

— Осторожно, Мак, — Бибик кивнул. — Антон, страхуй его.

Стрелки быстро соорудили подстраховку. Поспехов достал из рюкзака веревку и обвязал вокруг пояса Мака. Спуск на лед занял меньше минуты.

— Ничего, вроде бы стою. — Макагон сделал пару скользящих шагов по черному «льду». — Реально коньки не помешали бы.

Он присел и потрогал «лед»:

— Холодный и как будто тонким слоем воды покрыт. Ну точно, как лед! И видно сквозь него... Ох ты, блин!

Мак вдруг резко подался назад, поскользнулся и уселся на пятую точку.

— Что случилось?! — Бибик ухватился за веревку, чтобы в случае осложнений помочь Антону вытянуть Мака.

— Нормально все. — Макагон встал. — Водяной проплыл. Антоха прав, этот искусственный лед не такой уж толстый. Но если не сбиваться в кучу, выдержит.

— И если водяные не подломят, — добавил Поспехов.

— Если охрану этой части пути осуществляют водяные, разрешите я пойду первым, — вызвался Чернявский. — Я объясню, что мы из ЦИК.

— Можете даже не объяснять, — Бибик кивнул. — Один факт, что вы с ними заговорите, докажет, что мы из ЦИК. Кроме наших ученых никто не умеет общаться с водяными.

Вступать в переговоры с водяными Чернявскому не пришлось. Похоже, они без пояснений поняли, что квестеры настоящие, а значит, имеют право попасть на отгороженную баррикадой территорию. На всякий случай квестеры все-таки держали приличную дистанцию, поэтому к моменту, когда с другой стороны моста на Кремлевскую набережную выбрался Поспехов, любознательный Мак уже вернулся из разведки:

— Никого. По дороге не пройти, по зеленке тоже — гниль сплошная и трясина. Один вариант — вдоль стены, по отмостке. Там кирпичей валяется... местами целые зубцы рухнули, но все равно это самая проходимая тропа.

— Идем вдоль стены, — решил Бибик.

— Мне вот интересно, — засовывая веревку в рюкзак, сказал Поспехов, — где в этой баррикаде нормальный проход, с воротами, для гражданских лиц?

— Какая разница? — беспечно спросил Мак.

— Если перестрелка была у ворот, есть разница. Мы фактически туда сейчас и отправимся. Не нарваться бы.

— Я просигналю, если увижу, — пообещал Макагон. — Ну, что, командир, двинули?

— Вперед. — Бибик сверился с десканом и дал отмашку.

Мак тут же почти бегом переместился к основанию Водовзводной башни, осмотрелся и махнул товарищам.

— Прекрасное сооружение. — Очутившись у башни, док остановился и запрокинул голову. — Построена в 1488 году архитектором Фрязиным и первоначально называлась Свибловой башней. Двор бояр Свибловых примыкал к этой башне, поэтому и...

Док опустил глаза и встретился взглядом с Бибиком. Командир смотрел строго.

— Извините, Степан Васильевич, — док стушевался. — Трудно пройти мимо таких шедевров.

— Я понимаю, — Бибик едва заметно вздохнул. — А следующую башню когда построили?

— Боровицкую? — Док оживился. — Всего через два года, в 1490-м, но архитектор был другой, Солари. И что примечательно, на месте нынешней башни прежде существовала другая...

— А что наверху было, я не помню, — вмешался Поспехов. — Звезда?

— Да, звезда. Почти четырехметровая. Высота башни со звездой была целых пятьдесят четыре метра.

— Стырили звезду-то?

— Этого я не знаю, — док развел руками. — Во время потопа все могло случиться.

— Мак сигналит, — вдруг встрепенулся Поспехов. — Командир, движение слева! Вижу двоих на лужайке. Вот, оказывается, где ворота в баррикаде!

— В начале Моховой, прямо напротив дома Пашкова, — вновь прокомментировал док. — Дом в стиле классицизма построен архитектором Баженовым в 1786 году по заказу...

— Займи позицию здесь, Антон, — перебил его Бибик. — Док, за мной.

— Эти двое незнакомцев идут... не к нам, — заметил Чернявский.

— Они идут к нашему пакалю, — Бибик указал на отметку. — И у них тоже имеется дескан. Видите, сверяются.

Макагон в этот момент обернулся и жестом попросил у Бибика разрешение вырулить на парочку в лоб. Бибик приказал ему выдержать паузу, пока он сам и док не зайдут во фланг, а после действовать. Маку не терпелось начать, но приказ он выполнил. Дождался, когда товарищи займут позиции, а после неожиданно возник перед ходоками, появившись из-за лежащего на боку автобуса.

— Стоять, бояться! — Мак направил оружие на ходоков. — Кто такие?

— Мы... — Парочка (а это была действительно парочка: чернявый парень в нейтральном камуфляже, в разгрузке и с «калашом», плюс молодая симпатичная блондинка, тоже в камуфляже, только какой-то нелепой расцветки) замешкалась. — Мы... квестеры! А вы кто?

— Нет, ребята-демократы, что-то вы путаете, — Мак расплылся в ухмылке. — Это я квестер. А вы... какие-то левые туристы, как я погляжу. Это у вас что?

Он кивком указал на дескан в руке у женщины.

— Прибор. — Блондинка спрятала дескан за спину.

— Детектор, — «поправил» ее спутник.

— Еще попытка, — Мак чуть склонил голову набок. — Ну, ну... если вы квестеры, должны знать, как этот прибор называют в ЦИК.

— У нас вот... — Девушка вытянула из-за пазухи карточку на шнурке.

Такие удостоверения выдавались персоналу ЦИКовских баз и квестерам, когда они прибывали на эти базы отдохнуть. А когда убывали с баз, квестеры эти пропуска сдавали. Но дело было не только в том, что карточки здесь неуместны. Даже издалека было видно, что они липовые.

— «Вот», — передразнил Мак с усмешкой. — Тянет на год. За подделку документов. Где взяли «детектор», граждане? Признаетесь, будет послабление.

— Знаешь, что... — Парень вдруг очнулся и решил поиграть в героя. — А не пошел бы ты своей дорогой?!

— Имущество ЦИК заберу и пойду. — Мак повел стволом. — Положите дескан на землю.

— Точно, дескан, вылетело, — проронил парень и чуть склонился к девушке: — В принципе он больше не нужен.

— Не вы его мне дали, не вам и распоряжаться! — возмутилась девушка. — Где на нем написано, что это имущество ЦИК?! Где тут инвентарный номер?!

Девушка сунула дескан в карман штанов и вскинула автомат. С предохранителя его, правда, не сняла. Похоже, она и не знала о таких тонкостях.

— Во дает! — Мак усмехнулся и покосился в сторону позиции Бибика.

Командира на позиции он не увидел. Там затаился только Чернявский. Бибик куда-то подевался. Может, решил зайти с тыла? Нет, все тылы просматривались без проблем. И проскочить в Александровский сад, чтобы найти артефакт, пока Мак заговаривает конкурентам зубы, Бибик тоже не мог. Сделай он это по тылам парочки — увидел бы Мак, а если наоборот — увидели бы «туристы».

Мак поднял руку и, не оборачиваясь, махнул Поспехову, но шагов снайпера не услышал.

Макагон вновь перевел взгляд на позицию дока и вовсе оторопел. Чернявского на прежнем месте не оказалось. Вот только что был и вдруг исчез. Случилось это не в первый раз, как сказано выше. Док был горазд на такие выходки, пропадал волшебным образом в самый неподходящий момент, но еще никогда Чернявский не делал этого вот так, посреди квеста, фактически оставляя товарища в трудной ситуации.

Чернявый «турист» мгновенно сообразил, что у Мака возникли технические трудности, и ответно взял его на мушку. И вот он-то без заминки снял автомат с предохранителя. Впрочем, это было уже лишним. За секунду до этого в затылок Маку ткнулся ствол еще одного «калаша».

— Отдай «хеклера», — негромко попросил незнакомец за спиной и выдернул из руки у Мака автомат. — Ты не переживай, верну, когда поговорим. Мы хорошие.

— Все мы хорошие... для мамы. — Квестер чуть повернул голову. — Это вы моих друзей утащили?

— Я. — Человек за спиной слегка подтолкнул Мака в сторону перевернутого автобуса. — Встань сюда и руки в гору, будь так любезен.

Мак развернулся и вдруг обнаружил, что у автобуса в указанной незнакомцем позе уже стоят Поспехов и док. Не хватало Бибика. И это обнадеживало.

— Муха, где Старый? — спросил чернявый «турист» с явными нотками облегчения в голосе.

— С их командиром беседует, — пояснил Муха. — Там, в саду.

— Там пакаль. Мы на этом... на дескане увидели!

— Мы тоже это поняли. Но сейчас не об этом, Каспер. Скоро здесь будет Лектор и компания. Дальше пояснять?

— Надо уходить, да? — уточнила девушка.

— На всех парах, Шурочка, — Муха усмехнулся. — Хотя бы в закоулки Кремля, а уже оттуда через Манежную... или как-то так.

— Так чего же мы... — начал Каспер, но осекся. — А-а, ну да... пакаль. А почему Старый не взял его? Неужели этот командир ему помешал?

— Чуток сложнее все. — Муха покашлял, как бы намекая Касперу, что лучше бы эту тему не обсуждать при посторонних, но парень намека не понял:

— Ну, ты ему помог бы, вдвоем-то вы точно любого командира уделаете.

— Тихо, тихо. — Муха обратился не к Касперу, а к заметно напрягшимся пленникам. — Никто никого уделывать не собирается. Мы сейчас в одной упряжке. Каспер, отвяжись. Все равно ты без бутылки не разберешься.

— Да ты хотя бы намекни!

— Бибик фамилия их командира, — сдался Муха и слегка толкнул Поспехова. — Так?

— Да, — буркнул Антон.

— И что? — Каспер пожал плечами. — А-а, погоди, что-то припоминаю. Старый его знает, что ли?

— И я его знаю. — Муха обернулся в сторону Александровского сада. — Но я-то с ним всего раз встречался, а с Андреем они пуд соли съели. Только Бибик об этом не знает. Такая вот... загогулина.

* * *

Док Чернявский стоял у автобуса крайним слева, поэтому мог свободно любоваться видом Кремля. «Любоваться», конечно, было нечем, архитектурный шедевр имел довольно удручающий вид, но это не умаляло всех его достоинств. Да, красный кирпич теперь был покрыт разводами черной, белой и зеленоватой плесени, как маскировочной сетью, часть зубцов на стенах исчезла, а башни лишились рубиновых звезд и золотых орлов, но монументальность и благородные формы сооружений остались. Но более всего Чернявского впечатляло сочетание знакомых очертаний Кремля и черный свод купола над ним. Сюрреализм полный. Плюс эти светящиеся шары... завораживающее зрелище!

Док опустил взгляд к воротам Боровицкой башни и вздрогнул. В просвете распахнутых ворот стоял «Серый». Стоял неподвижно, заложив руки за спину, и, похоже, наблюдал за происходящим на лужайке.

Вмешиваться «Серый» явно не собирался, однако он почему-то и не прятался, как обычно делали его коллеги. У Чернявского даже сложилось впечатление, что «Серый» намеренно застыл изваянием в просвете ворот. Хотел, чтобы его увидели? Но кто конкретно? Только док или все присутствующие? И зачем?

Последний вопрос остался без ответа, зато все предыдущие — косвенный ответ получили. Один, общий. «Серый» приложил палец к маске — как бы к губам, приказывая доку молчать. То, что обращается он именно к Чернявскому, док понял, когда резко толкнул Поспехова. Антон обернулся, но «Серого» не увидел. Загадочный наблюдатель мгновенно скрылся в лабиринтах Кремля.

— Что увидел? — тихо спросил Поспехов.

— «Серого».

— И что? Впервые увидел «Серого»?

— Мне показалось, что... — Док замялся. — Что я его знаю.

— Нормально, — хмыкнул прислушавшийся к разговору Макагон. — И кто это на самом деле?

— Не знаю, — док покачал головой.

— Так знаешь или не знаешь?

— Манера держаться, жесты, фигура... — Чернявский осекся. — Странно.

Больше он ничего не сказал. Только зачем-то протер ладонью тонированное стекло автобуса и уставился на свое отражение.

Часть третья

ТОЧКА X

10. Зона разлома 17 (Москва), 19.07.2016 г. (276-й день СК)

Черный пакаль с изображением бескрылой птицы лежал прямо на земле, среди всевозможного хлама, которым был основательно засыпан Александровский сад. Если б не помощь другого пакаля, найти артефакт было бы очень трудно. Но «красный тигр» вывел Андрея точно на «черную птицу». Получилось не совсем по тексту подсказки, ведь в ней упоминался «белый тигр», однако, если задуматься, под купол группу Старого привел все-таки белый артефакт. Хоть и находился он все время в кармане у Лектора. Теперь получалось, что Лектор должен будет догонять, если имеет аналогичное задание. Почему он должен иметь такое задание? Ответа у Старого не было. Просто так ему подсказывала логика. Игра не бывает односторонней. Всегда должен быть противник. И поскольку именно Лектор завладел «белым тигром», а после отправился за «черной птицей», логично было предположить, что противник — это он. Железная логика.

Была. До того момента, когда Андрей приблизился к черному пакалю. В самый последний момент, когда до вещицы оставалось сделать два шага — обогнуть последнюю груду хлама, и вот он, артефакт! — Лунев понял, что «железная логика» рассыпалась ржавым прахом. Под прикрытием груды хлама сидел, разглядывая артефакт, конкурент. Нет, не Лектор. Новый персонаж. Отставной полковник Бибик в униформе кирсановского квестера!

Удивляться Старый разучился давно, еще до начала приключений в Чернобыльской зоне отчуждения. Вот и появление Бибика его не особенно впечатлило. Другое дело, что эта встреча создавала новую проблему. Полковник явно не узнавал Старого.

Квестер схватился за автомат, но Андрей первым взял его на мушку и отрицательно качнул головой:

— Отставить, полковник!

Бибик убрал руку с «хеклера» и смерил Андрея взглядом. Опытный глаз профессионального военного сразу уловил детали, которые выдавали в Старом не меньшего профессионала, поэтому Бибик не стал выкаблучиваться и деловито кивнул:

— Поговорим?

— Само собой. — Андрей отвел ствол в сторону, а затем вовсе взял автомат только за цевье. — Не узнаешь меня, Степан Васильевич?

— Нет, — признался Бибик, честно глядя Луневу в глаза. — Должен?

— Скорее всего, нет. — Старый присел напротив квестера.

— Зачем же спрашивал?

— Объясню, только позже. Сейчас на долгие разговоры нет времени. Лектор на подходе. Знаешь такого?

— Не слыхал. — Бибик все еще выглядел напряженным. — Это он баржу прихватил?

— Он. У него белый пакаль из Дымера. А сюда он прибыл вот за этой штуковиной. — Андрей кивком указал на черный артефакт. — И есть у меня подозрение, что навел его «Серый».

— Много знаешь, — сказал Бибик и прищурился. — Сам-то кто будешь?

— Лунев, Андрей, прозвище Старый. В данный момент частный квестер.

— Частный? — Бибик хмыкнул. — Новая категория. И на кого конкретно работаешь, если не секрет?

— На человечество. — Андрей усмехнулся. — Звучит не очень, но это так. А ты на Кирсанова трудишься?

— Не заметно? — Бибик покосился на шеврон.

— Нашивку я вижу, — Андрей кивнул. — Вопрос не в этом. Ладно, пока не будем глубоко зарываться в тему, полковник. Ты ведь полковник?

— Был когда-то. А ты откуда знаешь? Трофимов рассказал?

— Почему Трофимов? — Андрей выгнул бровь.

— Дескан у твоих друзей трофимовский, такая модель только у него была. Это ведь твои друзья — сладкая парочка — по Воздвиженке к баррикаде вышли? Тогда сходится.

— Ой, лукавишь, Бибик! — Андрей вдруг рассмеялся. — Не мог ты издалека определить, какой у них дескан. Это я представился, и у тебя в памяти ориентировка всплыла. Три дня назад ее как раз Трофимов в вашу базу данных запустил. Я действительно много знаю, полковник, так что не старайся. Лучше вспомни, что еще в той ориентировке было.

— Что ты пропал в 2008 году, в связи с какой-то там научной бедой... расщеплением пространства или времени... я не вспомню, у дока надо спросить, он знает.

— Но что я враг, там не сказано?

— Прямо нет.

— Вот и славно. — Андрей поднял кверху указательный палец. — Слышишь, топают?

— Лектор и его архаровцы?

— Именно так, Бибик. Поэтому предлагаю сойтись на главном: сейчас мы в одной команде. Разберемся с Лектором, будем разговаривать дальше. Враг моего врага... и так далее. Согласен?

— Пакаль заберу? — Бибик взглядом указал на вещицу.

— Забирай, — Андрей усмехнулся.

— Что, вот так, запросто? — удивился Бибик.

— Это не проблема. — Андрей указал в сторону разрыва в баррикаде: — Там проблема. Теперь веришь мне?

— Нет, но предложение принимаю, — Бибик протянул Старому руку. — Крайний вопрос: почему я должен тебя знать? По каким делам? По службе?

— Ты ведь в курсе, что разломы — дело странное, куда ведут — не угадаешь. — Андрей пожал ему руку. — Считай, что я с той стороны одного из них.

— И что на той стороне? — заинтересовался Бибик.

— Что-то вроде временно параллельного мира или петли пространства-времени. Краткосрочно отщепленная реальность, если точнее.

— Такая же? — Бибик взглядом указал на купол.

— Нет, там все цело, кроме Чернобыльской зоны. Но люди почти все те же, что и здесь. Все дублируются. Кроме меня.

— А ты, уникум, попал туда в результате того «расщепления» в 2008-м?

— Возможно. Лучше действительно у твоего ученого спросить. Но на той стороне мы с тобой друзья, вот что главное.

— Даже так? — Бибик сунул пакаль в карман и встал. — Ладно, после поговорим об этом подробнее. Много у Лектора бойцов?

— Три десятка. Идем к народу, поставим задачи, пока не поздно.

Бибик кивнул, но двинулся с места лишь после Старого. Андрей еще раз усмехнулся и пошел первым. И по его спокойным движениям было видно, что Лунев полностью доверился квестеру. Может, и впрямь знал его двойника на «той стороне»? Если это правда и Бибик с двойником реально похожи, то все верно. В спину полковник никогда не стрелял. И не собирался этому учиться, хотя неприятная и какая-то странная, будто бы чужая мысль на эту тему какое-то время трепыхалась в его сознании.

Бибику почему-то вдруг вспомнились недавние размышления о сути его миссии. Зачем все-таки Кирсанов отыскал именно бывшего полковника? Для какого эпизода? Уж не ради ли этой вот встречи с Луневым? Ведь необычная получилась встреча, факт. Вполне тянет на загадочную «миссию». И что дальше? Бибик должен воспользоваться безграничным доверием Старого к «тому-другому» Бибику и сотворить какую-то подлость? Выстрелить Луневу в затылок? Бред какой-то! Бибик отмахнулся от дурацкой мысли.

Но неприятная мысль оказалась еще и назойливой. Она опять всплыла на поверхность, и Бибику вновь пришлось от нее отмахнуться. Нет! Если задумка была именно такой, Кирсанов ошибся в выборе исполнителя. Полковник, солдат, квестер — это все ради бога. Палач — нет, увольте. Сами марайтесь.

Мысль, оформленная как «живая картинка», еще какое-то время помаячила перед внутренним взором, но так и не превратилась в побуждение к действию. Ведь она была не только подлой, но еще и откровенно неуместной и даже глупой в сложившейся ситуации. Если не эти союзники, кто еще поможет избавиться от банды? Вот то-то! А избавиться от нее придется, хочешь — не хочешь.

«Оставлять купол на разграбление Лектору нельзя никак. Он ведь, гад, может, в конце концов, и вовсе взорвать «Черную жемчужину», — Бибик невольно нахмурился. — К тому же пакаль у него. Все к одному».

Когда командиры вышли к автобусу, выяснилось, что их группы тоже нашли общий язык, да такой неформальный, что Каспер и Чернявский вступили в научную дискуссию, Муха и Поспехов уже несли на пару вахту, а Мак и вовсе пытался приударить за Шурочкой.

— Вот и оставляй вас без присмотра, — Лунев усмехнулся. — Знакомься, полковник, это Каспер и Шурочка, а там, на автобусе, Муха.

— Док Чернявский, Антон и Мак, — представил квестеров Бибик.

— Как это вы так спелись без приказа? — спросил Андрей у Мухи.

— Да мы поняли, что у вас все пучком, ну и... вот, — свешиваясь с крыши автобуса, заявил Муха. — Бандюганы с двух сторон подходят. Вон там вдоль галереи крадутся, а там из метро выглядывают. Какие мысли?

— Вы нашли пакаль? — спросил док.

— Пакаль у нас, — ответил Бибик.

— И у них есть пакаль, — напомнил Андрей. — Если вам хватит одного, не вопрос, а нам нужны все. И потом, если не остановить банду, набедокурят здесь — устанешь все восстанавливать.

Мысль Старого полностью совпадала с недавними размышлениями Бибика. Да и насчет пакалей командир квестеров придерживался аналогичного мнения, добывать, так уж все, что есть.

— Если по инструкции... — Бибик все-таки задумчиво почесал висок, — такие разборки дело военных, но... похоже, вояки в доле. Не ввяжутся, пока не станет выгодно.

— Тоже так подумал, — Андрей кивнул. — К бою?

— Если оборону держать, лучше туда отойти. — Бибик указал на кремлевскую стену.

— Вот и занимайте там позиции... — Андрей обернулся: — Каспер, Шурочка, идите с полковником! Муха, мы с тобой, как обычно, партизаним.

— По тылам? — Муха спрыгнул с автобуса.

— Нельзя, — возразил Бибик. — Можем задеть, слева зайдите. Правый фланг мои стрелки отсекут. Ну, а мы... центр на себя вытянем. Как втянутся всей бандой, вы с баррикады им в тыл и ударите.

— Хороший план. — Андрей переглянулся с Мухой: — Погнали!

Квестеры и парочка отошли к стене, а Старый и Муха бегом пересекли лужайку и укрылись в автомобильном завале. Шаги лекторских бойцов были слышны вполне отчетливо, но по мере приближения к «воротам» баррикады бандиты двигались все медленнее и осторожнее. Так что время на подготовку еще оставалось.

— Растяжки бы поставить, — заметил Муха. — Жаль, не успеем.

— У тебя есть гранаты?

— Две, — Муха похлопал по карману разгрузки. — Спасибо Хирургу. Запасливый... был.

— Маловато, да и не то место, чтоб взрывы устраивать. — Андрей окинул взглядом баррикаду. — Придется тряхнуть стариной. Работай без фанатизма, маневрируй, понял меня? Дай им втянуться и отсекай.

— А ты?

— А я... говорю же, вспомню молодость. — Андрей кивком указал на вершину завала.

— Старый, погоди. — Муха схватил Андрея за рукав: — Зачем ты с квестерами связался? Пусть бы Лектор на них вырулил, а мы с тыла — бац! — потом взяли бы что надо и айда! Что за благотворительность?

— Ты по-прежнему не доверяешь мне? — Старый похлопал его по руке. — Долго объяснять, Муха. А кое-что вообще не получится объяснить.

— Хотя бы в двух словах!

— Вот в этом ты просто копия Механика, — Лунев усмехнулся. — Такой же настырный и недоверчивый. Зачем настолько точно учителя срисовывать?

— И все-таки!

— Если коротко, это лишь второй этап, Муха. Впереди еще два. И это в текущей партии длинной игры.

— Ну и что?

— Да, ты прав, не с того начал, — Андрей кивнул. — Я пока не разобрался во всех деталях и правилах этой игры, но понял главное, Муха. В игре ничто и никто не появляется просто так. В этом ее стержень. Увидел кого-то, будь уверен — встретишь его снова. И вполне возможно, это будет важная встреча. И если что-то произошло, не сомневайся, в событии есть кусочек общего смысла. Понятно излагаю?

— Так... — Муха покачал растопыренной пятерней. — Спорно. В обычной жизни тоже много чего случалось и много кто встречался, но девяносто процентов этих событий и встреч — шлак.

— Вот именно — в обычной жизни. Сезон Катастроф тем и отличается от прежней жизни, Муха. В нем все подчинено особым игровым правилам, а значит, не происходит «просто так». Короче, некогда сейчас, но позже разверну свою теорию, обещаю. А пока просто знай: так надо. Договорились?

— Не вопрос, — Муха подмигнул.

— Другое дело. — Андрей закинул автомат за спину и в три прыжка, будто бы даже не касаясь ржавых остовов машин, очутился на полпути к вершине баррикады.

Муха одобрительно кивнул. Если это называлось «тряхнуть стариной», то каким же был Старый в молодости, извините за тухлый каламбур. Механик упоминал о необычных способностях Лунева, но Муха всегда считал, что учитель слегка преувеличивает для поднятия боевого духа ученика, а заодно и собственного авторитета в его глазах. Но чем дальше продвигался Муха в компании Лунева по кривым дорожкам Мира Катастроф, тем большую чувствовал вину перед покойным учителем за свои сомнения.

Старый и впрямь оказался необычным человеком. Откуда он набрался всего, что умел? И когда успел? Ведь чтобы освоить даже то, что Муха увидел, требовалось лет десять, будь ты самым талантливым бойцом. А Старый умел гораздо больше. И что получается, он тренировался уже лет тридцать? Но ему самому на вид лет тридцать—тридцать пять. Не с пеленок же он этим занимался? Как это все увязать?

Старый сделал еще три прыжка — почти бесшумных, в стиле большой обезьяны, отталкиваясь всеми конечностями и приземляясь тоже на четыре точки опоры, — и очутился на вершине баррикады. Напоследок он показал Мухе большой палец и скрылся из вида.

Муха попытался вообразить, как это делается — как вообще можно передвигаться таким странным образом?! — и почему-то представил себе сцену из фильма ужасов, где всякая нечисть бегает на четырех костях по стенам и потолкам.

Нет, в реальности так не умели делать даже чернобыльские мутанты. Прыгать прыгали, но не настолько ловко. К тому же по баррикаде приходилось не просто скакать, а еще и выбирать оптимальные точки опоры. В некоторых местах сделать это было почти невозможно, машины были искорежены так, что во все стороны торчали острые железяки и стекла. Но Андрей как-то ухитрился пройти эту полосу препятствий, и она даже не скрипнула.

Муха в очередной раз удивленно и, что уж скрывать, уважительно покачал головой и вернулся к своим баранам. Может быть, он умел не так много и был не настолько ловок, но зато мог двигаться вдвое быстрее любого противника и хорошо стрелял. В предстоящей схватке с лекторскими гопниками этого должно было хватить.

* * *

Обычно конфликтующие стороны несут основные потери в первые три секунды огневого контакта. После, когда бойцы залегли, перекатились, расползлись и попрятались во всевозможных складках местности, пойди, возьми их за рупь, за двадцать. Особенно если в твоем распоряжении только легкое стрелковое оружие и находишься ты на одном уровне с противником. Пули имеют свойство лететь прямо, по настильной траектории, а значит, любая кочка становится для них каким-никаким препятствием. Отчасти решают проблему всякие возвышенности. Допустим, огневые точки на крышах или хотя бы на машинах дают ощутимое преимущество, но тут где плюсы, там и минусы. Огневая точка лишает стрелка возможности маневрировать, а противнику, наоборот, дает возможность пристреляться. Опять же, если у тебя только автомат, трудно выбить снайпера или пулеметчика, засевшего в каменной башне, но ведь можно выставить против него своего снайпера. Тут все дело в тактике и правильной оценке оперативной обстановки.

В первые секунды боя Лектор потерял троих. Это было много, но не критично. Остальные успели залечь и расползтись, как Лектор их учил еще во время тренировок на Чернобыльском плацдарме. Ответный огонь заставил неведомого противника отползти внутрь Кремля, но Лектор не стал спешить с выводами и поднимать бойцов в атаку. Если отряду сейчас противостояли те, кто расправился с Хирургом и потом вышиб мозги посланному на его поиски Хлысту, относиться к ним следовало серьезно.

Лектор отправил вперед короткими перебежками тройку разведчиков и лишний раз убедился в своей проницательности. Слева затрещал «хеклер», и один из его бойцов неуклюже завалился набок. Левофланговые накрыли вероятную позицию стрелка шквальным огнем, но положение авангарда от этого не улучшилось. Еще одного лекторского бойца достал взобравшийся на кремлевскую стену снайпер. Лектор засек его позицию, поскольку, ожидая чего-то в этом роде, держал в поле зрения и Боровицкую башню, и стену. Оставалось понять, насколько наблюдательными оказались два снайпера отряда, занявшие позиции среди автохлама.

Некоторое время снайперы молчали, но когда вражеский стрелок сделал новый выстрел, пытаясь пригвоздить к земле третьего разведчика, «кукушки» ожили. Было непонятно, сумели они достать противника или нет, но огонь со стены прекратился. Возможно, вражеский снайпер просто решил сменить позицию. Так или иначе, Лектор воспользовался моментом и приказал всем двигаться влево, под прикрытие груд всевозможного хлама в Александровском саду.

Передислокация вышла суетливой. На правом фланге началась беспорядочная стрельба, да и стрелок с «хеклером» на левом фланге вдруг снова обозначил свое присутствие и вывел из строя еще одного бойца.

Такими темпами Лектор мог оставить на небольшом пятаке так называемой «Лужайки Никсона» весь свой отряд. Следовало что-то срочно предпринять, например, отойти за баррикаду и совершить обходной маневр вдоль Моховой, но близость пакаля не давала Лектору покоя. Взять бы вещицу, и тогда можно обходить, маневрировать или просто уматывать в сторону лифтов — тут как получится. Но пока не достигнута цель, Лектор не мог думать ни о каком отступлении. Черный пакаль находился рядом. Белый артефакт снова сделался горячим и даже слегка завибрировал. Чем не доказательство? А если так... только вперед!

— Е-мое, Лектор! — Рядом с главарем появился Дышлюк. — Восемь жмуриков за пять минут! Там, справа, какой-то ураган вообще! Мелькает, сука, как те твари в Чернобыльской зоне, хрен прицелишься. Двоих уже завалил!

— Пусть резерв его отрежет!

— Какой, на хрен, резерв?! Они вообще пропали! Были там, у прохода, с той стороны, на Моховой, а теперь нет их нигде.

— Сбежали?

— Не, ну... Колобок с Чахлым могли, а другие не той закваски. Нет, все пятеро не могли драпануть. И снайперы не идут. Я махал, они молчат.

— Так иди, проверь, что там! Махал он! Махатма, блин! Давай, пошел!

— Может, ну его... — проронил Дышлюк, отползая.

Нож Лектора едва не полоснул его по носу. Ответ убедил Дышлюка. Он взял себя в руки и больше не рассуждал, а только действовал. Причем с размахом. Не прошло и пяти минут, как на правом фланге прогремел взрыв, и часть баррикады правее ворот обрушилась.

Отраженный от купола грохот едва не вколотил бойцов и самого Лектора в податливый грунт, а с кремлевской стены и ближайших зданий посыпались обломки, и над полем боя образовалась легкая пылевая завеса. Лектор поначалу обозвал Дышлюка последними словами, но чуть позже сообразил, что пылевая маскировка ему на руку, и поднял бойцов. Завеса и впрямь помогла отряду без потерь переместиться в Александровский сад. Так что чрезмерно инициативный Дышлюк был временно реабилитирован.

— Ищем, братва, пакаль! — приказал Лектор, сверкая возбужденным взглядом. — Точно знаю, здесь он где-то! Не забывайте, кто найдет, тому приз!

— На хрен он обосрался, — проворчал один из бойцов. — Живыми бы отсюда выбраться!

— Как найдем, сразу назад! — пообещал Лектор. — Не ссать! Ищите!

Поиски затянулись еще минут на пять. Завеса вскоре развеялась, но пакаль так и не нашелся. Правда, и противник больше не стрелял. Лектор еще какое-то время метался по болотистым лужайкам, но потом сдался. Пакаля в саду не было. Теперь он был в этом уверен. Да, бойцы обшарили едва ли десятую часть сада, но продолжать поиски не имело смысла. Белый артефакт в кармане у Лектора становился холоднее по мере удаления от Боровицкой башни, и это означало, что черный пакаль отыскали те, кто скрылся в Кремле.

Лектор развернул бойцов и приказал двигаться к воротам башни.

В этот момент рядом вновь появился Дышлюк.

— Как тебе ба-бах? — Помощник рассмеялся. — Класс! Да?

— Дурак ты, Дышло. — Лектор поковырял пальцем в ухе. — До сих пор звенит. Иначе было никак?

— Я ж говорю, ураган там был! Зато теперь точняк его завалили машинами. И на левом фланге квестера просверлили. Только в тылу по-прежнему непонятки. Я Колобка нашел, он пленных сторожил. Правда, двое сбежали. Он в одиночку не уследил.

— Почему в одиночку?!

— Я ж говорю, резервисты от ворот ушли — диверсанта ищут. Он откуда-то вынырнул и двоих сразу пришил. Тогда-то мужики пленных на Колобка бросили, а сами искать диверсанта пошли. И снайперы с ними.

— Бардак! — Лектор зло сверкнул взглядом. — Они вообще не соображают, где тут главная война?!

— Не оставлять же его! На фига нам проблемы за спиной?

— Но не всей же командой! Да еще снайперы! Всех призов лишу!

— Они ж как лучше хотят!

Лектор собирался ответить, но именно в эту секунду почувствовал исходящий от пакаля зуд. Белый артефакт не только начал опять нагреваться, но и завибрировал, как сотовый телефон. А еще Лектор почувствовал желание как можно скорее очутиться внутри Кремля. Комплекс ощущений был вполне понятный. Лектора «тянуло» в Кремль, где сейчас находилась вожделенная вещица.

— Хрен с ним, с резервом, пусть остается, — приказал Лектор. — Подтягивай сюда оставшихся пленных, первыми пойдут, как щит.

— Куда пойдут-то?

— В Кремль! Выполняй! А Колобка оставь, чтоб предупредил резервистов, куда мы отправились!

Дышлюк покачал головой, но ослушаться или хотя бы высказать свое мнение не посмел. Лектор начинал закипать, и в этом состоянии был крайне опасен даже для своих. Так что лучше было не спорить...

...Прикрытие из четверки пленников бойцы восприняли со сдержанным одобрением. У некоторых на физиономиях так и остались недовольные мины, но к воротам башни двинулись все без исключения. Так, прячась за спинами капитана Бисерова, двух матросов и пилота Щербинина, остатки отряда и вошли в Кремль.

Внутри кремлевской стены обстановка была абсолютно не такой, как в других местах под куполом «Черная жемчужина». В считаных метрах от стены уровень грунта здесь резко понижался. То есть складывалось впечатление, что с внутренней стороны кремлевской стены прошелся гигантский нож, который вырезал «сердцевину» Кремля, а затем равномерно вдавил ее метров на сорок в землю. А после все это было залито водой, но не до краев получившегося котла, а на несколько метров ниже.

И теперь застывший на краю обрыва отряд Лектора видел нечто вроде модели зоны разлома номер 17, только в миниатюре. Практически всю площадь бывшего сердца страны занимало условное «Кремлевское озеро» с торчащими из него крышами зданий-островов и высокими скалами соборов. Понятно, что самой высокой скалой в этом озере стала колокольня Ивана Великого. Главное же отличие от Московского моря заключалось в том, что дистанции между островками были значительно меньше, поэтому с крыши на крышу были перекинуты мостики, трапы, канатные переходы, а кое-где виднелись понтонные переправы. Там, где между крышами примыкающих друг к другу зданий имелся существенный перепад высот, к стенам были приставлены лестницы, торчали стремянки или свешивались канаты с равномерно завязанными узлами — мусингами.

Почему это «озеро» не было «застеклено», как это сделали с Москвой-рекой, оставалось загадкой. Первое, что приходило на ум, это версия о тесном взаимодействии людей и водяных, до сих пор совместно изучающих и спасающих богатства Кремля. Покрытие из «черного льда», наверное, мешало бы работам последнего, донного «пункта экспедиции».

Возможно, имелись и какие-то другие причины, это не важно. Факт есть факт: «черного льда» здесь не было, зато временных коммуникаций оказалось настолько много, что на первый взгляд все это выглядело настоящим объемным лабиринтом. Или, как модно говорить, «лабиринтом-3D».

Бойцы даже замерли, открыв рты, когда увидели весь этот «аттракцион». Только Лектор, мгновенно оценив всю сложность боестолкновения на таком ТВД, сумел сразу переключиться на главное: он без труда разглядел четыре цели, которые уходили по крыше Большого Кремлевского дворца.

«Аттракцион» и упомянутые раньше «позиции на возвышенностях» создавали трудности не только преследователям, но и беглецам. За четверть часа, пока Лектор обшаривал нижнюю часть Александровского сада, четверка умыкнувших пакаль квестеров продвинулась по кремлевской «полосе препятствий» не так уж далеко. Значит, не все из беглецов были в хорошей форме. А это, в свою очередь, означало, что Лектору остается сделать финишный рывок, нанести последний удар — теперь не наугад, а точно по цели, — и черный артефакт у него в кармане!

— Дышлюк! Бери половину, идите в обход, по крыше Оружейной палаты! Встретите квестеров на переходе, напротив Комендантской башни.

— Оружейная палата, это где?

— Вон, перейдете по мостику влево и прямо, вдоль стены. Дальше эти крыши соединяются, видишь? Там квестеров зажмем, если они на Патриаршие палаты не перепрыгнут.

— А ты?

— А я рискну, — Лектор усмехнулся и кивком указал на длинный вантовый мост, который висел всего в метре от воды и опасно раскачивался от малейшего прикосновения к несущим канатам, зато выводил прямиком на крышу старинного Дворца.

— Не плюхнись только. — На физиономии у помощника отражалось сомнение. — Тут наверняка водяных полно.

— Я постараюсь. — Лектор сверкнул взглядом. — Пошли!

До середины моста Лектор добрался без приключений. Подвесная конструкция раскачивалась и подпрыгивала, но нагрузку выдерживала. Вдохновленный этим фактом, Лектор прибавил хода и вдруг понял, что главная опасность таилась вовсе не в конструкции моста или в прочности его канатов. Проблема заключалась в сохранности покрытия. Доски под ногами оказались насквозь прогнившими, а потому идти следовало осторожно, мягко ступая не на середину, а ближе к краям. Но Лектор поспешил и... нет, не насмешил, а перепугал всех, кто двигался за ним следом.

Доски под ним проломились, и дурное предчувствие Дышлюка воплотилось в жизнь. Лектор попытался уцепиться за канаты, но пальцы скользнули по толстому слою плесени, затем по мокрым обвязочным веревкам, и главарь банды рухнул в темную холодную воду.

Будь на месте Лектора кто-то другой, на этом в принципе можно было бы закончить рассказ о его похождениях. Но люди вроде Лектора — это особая категория. В воде такие люди не тонут. Даже когда в ней полно агрессивно настроенных обитателей.

Несколько бойцов добрались до провала и начали лихорадочно доставать из рюкзаков веревки, а двое пока не ступивших на мост бросились по краю обрыва вправо, туда, где были свалены в кучу спасательные круги — это добро было во множестве разбросано и по берегу, и по крышам зданий. Пока Лектор не вынырнул, бойцы не были уверены, что все эти мероприятия необходимы, но верить в такую бесславную кончину главаря они не решались. И правильно делали.

Лектор вынырнул через пять секунд. Автомата в руках у него не было, зато поблескивали два ножа, которыми он махал, словно мельница крыльями. Одновременно он отпинывался от чего-то или кого-то в глубине.

Еще секундой позже всем стало ясно, почему Лектор превратился в живую мясорубку. К поверхности всплыли десятки водяных. Лектор кромсал ближайших врагов на матросские ленточки, вспарывал им животы, выпуская зловонные внутренности, но на смену вышедшим из строя водяным тут же приходили другие. И все тянули к Лектору руки с корявыми пальцами.

С моста полетели два спасательных круга, а затем затрещали выстрелы. Бойцы поливали водяных свинцом, словно из лейки, целясь преимущественно в головы. Из лопнувших черепов выплескивалось вонючее содержимое, и к плавающей на поверхности гнили, кишкам и ошметкам добавились желто-зеленые сгустки разлетевшихся мозгов. В результате часть изрешеченных пулями водяных шла ко дну, но меньше их не становилось. Вода под мостом бурлила, словно гнилой суп, а вонь стояла уже просто невыносимая.

Впрочем, это мало кого волновало. Особенно Лектора. Он видел спасательные круги, но не мог уцепиться, поскольку тогда ему пришлось бы сбросить бешеный темп, а то и вовсе прекратить отбиваться, а это было равносильно смерти.

— Подсадных! — заорал Лектор.

На мосту не было Дышлюка, который понимал главаря с полуслова, поэтому смысл приказа дошел не сразу. Но все-таки дошел. В пролом полетели двое пленников, капитан и пилот.

Лектор оглянулся в надежде, что водяные клюнут на приманку. Однако они не клюнули. Тогда Лектор решил сменить тактику и полоснул по горлу ближайшего из «подсадных». Им оказался капитан Бисеров. На поверхности появились разводы свежей крови, часть водяных действительно подчинилась инстинктам и набросилась на истекающего кровью шкипера, и Лектор, наконец, улучил момент, чтобы схватиться за спасательный круг.

Бойцы на мосту сразу же начали вытягивать привязанную к кругу веревку.

Едва Лектор очутился в безопасности, все водяные ушли на глубину, словно их и не было. На поверхности воды остались только гнилые ошметки да второй спасательный круг. За что спасшие Лектора бойцы тут же получили взбучку.

— Кретины! — заорал трясущийся от перевозбуждения Лектор. — Пилота зачем скинули! Как вы отсюда выбираться думаете?! Пешком по дну?! А потом скачками через блокпосты?! А до золота мы как доберемся?! Тупицы!

— Лектор, ну, мы, это... а кого еще было кидать? Не самим же!

— Да лучше б вы сами прыгнули, идиоты!

— Слышь, Лектор, вон пилот плавает! — вдруг крикнул один из бойцов, перебравшийся на крышу Дворца. — Уже почти до обрыва доплыл! Смыться хочет!

— Достаньте его, — приказал Лектор, поднимаясь на ноги. — И тащите на крышу. Там все собираемся. Ну и воняет здесь!

Он поморщился и двинулся по мосту дальше. Теперь осторожно и придерживаясь обеими руками за канаты.

Когда вся группа Лектора очутилась на крыше Дворца, один из бандитов достал гранату и бросил примерно туда, где недавно развернулась битва на воде. Лектор его поступок не одобрил, но и не осудил. Просто не осталось сил. Ни физических, ни моральных. Он лишь придержал бойца за руку, чтобы тот не потратил впустую еще одну гранату.

Поднявшийся фонтан толкнул во все стороны волну стоявшего над местом схватки зловония.

Дышать снова стало невозможно. Лектор через силу поднялся и махнул рукой:

— Идем дальше. Кто видел, куда пошли квестеры?

Бойцы промолчали. Лектор перевел взгляд на Щербинина. Пилот отвернулся, но перед этим невольно покосился вправо. Туда Лектор и двинулся. И оказался прав. Вскоре он увидел, что один из квестеров карабкается по канату с мусингами, пытаясь взобраться на крышу ближайшей пристройки.

Пакаль в нагрудном кармане вновь сделался теплым и завибрировал. Лектор невольно хлопнул по карману, и в нос ему ударил вырвавшийся из-за пазухи запах гнили. Почему-то Лектору подумалось, что теперь эта вонь будет преследовать его всю оставшуюся жизнь. И его в кои-то веки стошнило.

* * *

Серьезные перепады высоты зданий, торчащих из кремлевского озера, компенсировались многочисленными мостками, трапами и канатами с мусингами. Чем-то все это походило на опасный аттракцион в парке экстремальных развлечений, который был построен то ли к празднику ВМФ, для морпехов, то ли ко Дню десантника. Лозунги «ВДВ, вперед!» и «Никто, кроме нас!» подходили «аттракциону» одинаково хорошо. Только в условиях реального обстрела развлекаться и бравировать под эти лозунги как-то не тянуло. Хотелось поскорее преодолеть опасный участок и залечь в уютном закутке, а еще лучше убраться на более выгодные позиции.

Бибик помог Шурочке ухватиться за канат и даже позволил ей наступить на плечо. Иначе у нее никак не получалось начать трудное восхождение по узлам-ступенькам. Вот ведь женщины. Когда надо, ноги у них раздвигаются, словно у гимнасток, а поднять ножку на лесенку бывает ну просто никак. Что за порода?!

С грехом пополам Шурочка добралась до крыши пристройки и скрылась из вида. Бибик тут же с немалым облегчением выдохнул. Баба с возу... жаль не насовсем.

«Красивая девчонка, спору нет, приятно посмотреть... и вообще, но сейчас лучше бы она была неказистым парнем. Проку было бы гораздо больше. А так... одна эстетика и никакой пользы. Но ведь давно известно, что эстетика в сложных боевых условиях вообще не имеет значения. Даже наоборот, отвлекает. А это плохо, когда тебя что-то отвлекает».

Впрочем, у Бибика имелись другие, более существенные поводы для переживаний. В первую очередь командира квест-группы беспокоила судьба стрелков. Оба куда-то пропали, и, если честно, полковник не питал особых иллюзий на этот счет. Если бы у Макагона все было в порядке, он давно появился бы на крыше ближайшего здания или хотя бы на стене. Что касается Антона, он вполне мог замыслить какой-нибудь особый маневр и подстраховать издалека сводную группу Бибика. Но почему-то Степану Васильевичу казалось, что Поспехов тоже сошел с дистанции. Тьфу, тьфу, тьфу. Грех так думать, но иначе не получалось.

Ну не чувствовал Бибик присутствия ребятишек! Всегда их чувствовал, даже за километр, а сейчас — нет. Словно в эмоциональный вакуум попал. Чернявский не в счет, он в группе был только месяц, а с Маком и Антоном полковник Бибик поднимал пыль на опасных территориях с первого дня службы, три месяца кряду, а потому научился чувствовать их за версту. И вдруг такая пустота! Беда, как пить дать!

Бибик почувствовал, что еще немного и потеряет рабочий настрой. По большому счету, все это он уже проходил, без малого тридцать лет назад, когда служил в горячей точке (правда, тогда это называлось иначе). Там тоже приходилось терять пацанов, и каждый раз это было все равно что потерять часть себя. Не со всеми вроде бы ладил, некоторых так и не узнал толком, но когда терял — как топором по живому! Очень было обидно и больно.

Потом как-то притупилось, стало казаться, что заматерел, сделался не таким чувствительным, но это, наверное, потому, что не в той армии служил после кончины преданного политиками Союза. Без новых боевых действий чисто тащил службу, ни о чем таком не думал, и если бы не прежние награды: «ЗБЗ», «Красная звезда» и «От благодарного афганского народа», возможно, даже забыл бы о прошлом. И вот теперь снова вернулось то, что, казалось, кануло в Лету. Вся полнота ощущений, переживаний и вины. А как иначе? Если ты командир, вся вина твоя. Иначе говно ты, а не командир!

Бибик погасил вспышку эмоций и обернулся. Если Мак и Антон не вернутся, вина ляжет на него, нет сомнений. Но имел ли право командир квест-группы усугублять эту вину? Ведь под его началом оставался док. И парочку гражданских тоже не скинешь с весов.

«Встряхнись, полковник! — Бибик стиснул зубы. — Расслабился, нежным стал, да?! На войне как на войне! Сосредоточься! Что сейчас важнее всего?! Думай, военно-прикладной динозавр, соображай! А главное сейчас растянуть отряд Лектора как можно сильнее, чтобы проще было его уничтожить. Помощь водяных оказалась своевременной, спасибо им, но толку мало — выигрыш в минуты, не более того. И больше такой помощи не предвидится. А лекторские с двух сторон заходят. Если зажмут, кранты. Значит... что надо делать? Правильно, здесь оставить заслон, а самим попробовать опередить вторую группу. Еще одна жертва, как минимум. Вот так. Пришла беда, открывай ворота́».

— Док, — Бибик обернулся и поманил Чернявского, — занимай позицию.

— Полковник, разреши мне остаться, — попросил вдруг Каспер. — Я их придержу.

— Гражданскими лицами не командую. — Бибик вновь обернулся к доку.

— Тогда и спрашивать не буду, — Каспер усмехнулся. — Не упирайся. Я помоложе твоего дока и половчее. Решай, полковник.

— Хорошо. — Бибик указал Чернявскому на канатную лестницу: — Поднимайся, док. А ты, Каспер, запоминай. Держать архаровцев будешь ровно три минуты. Это сто восемьдесят секунд. Прямо считай в уме «и раз, и два...» Понял?

— Хватит времени-то?

— Хватит. Потом уходи, но эту лестницу не используй, простреливается. Лучше в сторону соборов уйди, там найдется что-нибудь наверняка. Место встречи — Манежная.

— Лучше — платформа, — предложил Каспер.

— Еще лучше Алабинский блокпост, но я исхожу из реальной обстановки. Для начала выбраться надо отсюда. Все ясно? Тогда удачи!

Переход на крышу северного крыла Потешной палаты, до которого усохшая группа Бибика добралась как раз за отпущенные Касперу три минуты, был сооружен на совесть. В основе лежала металлическая конструкция, да и настил был сделан из железа, а от ржавчины этот импровизированный мост защищал толстый слой сурика. Было все равно скользко, но хотя бы надежно. И быстро. Последний момент особенно вдохновлял. Вторая группа лекторских бойцов находилась уже не так далеко, но до очередного трапа — спуска к воротам Троицкой башни — Бибик и компания успевали добежать первыми, без сомнений.

Осознав это, бандиты начали стрелять на ходу. Несколько пуль даже звякнули по ограждению мостика, но в целом такая стрельба могла только напугать, да и то лишь девушку. Чернявский только втянул голову в плечи, а Бибик так и вовсе не стал дергаться. Дождался, когда спутники прыгнут на трап, ответил бандитам длинной очередью и тоже спустился ниже уровня крыши. Теперь можно было не спешить. Об этом Бибик и сказал товарищам, когда группа очутилась перед воротами башни.

— Дайте-ка проверю обстановку. — Полковник придержал дока, а тот — Шурочку.

В башне никаких препятствий Бибик не обнаружил, но перейти на Троицкий мост и покинуть Кремль его группе удалось все-таки не сразу. Едва квестеры и спутница скрылись в башне, почти у них над головами — чуть позади и справа — затрещали автоматные очереди. Первой реакцией группы стало желание броситься врассыпную, но Бибик вовремя сообразил, что в проеме ворот мечутся лишь отголоски близкой стрельбы. Более того, огонь велся не по квестерам, а по целям на крыше Потешной палаты.

— Откуда он лупит? — проронил Бибик и вернулся на пару шагов.

С новой позиции он увидел тех, по кому велся огонь, и засек, откуда он велся, но стрелка не обнаружил.

— Что там? — спросила Шурочка с тревогой в голосе. — Это Костик стреляет? Он успел убежать?

— Не знаю, кто стреляет, но вряд ли Костик. С крыши Арсенала гвоздит. Не думаю, что твой парень успел туда перебраться. Хотя... вон какие тросы натянуты от Дворца.

— Бибик, ты здесь?! — донеслось с крыши Арсенала. — Принимай пассажира!

Бибик вновь выглянул из проема ворот и увидел, что по канату, свисающему с крыши Арсенала, быстро спускается какой-то мокрый, грязный тип. А наверху, у самого края крыши, сидит... именно Костик по прозвищу Каспер! Что и говорить, парень оказался прав. Док Чернявский никогда в жизни не сумел бы так быстро и ловко выкрутиться из трудной ситуации, в которой очутился Каспер. А уж прихватить с собой «пассажира»... вообще не обсуждается.

«Пассажиром» оказался один из пленников Лектора. Судя по нашивкам на грязной униформе — гражданский пилот. То есть роль пассажира была ему в новинку.

— Ты в нужник занырнул, что ли? — Бибик хлопнул пилота по плечу. — Как звать-величать?

— Михаил Щербинин. — Пилот взглянул на Шурочку и виновато сморщился: — Простите, девушка, но... этот сраный Лектор устроил водяным резню прямо в воде, а меня использовал как щит! Представляете, что из них вытекало?

— Не проблема, — Шурочка все-таки наморщила носик. — Переживем.

— Я лучше так... — Пилот стянул куртку и бросил на землю.

— Не поможет, — хмыкнув, заявил Каспер, присоединяясь к группе. — Ну что, полковник, я уложился?

— Ты как это? — Бибик указал на тросы. — Как на тарзанке, что ли?

— Скорее, на фуникулере, — Каспер кивнул. — Уходим, уходим, по дороге расскажу!

Группа пробежала по Троицкому мосту и вновь очутилась в Александровском саду на углу Манежа. Здесь Бибик приказал всем затормозить, а сам прошел чуть дальше и вновь осмотрелся. В этой части сада и на примыкающих территориях было чисто во всех смыслах. Никого из людей и никаких мусорных завалов, и так насколько хватало глаз, если смотреть в северном и западном направлениях. Уборка под куполом явно велась, и довольно планомерно, только медленно.

«И вдруг Лектор нарисовался. Половина стараний уборщиков насмарку. Даже обидно».

Бибик еще разок оглянулся и сдал назад, к группе. Каспер в этот момент уже подобрался к середине рассказа:

— Досчитал я до сотни, а их все нет. Думаю, может, в обход двинули? И каким тогда путем? Только высунулся, чтобы осмотреться, над головой — вжик! Я пригнулся, но все равно смотрю и вижу — крадутся. А впереди чумазый пленный топает, и не менее чумазый гад им прикрывается. Точно, думаю, это Лектор!

— Так и было, — проронил пилот. — Лектор ведь тоже в дерьме купался, вот и чумазый теперь. Зато с другими не спутаешь, целиться удобно.

— Ага, вот я и прицелился, — Каспер усмехнулся. — Лектор залег, а наш новый друг рванул вперед. Отчаянный парень. Я до сих пор пытаюсь понять, Щербинин, ты в тот момент соображал, что творишь?

— Нет, — пилот усмехнулся.

— Я так и подумал. Ведь и я стрелял, и бандюки тебе вслед палили. Как не зацепил никто — уму непостижимо!

— Обошлось же, — пилот пожал плечами.

— Везучий ты, парень, — Каспер покачал головой. — Ладно, короче, перехватил я бегуна и дальше мы вместе. По тросам, как с горки. Сначала на одну крышу съехали, потом на другую. Я эту тему сразу просек: там целая паутина этих тросов, но чтобы сюда попасть, надо цепляться за те, что тремя полосками помечены. Я на автоматном ремне, а Щербинин на поясном, так и приехали на крышу Арсенала. А Лектор и вторая его группа к тому времени только до края добрались. Они на тросы внимания не обратили, вот и обломались. Ну, а дальше вы сами все видели.

— Господа, там... э-э... шаги! — забеспокоился Чернявский и указал на ворота башни.

— Уходим! — встрепенулся Каспер. — Только не по Манежной, засветимся! Давайте туда!

Он взмахом указал на баррикаду, которая возвышалась по ту сторону Манежа. Судя по вектору, Каспер предлагал уйти на юг, протиснувшись между баррикадой и домом номер 16 по Моховой. Теоретически направление верное, как раз в сторону баррикадных ворот, но имелся ли просвет между домами на четной стороне улицы Моховой и валом из покореженных машин? Шестнадцатый дом плавно переходил в четырнадцатый, а затем в двенадцатый и десятый, и вся эта «китайская стена» тянулась на полторы сотни метров. Даже если просвет имелся, бежать по нему представлялось довольно опасной затеей. Полминуты как минимум не иметь возможности для маневра (не Хусейны Бόлты все-таки, да еще уставшие и в экипировке — скорости будут аховые)... очень опасная затея!

И все-таки Бибик согласился с предложением Каспера. Все остальные варианты были еще опаснее. Да и времени оставалось не меньше минуты.

«Должны оторваться, если не мешкать, — подумалось Бибику, и он тут же дал отмашку. —

Больше заслоны выставлять не буду. Просто стартую последним».

Каспер, будто бы прочитав мысли командира квестеров, притормозил, пропуская вперед Чернявского и Шурочку, но надолго не задержался. Видимо, понял, что у «советских собственная гордость», и не стал указывать Бибику на его возраст и физические кондиции. Да, как было и в случае с выбором между Каспером и Чернявским, юноша выглядел предпочтительно. Прикрыть, а после догнать и даже не запыхаться — это было про него, не про Бибика, точно. Но человеческие отношения потому и считаются самой сложной из составляющих нашего мира, что в них много тонкостей, которые предопределяют даже такие серьезные события, как победа и гибель. В новой ситуации Каспер рисковал бы сбить дыхание, а Бибик рисковал жизнью. Но иначе было нельзя. Ну, как это объяснить другими словами? Наверное, никак. Да и надо ли?

В общем, Каспер побежал третьим. Правда, не слишком напрягаясь. Наверное, чтобы иметь возможность быстро вернуться и все-таки помочь Бибику, если это потребуется.

«Вернемся в ЦИК, сразу пойду к начальству, — решил про себя командир квестеров. — Да, прямо к Кирсанову. И спрошу напрямую: зачем я вам? Ведь ясно же, что не в моем возрасте тягаться с молодежью. Почему я работаю в поле? Нет, не трудно, просто непонятно, да и ребятишкам опасно со мной по зонам бродить. Подведу ведь невольно, просто запыхавшись в неподходящий момент. Кому и зачем все это надо?»

Бибик обернулся, проследил, как товарищи скрываются за углом Моховой, 16 (значит, просвет все-таки имелся) и тоже попятился. Сначала к метро, а дальше вдоль здания и за угол. Лектор и шайка появились в поле зрения, когда Бибик уже почти скрылся за углом. То есть его они не видели и, куда конкретно спрятались квестеры, не должны были знать. Однако Лектор уверенно махнул в сторону баррикады и северного крыла Моховой, 16. Учуял, что ли?

Бибик прижался к углу и приготовил автомат к бою. При всех возрастных недостатках, в чем он точно не уступал молодежи, так это в огневой подготовке. И полковник был намерен это сейчас доказать.

* * *

С полуразрушенной крыши Троицкой башни открывался хороший вид. То есть вид был довольно унылый, но обзор просто отличный. Однако высокого и худощавого «Серого» все равно кое-что не устраивало. Нет, не тот факт, что группа, завладевшая черным пакалем, спряталась за длинной стеной из домов на Моховой или что отряд Лектора отстал. Теоретически обе группы игроков действовали в интересах «Серого», поэтому не имело значения, у кого из них нужные пакали. Но на практике... марионетки вели себя не совсем так, как планировал «Серый».

В первую очередь выпадал из обоймы «джокер». С его подсознанием никак не получалось установить нормальный контакт. Чем-то все попытки напоминали плохую сотовую связь. Контакт то появлялся, то пропадал, информация дробилась на разнокалиберные, а потому бессмысленные блоки, и «джокер» никак не мог уловить, что же конкретно требует от него «серый кукловод».

Но все-таки «Серый» пока не собирался вмешиваться в ход игры на этом поле. Он был намерен устранить кое-какие факторы риска на другой площадке. Сейчас это было важнее.

«Серый» обернулся в сторону Спасской башни, будто бы сверяясь с часами. Куранты давно уже стояли, их стрелки замерли на половине пятого, но «Серый» кивнул так, словно увидел, что хотел.

Секундой позже «Серый» исчез, а вновь появился еще через миг, но уже не на башне, а рядом с часовней-столбом на Арбатской площади, в двадцати метрах от внутреннего входа в донный шлюз. По всем расчетам как раз в этот момент в бассейн выносного подводного причала должна была заходить субмарина с отрядом спецназа на борту.

«Серый» медленно повернул голову вправо, затем влево, будто бы убеждаясь, что поблизости нет свидетелей, после чего легко запрыгнул на крышу постройки у стены купола и скрылся в шлюзовом коридоре.

11. *Зона разлома 17 (Москва), 19.07.2016 г. (276-й день СК)*

Театр военных действий, на котором очутился Лунев, когда спустился по внешней стороне баррикады, походил на материализованную локацию из компьютерной «стрелялки». Это место будто бы специально создавали для игры в прятки с оружием. Пространство от Знаменки до поворота на Воздвиженку было ограничено с одной стороны баррикадой из машин, с другой — зданиями и основательно захламлено все теми же покореженными ржавыми машинами. «Пробочное наследие столицы» стояло, а также лежало на боку или вверх колесами буквально повсюду и в самых разных сочетаниях. Местами из автохлама образовались островки, кое-где — лабиринты, и только пять-шесть участков размером с борцовский ковер были свободны от железно-колесного мусора. Любое живое движение на фоне этого ржавого кладбища технологий обнаруживалось без труда с любого расстояния. Андрею даже не пришлось занимать позицию и присматриваться к местности, чтобы засечь группу прикрытия, оставленную Лектором вблизи баррикадных ворот.

Пять бойцов и пленные матросы с баржи топтались на небольшом пятаке, то и дело заглядывая в ворота. Когда по ту сторону баррикады началась стрельба, лекторские бойцы оживились, но с места так и не сдвинулись. Видимо, Лектор дал им четкие указания — без приказа ничего не предпринимать, но и не отступать. Между тем двое особо нервных сразу же начали поглядывать в сторону лифтов.

Вот с них Лунев решил и начать.

Андрей бесшумно прокрался к пятаку и в лучших традициях военной разведки, ножом, снял одного из часовых. Остальные и не заметили, что их стало на одного меньше. Второго «нервного»

Лунев убрал и вовсе голыми руками. Боец отошел слишком глубоко в тыл, похоже, все-таки начал подумывать о дезертирстве, и тут у него за спиной появился Старый. Боец вполне мог услышать шорох одежды, но не ожидал нападения и потому даже не попытался обернуться. Умер он от перелома шейных позвонков.

Двое пленных увидели Андрея, но тот успел приложить палец к губам, и матросы вовремя сообразили, что кричать «Ура, мы спасены!» пока рановато. Так что обошлось без лишнего шума. Старый указал парням, куда им следует отползти, чтобы затем выбраться из охраняемой бандитами зоны, а сам двинулся в обход и вскоре очутился с северной стороны площадки перед воротами.

К сожалению, на этом бесшумная фаза операции закончилась. Один из бойцов обнаружил труп первого погибшего и поднял тревогу. Бандиты уложили всех оставшихся пленных ничком, оставили рядом с ними одного бойца и начали поиск второго пропавшего и того, кто его мог убрать, то есть — Лунева. Не великая проблема — двое урок с автоматами, но на место погибших бойцов пришли еще два бандита. И эти двое не бросились на поиски, а засели где-то на баррикаде и начали методично обстреливать автомобильный лабиринт из снайперских винтовок. Палили, честно говоря, в пустоту, но случайно могли и попасть. Чем черт не шутит?

По-хорошему, Андрею следовало первым делом убрать снайперов, да вот беда, прятались они очень уж качественно и постоянно меняли позиции. Пришлось решать проблемы по мере их выявления.

Какое-то время он играл с бандитами в классические прятки, так хорошо знакомые любителям поиграть в компьютерный шутер. Он маневрировал по лабиринтам, прятался за крупными машинами, выжидал, когда противники выдадут себя шорохом, словом или дыханием. А затем, когда установил особенности поведения каждого из противников, Андрей перешел к активной фазе.

Для первой ловушки Андрей выбрал удобный участок лабиринта с переменной высотой стенок. Местами их образовывали легковушки — иногда перевернутые набок, или джипы, а местами стояли высокие маршрутки или даже автобусы. То есть высота преграды менялась от полутора до четырех метров. Кое-где можно было идти не пригибаясь, а местами приходилось резко падать на землю или хотя бы садиться на корточки, чтобы не засветиться перед противником. Но так было в фазе наблюдения.

Теперь Лунев намеренно выдал себя, и один из бойцов решил подкрасться к нему с другой стороны стенки. Как только противник попался на крючок, Андрей поднял скорость. Враг попытался не отстать, и это ему удалось. Лунев взвинтил темп еще сильнее, но противник не отстал. Андрей побежал, враг поддался азарту и удержал дистанцию и на этот раз, но тут ловушка, наконец, захлопнулась. Увлекшись гонкой, боец начал пренебрегать защитой. Он пропустил один низкий участок стены, где следовало пригибаться, затем проскочил второе опасное местечко — здесь вообще лучше было ползти, третье...

Вот на третьем он и споткнулся. Здесь стенку образовывал неплохо сохранившийся «Бентли». Очутившись чуть дальше этой машины, Андрей упал на землю, перевернулся на спину и прострелил лобовое и водительское стекла. Преследовавший его боец как раз замыкал эту диагональ. Тяжелая пуля патрона СП-6 не только остановила, но еще и отбросила его назад, и он рухнул на другую стенку лабиринта. Стоявший там автохлам загремел, и над местом стычки тут же засвистели пули. Шум привлек внимание снайперов.

Но Лунев к тому времени находился уже далеко. Он запрыгнул на крышу маршрутки, что стояла рядом с большим автобусом, и быстро осмотрелся. Второй охотник крался по лабиринту слева, а снайперы по-прежнему прятались на баррикаде. Но прятались уже не так хорошо, как прежде. Андрей поймал в прицел одного из них и дал короткую очередь.

В следующий миг он скатился с крыши микроавтобуса и вновь нырнул в лабиринт. Именно нырнул и даже проехал на животе несколько метров по скользкому от плесени асфальту. В конечной точке «заезда» он обнаружил удобную лазейку под выбивающейся из общего «модельного ряда» поливочной машиной.

Но и в соседнем коридоре лабиринта Андрей не поднялся на ноги. Он увидел тень, которая ползла по асфальту в следующем проходе. Лунев замер, дождался, когда вместо тени в поле зрения окажутся ноги противника, и снова дал короткую очередь. Враг упал и тут же получил пулю в голову.

Таким образом, угрозу теперь представлял один снайпер на баррикаде и — условно — боец, который охранял пленных.

Андрей вновь сменил позицию, выглянул из укрытия, но снайпера не обнаружил. Зато стрелок как-то ухитрился вычислить новую позицию Лунева и выстрелил. Пуля прошла в считаных сантиметрах от виска. Андрей снова переместился, но едва он замер, железную рухлядь слева от него опять прошла винтовочная пуля. Было похоже, что винтовка у снайпера снабжена особым прицелом, скорее всего с тепловизором, который легко находил теплую живую цель среди холодной ржавчины. Чтобы обмануть снайпера, следовало или остыть, или спрятаться за достаточно массивным объектом.

Ближайшим крупным укрытием был еще один автобус, но до него можно было добраться, лишь сделав крюк. Или рискнув перепрыгнуть стенку на очередном низком участке: над шикарным «Мазератти».

«Красиво жили москвичи, — Андрей мысленно оценил шансы. — Высота небольшая, можно взять даже из положения лежа, но по другую сторону слишком узко, придется разворачиваться, а это лишняя секунда возни в прицеле у снайпера. Нет, слишком велик риск».

В этот момент стукнул очередной выстрел, пуля варварски пробила крышу дорогущей в прошлом машины, и Лунев понял, что выбора не осталось. Только в обход. Однако, едва он двинулся по коридору, две пули подряд просвистели впереди и чуть позади. Снайпер давал понять, что поймал противника в ловушку и напоследок с ним играет, как кошка с мышкой.

Андрей бегло изучил оставленные пулями дырки, в очередной раз лег на спину и приготовил оружие. Примерную траекторию он вычислил и теперь знал с точностью до пары метров влево-вправо, где сидит снайпер. Оставалось выиграть дуэль. За счет чего? Исключительно за счет скорости, в остальном преимущество было у снайпера. Шансы один к ста в пользу противника, но какие варианты? Вот именно — никаких.

Лунев дернулся, изображая попытку двинуться дальше ползком, и снайпер тут же выстрелил, сместив прицел по ходу фальшивого движения противника. Андрей в тот же момент поднялся над уровнем лабиринта и дал очередь в сторону предполагаемой позиции снайпера.

К сожалению, расчеты он сделал не совсем верные. Противник засел на баррикаде чуть выше. Корректировать прицел не оставалось времени, поэтому Андрей уже почти спрятался обратно под машины, но тут свои коррективы в ситуацию внес случайный фактор. Лунев подозревал даже, что этот «случайный фактор» был на одной стороне со снайпером, но вот только коррективы он внес в пользу Лунева.

Справа от баррикадных ворот громыхнул довольно мощный взрыв, и отраженная куполом волна основательно встряхнула и всю баррикаду, и автонедвижимость перед ней. Взрывная волна заставила часть машин в баррикаде просесть, и произошло это как раз на участке, где прятался снайпер. А еще все это случилось именно в тот миг, когда Андрей нажимал на спусковой крючок. То есть пули долетели до баррикады, как раз когда на их пути очутился провалившийся вниз снайпер.

В принципе, бой был окончен. Оставался конвоир, но его Андрей почему-то пока не видел. Как не видел он и пленников у ворот.

Лунев сделал небольшой крюк, пробрался к заметно сузившимся баррикадным воротам и успел разглядеть сквозь завесу поднятой взрывом ржавой пыли, как несколько бойцов гонят пленных куда-то в сторону Кремля. Бывший конвоир провожал эту группу взглядом и стоял к Андрею спиной. Видимо, его оставили для связи с не существующим больше тыловым прикрытием.

Что ж, связь, значит, связь. Потусторонняя. Андрей поднял автомат, но выстрелить не успел. Из пылевой завесы вдруг вынырнул кто-то очень быстрый и ловкий. Он промелькнул перед бывшим конвоиром, как стрела, но при этом успел полоснуть бандита ножом. Конвоир упал на колени, а затем завалился ничком. Над ним снова мелькнула тень, но теперь не из одной «подворотни» в другую, а в направлении пятака перед воротами. Не обнаружив других противников, тень «материализовалась», сбросив скорость.

— Муха, замри! — приказал Андрей, на всякий случай не высовываясь из укрытия.

Миха резко развернулся и вскинул автомат, но почти сразу его опустил. В глазах у Мухина начали появляться проблески разума. Правда, вскоре глаза у него остекленели, но хотя бы не были больше мутными. То есть он потихоньку выходил из состояния Михимухина — невменяемого, зато сверхбыстрого и беспощадного — и возвращался в норму, которой на какое-то время (видимо, в качестве компенсации) становилось состояние Михи-Тормоза, а затем — просто Мухи, отличного бойца и надежного товарища. Такое «растроение личности» иногда создавало товарищам Мухи проблемы, но чаще приносило пользу. Ведь когда Муха превращался в неуловимого берсерка, он стоил троих бойцов.

— Я в порядке. — Отстояв пару минут истуканом со стеклянными глазами, Муха стряхнул оцепенение и окончательно пришел в себя. — Андрей, ты где?

— Точно в порядке? — Лунев выбрался из укрытия.

— В ушах звенит, — Мухин помотал головой и взглянул на Лунева. — Эти дятлы килограмма три заложили. Как только купол не треснул?

Да, он действительно пришел в себя, теперь не осталось сомнений. Глаза ожили и просветлели, речь полилась в нормальном темпе, движения стали плавными, а не дергаными, словно у мультяшного героя.

— На совесть построено, с запасом. — Андрей сменил магазин, затем кивком указал на ворота: — Можем идти дальше.

— Зачистил тут? — Муха повертел головой.

— Так точно. Еще минус пять с твоим.

— Тогда минус семь, — уточнил Муха. — Я там еще двоих убрал. И квестеры троих. Десять получается.

— Банда Лектора постепенно становится не такой уж крупной тактической единицей, — Андрей усмехнулся. — Идем, Муха, время не ждет...

...Когда напарники вновь очутились внутри баррикады, Лунев резко свернул влево и двинулся по узкому коридору между валом из машин и домами по четной стороне улицы. Муха догнал, дернул за рукав и вопросительно уставился на Лунева. Андрей на его вопросительный взгляд не ответил, и Муха был вынужден озвучить свои сомнения:

— Ты уверен, что нам сюда?

— Надо идти к Троицкому мосту. Здесь самая прямая дорога.

— И безопасная? — Муха покосился на машины. — Второй раз под завал мне как-то не хочется. Из-под того я выбрался, потому что пространство было, а тут... если завалит, без шансов.

— Я понимаю, но нам точно сюда.

— Уверен, — уже не спросил, а констатировал Муха и кивнул: — Вижу. Понимаю.

— Это не я уверен, — Андрей приложил руку к карману, в котором лежал пакаль. — Артефакт подсказывает.

— Как это?

— Сам не знаю. Просто возникает такое чувство, что оба нужных нам пакаля сейчас где-то там, впереди. И владельцы артефактов движутся нам навстречу. Так что... оружие к бою, Муха, погнали.

* * *

Лектор не видел квестеров, поэтому не мог знать, куда они спрятались, но у него имелся отличный подсказчик — пакаль. Артефакт не давал сбоев, не зависал и не требовал уточнить данные, не гаджет все-таки. Стоило Лектору сбиться с курса, пакаль становился прохладным и прекращал вибрировать. Зато если Лектор шел не примерно в направлении черного пакаля, а заходил точно на цель, вещица в кармане начинала просто плясать. После нескольких экспериментов Лектор научился распознавать и более тонкие нюансы «поведения» артефакта, но это сейчас не имело значения. Главное, что пакаль вел точно к цели.

Выбравшись из Кремля по Троицкому мосту, Лектор понял, что почти нагнал квестеров. Выстрелы из-за угла дома на Моховой подтвердили эту догадку. Но почти, как известно, не считается. Лектору требовалось не подтверждение, а пакаль. И вот с этим по-прежнему имелись сложности. Стрелок заставил бойцов Лектора рассеяться и залечь, а когда стало ясно, что обстрел прекратился и можно двигаться дальше, пакаль в кармане у главаря начал остывать. Это означало, что квестеры снова уходят в отрыв.

Лектору изрядно надоела эта погоня, и он заставил бойцов подняться для решающего удара. Сейчас или никогда! Видимо, на лице у главаря было написано нечто такое, что испугало бойцов больше, чем встречный огонь, поэтому никто из них не ослушался. Бросились вперед, будто ошалелые, паля на ходу почем зря.

В узком коридоре между домами и баррикадой противника не оказалось. Отряд промчался ураганом до разрыва между зданиями и ворвался во дворы. И вот здесь-то ситуация вдруг резко осложнилась, а затем так же резко стала патовой.

Квестеры засели в зданиях слева и справа. Это позволяло им вести перекрестный огонь и почти не оставляло бойцам Лектора шансов. Минута-другая, и отряд мог ужаться до маленькой группы, но этого не произошло. В дело вмешалась третья сила. И, как ни странно, этой «миротворческой силой» оказались... военные!

Довольно большая группа вояк подошла со стороны ворот и шквальным огнем заставила половину квестеров отойти в глубь зданий. Бойцы Лектора воодушевились, но все, что им позволили военные — сменить позиции, чтобы больше не маячить в прицеле у второй группы квестеров, засевшей слева, и для которой огонь военных был нестрашен.

Таким образом, на поле боя установилось своеобразное равновесие. Три группировки держали друг друга на прицеле, не позволяя противникам предпринимать хоть какие-то активные действия.

— Не пойму ничего, Лектор. — К главарю подполз Дышлюк. — Вояки зачем-то и нас блокируют, и квестеров. Чего им надо?

— А ты не догадываешься? — Лектор зло сплюнул. — Воякам золото хочется вернуть, поэтому они и отсекли от нас квестеров.

— Но ты ведь не отдашь... братва не поймет.

— Не волнуйся, откупаться не намерен. Но и замять дело не получится. Нужен какой-то финт ушами, пока к воякам не подошло подкрепление в виде спецназа.

— Я знаю, чего можно сделать. — Дышлюк указал на выбитые окна здания слева. — Если туда запрыгнуть, можно по коридорам внутри дома пройти. Квестеры, которые там сидели, отошли.

— Будем прыгать — военным спины покажем.

— Ты сам сказал, они стрелять не станут, мы им живыми нужны.

— Я сказал — золото им нужно.

— Один фиг! Не будут стрелять, зуб даю! Они с той стороны дома захотят нас поймать, а мы квестеров на них загоним, а сами в правое крыло уйдем. Оттуда до ворот — один рывок.

— Квестеры могут не поддаться.

— Куда денутся? Их на том направлении только трое, я засек. Над головами дадим пару очередей — побегут, как в Кремле бежали. И прямо к военным в руки. Решайся, Лектор!

— Хорошо, — Лектор хмыкнул. — Ты первый пойдешь. Не стрельнут вояки — твоя правда, будем тебе обязаны.

— Да легко! — расхрабрился Дышлюк. — Две доли мои, уговор?

— Хоть три, — Лектор кивнул. — Много их освободилось. Пошел!

Замысел помощника сработал. Отряд беспрепятственно перебрался внутрь здания, рысью промчался по его коридорам и очутился там, где недавно занимала позиции часть квестеров. Выяснилось, что их действительно трое, и только один из этих троих успел отреагировать на неожиданное появление Лектора и его отряда.

Немолодой квестер открыл огонь, но его почти сразу нейтрализовал Дышлюк — большой любитель «ба-бахов». Он бросил наступательную гранату, и автомат квестера умолк. Проверять, навсегда умолкло оружие или нет, было некогда, отряд продолжил наступление и вскоре без труда блокировал оставшихся квестеров. Один оказался положенным любой квест-группе ученым, это было ясно не только по нашивке, но и по его поведению: окруженный врагами, он замер с открытым ртом и бросил автомат. А вот последний из троицы вызвал у Лектора и его бойцов неподдельное изумление. И дело не в том, что это была девчонка. Это была знакомая им девчонка, Шурочка из Чернобыльской зоны.

— Вот так встреча! — Лектор ногой отбросил выбитый у Шурочки автомат. — А мы гадали, куда это Кошмарик пропал! Ты что, завалила моего бойца?

— Нет, — Шурочка взглянула на Лектора исподлобья. — Он споткнулся и на сук напоролся.

— Это ты самокритично выразилась, — Лектор рассмеялся. — На сук напоролся. Зачет! Дышлюк! Гони этого вперед!

Он махнул рукой, указывая на дока.

— А суку... напористую? — Дышлюк кивком указал на Шурочку.

— А ее с собой возьмем, прикроемся, если что. Догонишь! Пошли, братки, все туда, вправо! Бегом!

Замысел Дышлюка сработал и на втором этапе. Прежде чем вытолкнуть дока прямиком в руки военным, которые, как и предполагалось, обошли здание и приготовились встретить отряд Лектора на задворках, Дышлюк дал пару очередей и только после этого отошел назад, а затем бросился догонять отряд. Созданного им запаса времени как раз хватило, чтобы отряд смог незаметно уйти через правое крыло, добежать до ворот баррикады и уже оттуда прикрыть самого Дышлюка.

— Красавец! — Лектор хлопнул помощника по плечу. — Теперь все галопом к лифтам! Поднимаемся и закрепляемся на платформе! Другого пути отсюда все равно нет. Рано или поздно квестеры полезут наверх, там их и встретим!

— Может, сразу на катер и айда к Зоопарку? — негромко проронил Дышлюк. — Понятно же, что затея провалилась.

— Ты сейчас герой, Дышло, — так же негромко ответил Лектор. — Поэтому прощаю. Но только сейчас, понял? Еще раз вякнешь что-нибудь этакое паникерское, попишу — мама не узнает. Без пакаля мы не уйдем, понял меня?!

— Я-то чего, — Дышлюк пожал плечами. — Я готов. Братва нервничает.

— Когда поднимемся, отдадим братве девку, пусть развлекутся, выпустят пар. Только сначала надо ее расспросить, может, точно укажет, у кого из квестеров пакаль?

— Это и сейчас можно спросить. — Дышлюк ухватил Шурочку за волосы и рывком притянул к себе: — Слышь, сучка, вы пакаль нашли, у кого он?

— Ой! — Шурочка попыталась вырваться. — Больно! Отпусти, козел!

— Базар фильтруй! — Дышлюк еще раз дернул. — Отвечай, шалава!

— У командира пакаль! — взвизгнула Шурочка. — Отпусти!

— Кто командир?!

— Ты гранату в него кинул!

— Опаньки! — Дышлюк обернулся к Лектору.

— Ну вот, — Лектор поморщился. — А я в горячке и не обратил внимания, что пакаль подсказывает. Стоило один раз отступить от правила, не сделать контрольный выстрел и не обыскать труп, как сразу же случилась лажа! Дышло, твоя недоработка!

— Чего моя-то? — Дышлюк оттолкнул Шурочку. — Мне и без того было чем заняться.

— Ладно, замяли пока. — Лектор взял себя в руки, хотя ему это стоило немалых усилий. — Все равно пакаль квестеры не бросят. Сколько их осталось? Шурочка!

— Трое. — Девушка попыталась привести в порядок прическу. — Только они такие, что вам ничего не светит. Каждый десяти стоит! И летчик еще! Обломитесь!

— И пилот с ними, — Лектор хмыкнул. — По-любому придется их дождаться. Иначе нет смысла на Зоопарк уходить. А к берегу на катере — затея гиблая. Согласен, Дышлюк?

— Теперь согласен.

— Доведи мысль до братвы. Все мысли доведи. Насчет девки в качестве промежуточного приза — в первую очередь.

* * *

«Серый» стоял на причале, но вполне отчетливо видел субмарину, которая проходила к подводным воротам донного шлюза. Подлодка была небольшая, поэтому серьезного отряда спецназа на ее борту быть не могло, но есть случаи, когда имеет значение качество, а не количество. Боевые пловцы всегда считались качественными бойцами, и вряд ли абсурдные военные реформы начала века серьезно поменяли расклад. Элита сил специального назначения всех родов войск выжила и теперь снова была востребована. Именно по этой причине «Серый» лично прибыл встречать гостей. Большому кораблю — большая торпеда. Еще лучше — продвинутое оружие.

«Серый» достал такое оружие, настроил его на максимальную мощность и спустился по лесенке в воду. В разные стороны тут же шарахнулись десятки теней. В принципе бояться водяным было нечего, «Серого» эти существа не интересовали, да и чего бояться, когда ты мертв? Но все-таки они предпочли убраться из бассейна принимающего шлюза. Почему — вопрос для размышлений на досуге.

«Серый» вышел из ворот, развернулся в сторону приближающейся субмарины и понял, что слегка недооценил скорость корабля. Подлодка находилась уже в считаных метрах от внешних ворот шлюза. «Серый» немного поразмыслил и сдал назад. В общем-то, коррекция планов была ему выгодна. Гидродинамический удар, который собирался устроить «Серый», мог быть опасен и для него, останься он под водой.

«Серый» вернулся на причал, дождался, когда подлодка войдет в шлюзовой бассейн, и активировал оружие. Вода заметно всколыхнулась, в центре бассейна возникла круговая волна, словно от брошенного камня — а вернее, целой горы! — но разница в том, что не было центрального всплеска.

Частично энергия удара разошлась по стенам шлюза, и они задрожали, но устояли. Чего не скажешь о корпусе субмарины. «Серый» не знал этого наверняка, но мог предполагать, что корпус не выдержал нагрузки и дал серьезную течь, а значит, противник нейтрализован. Да, экипаж, возможно, имел шанс спастись, но в ближайшее время ему будет не до боевых действий, и это главное.

«Серый» какое-то время стоял, глядя на воду, помутневшую от поднятого со дна ила, а затем вернулся под купол. Судьба подлодки, людей на ее борту и донного шлюза его не волновала. Он добился своего, остальное не важно.

12. Зона разлома 17 (Москва), 19.07.2016 г. (276-й день СК)

Воссоединение сводной группы квестеров произошло во дворе восьмого дома по Моховой, но отмечать это событие было некогда. На хвосте у Бибика висели архаровцы. Этот факт подтвердила беспорядочная стрельба, которая звучала пока где-то за углом дома номер шестнадцать. В любой момент пули могли засвистеть в коридоре между домами и баррикадой, поэтому Лунев предложил отойти во двор и занять позиции там. Бибик согласился. Выбрали позиции они тоже без лишних споров. С квестерами в правом крыле заняла позицию Шурочка, а Каспер присоединился к Старому и Мухе. Пилот тоже остался с ними.

Когда Лектор и компания ворвались во двор, квестеры открыли огонь и вновь заставили бандитов попрятаться в «складках местности», но дальше случилось то, чего не ожидали ни Лунев, ни Бибик. В ситуацию вмешались военные. Причем не на чьей-то стороне, а в качестве третьей силы, нейтрализующей активность и бандитов, и квестеров.

Почему военные повели себя именно так, догадаться было нетрудно. Лунев и Бибик не имели возможности обменяться мнениями, но мыслили в этот момент примерно одинаково. Они получили лишнее подтверждение своих догадок насчет шкурной заинтересованности вояк. А Лунев получил еще и комментарий на эту тему от пилота Щербинина.

— И сколько Лектор у них утащил? — выслушав пилота, спросил Андрей.

— Полсотни болванок. — Пилот жестами показал, какого размера были «болванки». — Почти полторы тонны.

Каспер присвистнул.

— Немалый куш, — сказал Андрей. — Значит, вояки наверняка желают взять Лектора живьем, чтобы узнать, где он спрятал золото. Он ведь его спрятал?

— Да, еще на подлете к этой зоне.

— То есть ты в курсе, где тайник? — вмешался Муха и усмехнулся: — Старый, может, ну их, пакали?

— Шутки в сторону, — задумчиво глядя на пилота, проронил Андрей. — Есть другое предложение. Ты, крылатый, не против закончить свои приключения в компании вояк?

— Мне-то что, — пилот пожал плечами. — Нормальный вариант. Главное, чтоб не пришили пособничество. Но если вертушка на Зоопарке цела, не пришьют. Там в «черных ящиках» все записано. И что снаружи происходило, и что внутри.

— Вот и славно. — Андрей кивнул Мухе, а затем Касперу: — Прикрывайте. А мы с пилотом прогуляемся. Думаю, вояки согласятся на такой обмен.

— Понятное дело, — Муха кивнул. — Или им Лектора отлавливать и пытать, или сразу всю информацию получить. Да еще и пилота.

— Бибику бы просигналить, — сказал Каспер.

— Пока не получится, — Андрей кивнул Щербинину: — Подам сигнал, иди ко мне. Руки не забудь поднять на всякий случай.

Андрей закинул автомат за спину и кивнул Мухе:

— Упаду — сверли все, что шевелится...

— Сделаю, — заверил Муха. — Но не думаю, что до этого дойдет. Не та у вояк тут задача. Не боевая.

— Ну да, — поддакнул Каспер. — Финансовая...

...Переговоры вел майор Куприянов, как он представился, командир мобильной группы. В состав какого подразделения входит «мобильная группа», майор не уточнил. Но Старый и не настаивал на подробностях. Он спокойно и внятно изложил суть проблемы и доступно объяснил, почему военным так выгоден обмен пилота на Лектора, а следовательно, на пакаль, который имеется у Лектора.

— Никаких потерь и вообще лишних телодвижений. Плюс — сразу к тайнику попадете.

— Это да, — Куприянов хитровато посмотрел на Андрея. — Лично мне эти модные безделушки вообще на фиг не нужны, мне понятнее такая ценность, как золото. И начальству моему тоже, сам понимаешь. Стратегический металл, и все такое.

— Я понял. — Андрей протянул руку и уставился на майора: — Ну, так что, махнем не глядя?

— Сговорились. — Майор ударил по распахнутой ладони Старого. — Хотя, конечно, вернись я еще и с головой этого Лектора...

— Подарю, когда добуду, не вопрос.

— Лихой парень. — Майор усмехнулся. — А разреши поинтересоваться, каким таким образом ты собрался взять этого Лектора? У него взвод головорезов и приличный запас оружия и боеприпасов. В порту, где перед отплытием они подломили арсенал ЦИК, до сих пор «секретный шухер» по этому поводу.

— Мой вопрос, майор. Вы ведь нормально платформу прошли, никто вам не помешал?

— Так это ваших рук дело? — Майор хмыкнул. — Качественная зачистка.

— Вот и здесь справимся, если больше не будете мешать. Договорились?

— В целом да. Хотя можно дождаться морпехов. С минуты на минуту подойдут на подлодке.

— Морпехи? — Андрей поднял бровь.

— Ну, — офицер кивнул. — Боевые пловцы. Спецназ у нас в зоне, как говорится, профильный. А что, твоя стихия?

— Угадал.

— И не гадал даже, — Куприянов усмехнулся. — У вас у всех «черные полоски морской души» сквозь кожу просвечивают. Как синие у десантуры, а у пограничников всю жизнь над макушкой нимб зеленый висит. За версту видно.

Он рассмеялся. Андрей тоже усмехнулся, но сдержанно, как бы напоминая майору, что встретились не побалагурить, а «поразговаривать разговоры».

— Ладно, не будем никого ждать, — насмеявшись, сказал майор. — Они тоже не в курсе, кто такой этот Лектор и что нам задолжал. Чисто по договоренности с ЦИК работают. Если ЧП, угроза куполу — спецназ на вызов. Такой уговор. И наоборот, если у водолазов или подводников проблемы с водяными — квестеры улаживают. Их ученые какой-то способ придумали — с водяными разговаривают. Представляешь?

— Смутно.

— Аналогично, — офицер вновь хмыкнул. — Бойцов дать?

— У меня есть. Но держи своих наготове. Подам сигнал, дуй на всех парах к лифтам. Отвлекающий маневр, имитация атаки. У лифтов в стороны, на вираж и на исходные. По силам?

— Сделаем. А какой будет сигнал?

— Яркий, не пропустишь. — Андрей обернулся и подал знак Щербинину. — Вот твой пилот. Забирай.

Куприянов чуть прищурился, разглядывая пилота, затем едва слышно выдохнул и кивнул. Видимо, знал вертолетчика в лицо или видел фото. Теперь он убедился, что все сказанное Луневым — правда, и заметно расслабился.

— Вопросов нет, Лектор твой, — едва сдерживая радость, проронил Куприянов. — Еще и коньяк с меня, если встретимся на Большой земле.

— Заметано, — Андрей усмехнулся. — Бывай, майор.

— Удачи, морячок...

...Переговоры прошли удачно, однако все гладко не бывает даже на приемах у президента. В центрах аномальных территорий — и подавно. Как раз в тот момент, когда Андрей вернулся к своим товарищам, в правом крыле началась заварушка. Сначала затрещали выстрелы, а потом даже громыхнул взрыв — не такой могучий, как на баррикаде, но все равно пугающий. Лунев и товарищи бросились со всех ног в правое крыло здания, но явились к шапочному разбору. Банда Лектора прорвалась и скрылась за баррикадой. Это подтвердили военные, которые пытались перехватить банду с тыльной стороны здания, пока их командир вел переговоры с Андреем.

— Дело плохо, — взволнованно заявил Каспер. — Бандиты вытолкнули Чернявского и, похоже, прихватили Шурочку! Как же они могли прорваться?! Куда Бибик смотрел?!

— Старый, сюда! — крикнул из дальней комнаты Муха.

Андрей и Каспер бросились к Мухе.

В комнате, где недавно взорвалась граната, царил хаос. Стены были посечены осколками, а мебель перевернута и переломана. Но зато обнаружился живой и почти невредимый Бибик. От осколков гранаты его спасла массивная столешница древнего дубового стола, за которым спрятался полковник, когда в комнату влетела граната.

— Хорошо, что наступательная, — сделал вывод Муха. — Слышишь меня, Бибик?! Как торчим?!

— А? — Полковник уселся на полу и поднял плавающий взгляд на Муху. — Звенит! Не слышу ничего!

— Повезло тебе! — Муха похлопал его по плечу. — Вставай, дело есть.

— Где... мои? — Бибик перевел взгляд на Лунева.

— Кто где. — Андрей помог Бибику встать. — Идти можешь?

— Нормально все, могу. — Полковник покачнулся. — Штормит слегка. Ничего, пройдет. Где док и Шурочка?

— Док неподалеку, а Шурочку бандиты увели. Идешь с нами?

— Да. — Взгляд у Бибика прояснился. — Вы только не тормозите, если отстану.

— А ты не отставай, — спокойно посоветовал Муха и обернулся в сторону окон, которые выходили на задний двор: — Чего тебе?

Андрей, Каспер и Бибик тоже обернулись. В окне маячил растерянный док Чернявский.

— Я... хотел сказать... вы не подумайте, я не струсил!

— Не сейчас, док! — отмахнулся Муха и вновь обернулся к товарищам: — Надо Лектора опередить, пацаны. Доберется до лифтов первым — хрен мы победим.

— Я хотел сказать... — снова попытался вмешаться Чернявский.

— Док, отвали! — теперь его оборвал Каспер. — Чего сидим-то! Помчались!

— Не успеем, — Андрей покачал головой. — К лифтам одна короткая дорога, по Знаменке. Не срежешь.

— Господа, ну, выслушайте! — взмолился Чернявский. — Это важно! Как раз о пути к лифтам речь!

— Шесть секунд у тебя! — Муха опять обернулся к доку и прицелился в него пальцем. — Коротко и внятно!

— Есть способ переместиться к лифтам мгновенно! Местные ученые пока не до конца изучили природу феномена... но называют его «такси»! Это что-то вроде естественного телепорта. Их около полутора десятков под куполом. Один в двух шагах отсюда.

— Что за чудеса? — Муха недоверчиво взглянул на Бибика. — Он не врет?

— Что-то слышал, — Бибик осторожно кивнул. — Недавно обнаружили, пока даже в отчеты не включали.

— Док, веди! — решил Андрей.

— Сюда, пожалуйста!

Квестеры выбрались через окна, отсалютовали военным, которые толпились неподалеку, бросая на «штатских» косые взгляды, и ринулись следом за доком.

— Я только сейчас вспомнил, — сбивая дыхание, оправдывался на ходу Чернявский. — Перед самым квестом, буквально вчера... по диагонали прочитал отчет Ярославцева. Похоже, такие червоточины обнаружены... не только здесь, но их транспортный характер... доказан лишь на примере... «такси».

— Слышь, док, а «серые» не ими пользуются? — спросил Муха.

— Вполне возможно! — Чернявский ввинтил в воздух указательный палец. — Вполне возможно, мы близки... к разгадке секрета телепортации «серых», вы правы! Хотя лично мне кажется, что «серые»... используют другой способ, а «такси»... это явление естественно-аномального происхождения. Так сказать, прототип того, чем пользуются «серые».

— Вы себя слышите, док? — спросил Каспер и усмехнулся. — Вы же бредите! «Естественно-аномальное происхождение». Как это понимать?

— В наше время... — док окончательно сбил дыхание, — и не такое...

— Сморозишь, — закончил вместо него Муха.

— Да, — Чернявский обреченно кивнул и остановился. — Здесь! Видите, это вход... в червоточину.

Он указал на решетку ливневого стока у обочины Манежной. И никто не усомнился, что это действительно «вход в червоточину», чем бы она ни была на самом деле. Выглядела решетка слишком чистой. Муха поднял решетку и отбросил в сторону. Под ней обнаружилась лишь крохотная дыра.

— Ну, и что это? — Каспер заглянул в дырку. — Глубина полметра, внизу сток. По этой системе разве что лягушек телепортировать.

— Нет, вы не понимаете! Позвольте мне... — Чернявский попытался протолкнуться между Мухой и Каспером, но вышло это у него неловко.

Док запнулся об отброшенную Мухой решетку, затем поскользнулся и, чтобы не упасть, оперся о Каспера. Тот, в свою очередь, не сумел сохранить равновесие, качнулся вперед и толкнул Муху. Несильно, но достаточно, чтобы Муха сделал полшага назад, как раз туда, где недавно лежала решетка.

Что произошло в следующий миг, науке неизвестно. Все трое неуклюже завалились на землю, но до грунта не долетели, поскольку бесследно исчезли. Будто бы растворились в воздухе.

— Мать моя, — проронил Бибик. — А если не туда?

— А если вообще никуда? — эхом отозвался Лунев и, не мешкая, тоже шагнул на пятачок, ранее прикрытый решеткой. И тоже исчез.

— А решетка, между прочим, не исчезает, когда на этом месте лежит, — заметил Бибик. — Почему?

Ответить ему никто не мог, поскольку все уже телепортировались «аномально-естественным» образом в неизвестном направлении. Но Бибик и не рассчитывал на ответ. Все равно ведь это будет лишь версия. А забивать голову версиями Бибик, как известно, не любил. Да еще больную голову; после контузии в ней поселилась целая кузница, в которой наковальнями служили извилины.

Бибик потер висок, поморщился, затем перекрестился, выдохнул и тоже шагнул в червоточину «такси».

* * *

Побег из устроенной военными ловушки получился на загляденье, погони не было, препятствий на пути тоже. Отличный расклад. Но именно это и беспокоило Лектора больше всего. Как говорится, слишком хорошо — тоже нехорошо.

Стопроцентная гарантия какой-нибудь гадости на финише. Нет, Лектор не боялся этой гадости, но ему хотелось бы знать заранее, в чем подвох. Желание слишком «жирное», базара нет, но естественное, с этим тоже не поспоришь.

К сожалению, Лектору пришлось маяться в неведении практически до финиша. «Подвох» материализовался (иначе не скажешь) у него на пути, когда до лифтов оставалось меньше полусотни метров. Сначала трое квестеров свалились непонятно с какой луны и покатились кубарем по мостовой, а затем все из того же неведомого загашника пространства выпрыгнул четвертый, который и заставил отряд Лектора начать пляски с бубном.

Действовал этот четвертый очень быстро и четко, а стрелял без промаха, поэтому несколько бойцов и не сообразили, что произошло. Так и погибли в неведении. Остальные успели броситься врассыпную, но тут на помощь четвертому пришел «выкатившийся» чуть ранее авангард, а еще секундой позже появился пятый квестер.

Сказать, что в результате завязался энергичный встречный бой на короткой дистанции — не сказать даже четверти правды. Если называть вещи своими именами, то остаткам отряда Лектора квестеры натурально «дали просраться». Лишь двое из всего отряда сохранили видимость спокойствия и оказали квестерам реальное сопротивление: сам Лектор и Дышлюк. Да и то — условно. Никого из квестеров они даже не зацепили. Вскоре им нашлись персональные противники, а остальных бандитов квестеры принялись гонять по Арбатской площади и прилегающим участкам, как «наши городских по огородам».

Дышлюк увяз в рукопашной схватке с пятым квестером, а Лектор остался один на один с четвертым, с тем самым: быстрым, хладнокровным и метким, который в считаные секунды вынес за скобки половину банды.

— Откуда вас черт принес! — проронил Лектор, прикрываясь Шурочкой. — Милая, попроси этого сурового гражданина убраться с пути!

— Обломись! — крикнула Шурочка и тут же ойкнула от боли. В ягодицу ее больно ужалила финка Лектора. — Ой, я все по́няла! Андрей! Он мне в зад ножиком тыкает!

— «Поняла́», «в ягодицу» и «тычет». — Лектор вздохнул. — Что ж вы за безграмотное поколение! Андрей, отойди в сторонку, будь так любезен!

— Лектор? — Противник почему-то замешкался и чуть опустил автомат.

Лектор поднял взгляд. В глазах у противника отражалось легкое недоумение. Он будто бы узнавал Лектора и не мог в это поверить.

Лектор воспользовался замешательством противника и попятился к лифту. Шурочка попыталась сопротивляться, за что получила еще один укол. Боль ее отрезвила, и девушка прекратила брыкаться. Враг тем временем отбросил свои непонятные сомнения и вновь взял Лектора на мушку. Но Лектор уже давно понял, что этот квестер далеко не прост, и прикрывался Шурочкой грамотно, не оставляя противнику ни малейшего шанса стопроцентно прицелиться.

— Лектор, стой! — Противник вдруг вовсе опустил автомат и достал из кармана красный пакаль. — Есть предложение! Девушку на пакаль!

— Не пойдет. — Главарь бандитов сделал еще шаг к лифту. — Мне нужен другой, черный, с бескрылой птицей. Он тоже у тебя.

— У меня только этот.

— Не лги мне, Андрей. Я чувствую его. Решай или...

— Или я тебе сейчас мозги вышибу! — крикнул вдруг еще один квестер, появляясь за спиной у Лектора.

— Каспер, назад! — крикнул Андрей, но было поздно.

Лектор толкнул Шурочку вперед, а сам ушел вниз, затем ловко сместился чуть в сторону и снова спрятался за квестерами, но теперь сразу за двумя. Еще мгновением позже он врезал Касперу локтем в затылок и скрылся за опорой платформы. В принципе этот глупый, но смелый Каспер решил свою боевую задачу: Лектор был вынужден отпустить заложницу и убраться от лифтов куда подальше. Вот только куда?

Лектор быстро прикинул маршрут и бросился в сторону Воздвиженки. Видимость квестерам перекрыло здание кинотеатра, лифты и опоры платформы, поэтому, как надеялся Лектор, они должны были потратить примерно полминуты на выяснение, куда же делся противник. Если все пойдет именно так, будет замечательно. Полминуты — огромный запас времени!

Но, похоже, что ответ на заданный Лектором вопрос нашли сразу два квестера. Один из них, бывший пленник, убивший Хирурга, вскинул автомат, но тут откуда-то выскочил верный Дышлюк. Он отважно бросился врукопашную на другого квестера, немолодого командира группы, и вытолкнул его на линию огня.

— Бибик, ложись! — заорал бывший пленник, пытаясь прицелиться в Дышлюка, но квестер не послушался.

— Этот мой! — крикнул Бибик. — Посмотрим, какой он герой, если без гранаты!

Завязавшаяся между квестером и Дышлюком потасовка окончательно спутала врагам карты, и у Лектора появился дополнительный запас времени. Небольшой, еще секунд в пятнадцать, но сейчас и это было подарком. Лектор мысленно поблагодарил Дышлюка за преданность и сразу же с ним попрощался. Против квестеров у Дышлюка не было никаких шансов. Даже против одного этого немолодого командира квест-группы. Очень уж он был зол.

«Прости, Дышлюк, помощник ты был хороший, но теперь каждый за себя».

* * *

Андрей покачал головой. Лектор оказался действительно ловок. Когда все тот же Каспер предупреждал, что это боец высокого уровня, он ничуть не преувеличивал. И вот теперь Лектор ушел «в точку», а это означало, что его придется искать, как говорится, днем с огнем. И если удастся найти, не факт, что получится его прищучить. Даже всей группой.

— Секунды не хватило, — выруливая из-за часовни-столба, заявил Муха. — Каспер, вот чего ты разорался?! И выскочил еще, как прыщ перед свиданием. Я б его снял одним выстрелом!

Каспер не ответил. После удара Лектора он рухнул на колени и теперь сидел, мерно покачиваясь. Шурочка присела рядом, морщась то ли от жалости к товарищу, то ли от боли чуть ниже поясницы.

— Заканчивайте здесь. — Андрей быстро оглянулся: — Где Бибик?!

— Вон там, этого дубасит... который гранату в него бросил, — Муха кивком указал влево, за крайнюю опору платформы. — Нормально все, справится. Мы почти всех положили. Один Лектор остался. Ты почему в него не выстрелил?

— А ты?

— Я ж говорю, Каспер помешал! А потом Бибик махач затеял прямо на линии огня. А ты?

— Потом расскажу. Останься с Бибиком, — приказал Андрей. — Я загоню Лектора на вас.

— Один? — Муха нахмурился. — Ну, ладно. А почему ты уверен, что Лектор вернется?

— У Бибика пакаль, который нужен Лектору. Закончили интервью, Муха. Ждите здесь!..

...Опоры платформы и коммуникации между ними служили хорошим укрытием, но Андрей был почти уверен, что Лектор не станет здесь прятаться. Исходил Старый из собственного опыта. Здесь не оставалось пространства для маневра, а значит, позиция была невыгодной. С другой стороны, уходить далеко Лектор не собирался, ведь тогда он попробовал бы запрыгнуть в лифт и уехать наверх. Значит, Луневу оставалось лишь вычислить, по каким закоулкам Лектор сделает круг, прежде чем вернется к тому месту, где остался черный пакаль.

И снова Андрей прикинул, как поступил бы сам, и двинулся вправо, в сторону Воздвиженки. Почему он решил, что к Лектору следует прикладывать «кальку» собственных знаний и навыков? Четкого понимания у Андрея не было. Его просто не оставляло ощущение, что он знает Лектора по каким-то эпизодам из «прошлой жизни». Или знал его двойника, а вернее, прототипа, который во время загадочного расщепления реальности в две тысячи восьмом году превратился с одной стороны в Лектора, а с другой... вполне возможно, остался тем, кем был. Или же стал кем-то другим — сейчас это не имело значения. Сейчас было важно другое. Андрей был уверен, что способен предугадать действия противника и заставить его поступить так, как выгодно Старому: выйти на засадную группу. Желательно без оружия и без сил.

Первый тревожный сигнал интуиция подала, когда Андрей приблизился к дальнему углу «Художественного». В нескольких метрах от северной стены кинотеатра располагались покореженные и щедро присыпанные мусором киоски. Эти груды хлама вполне могли послужить укрытием для Лектора.

Андрей выглянул из-за угла и тут же спрятался. В ту же секунду стрекотнул автомат, и несколько пуль выбили из стены фонтанчики цементного крошева. Лунев немного сдал назад и одним прыжком переместился влево, под прикрытие нескольких ржавых машин. Автомат Лектора затрещал вновь, пули выбили на бортах машин торопливую дробь, но Андрея уже не было в ненадежном укрытии. Он сразу же скользнул вперед, перекатился и поднялся уже в безопасной зоне. Теперь его прикрывала та же груда хлама, за которой прятался Лектор.

Еще два прыжка, и Андрей мог очутиться у противника в тылу, но Лектор разгадал его план. Он запрыгнул в крайний киоск, с изображением завернутой в фольгу картофелины на вывеске, затем выбрался через заднюю дверь и перебежал в новое укрытие, в павильон бывшей кофейни.

Если честно, Лектор двигался не настолько быстро, чтобы Андрей не успевал его подстрелить. Лектор дважды попал в прицел, каждый раз на целую секунду, но Лунева в эти моменты охватывало какое-то непонятное оцепенение. Он вроде бы нажимал на спусковой крючок, но делал это слишком медленно. Просто на удивление медленно.

«Чертов пакаль! — осенило Андрея после второй неудачной попытки. — Опять его влияние! Надо было снова оставить его Касперу! Хотя теперь-то что поделаешь? Придется как-то выкручиваться».

Андрей перебежал к новому укрытию, короткой очередью «проверил самочувствие» противника и вновь сменил позицию.

Лектор в кофейне-павильоне не задержался. Выстрелил несколько раз в ответ и рванул к более надежному укрытию — капитальному зданию на Воздвиженке.

Андрей в третий раз — уже предвидя отрицательный результат — прицелился и вновь выстрелил с явным запозданием. Но Лектор не сумел извлечь из ситуации какой-либо выгоды. Обойти здание ему помешали мусорные завалы, а запрыгнуть в окно он не мог, это было слишком рискованно. Пока Лектор карабкается, Андрей мог его снять, несмотря на замедленную пакалем реакцию.

Лектор вновь укрылся за грудой мусора и медленно двинулся в обратном направлении, к павильону.

Андрей видел, что вскоре Лектору все-таки придется рискнуть, между завалом и кофейней имелся разрыв — около пяти метров свободного пространства. Если бы не тормозящее воздействие пакаля, Андрею мог выпасть отличный шанс закончить эту игру в «прятки-пятнашки». Но Лунев точно знал, что пакаль вновь помешает выстрелить вовремя. Поэтому Андрей решил пойти ва-банк.

Он вынул артефакт из кармана и швырнул на землю, как раз на середину прохода между завалом и кофейней.

Лектор видел, как противник разбрасывается дорогостоящими трофеями, но вряд ли понял, что задумал Андрей. Возможно, бандит решил, что это приманка, а быть может, воспринял это как вызов? Андрею было трудно судить. Но дальше Лектор поступил так же нестандартно. Он тоже бросил свой пакаль на середину открытого пространства и коротко рассмеялся.

Андрею стало ясно, что Лектор предлагает изменить правила игры. Сойтись, как говорится, в честном поединке.

Лунев поднял автомат и проанализировал ощущения. Оцепенение вроде бы прошло. Если так, принимать вызов не имело смысла. Андрей давно разучился находить хоть какие-то крупицы романтики в поединках с негодяями. Очерствел? Повзрослел? Перегорел? Наверное, все вместе и в то же время — ни один из перечисленных вариантов. Вся эта чехарда давно стала для Андрея просто работой. Как удаление опухолей для хирурга. Принести пользу — вот и вся задача. А насколько экстравагантным способом ты удалишь опухоль, не имеет значения. Главное — результат.

Другое дело, если обычные способы не срабатывают.

Лектор на миг выглянул из-за груды мусора, и Андрей понял, что, отшвырнув пакаль, не решил проблему. С выстрелом он снова запоздал. Видимо, следовало зафутболить артефакт метров на сто.

— Что случилось, Андрей?! — издевательским тоном спросил Лектор. — Пять минут назад ты стрелял гораздо лучше!

— Чего ты хочешь, Лектор?!

— Все или ничего! Мы сделали ставки! Теперь давай решим, кто возьмет банк! Без волын, только ножи!

— Не вопрос! Выходим и бросаем!

— На раз!

Андрей понимал, что Лектор не тот человек, с которым следует играть в азартные игры.

И вообще, это была не игра, а работа, как сказано выше... И все-таки он рискнул и выбрался из укрытия. Без азарта, просто потому, что этого требовала ситуация. Автомат как «хирургический инструмент» в данной «операции» больше не годился, следовало срочно найти другой.

Автомат он все-таки держал наготове и заранее решил, куда отпрыгнет, если Лектор попытается выстрелить. Но...

Удивительно, однако Лектор не выкинул какой-нибудь фортель. Он тоже медленно вышел из-за груды мусора, а затем первым перехватил автомат за цевье.

— Раз! — сосчитал Лектор и бросил «калашников».

— Два, — Андрей усмехнулся и положил свой «Вал».

Считать до трех не пришлось. Уже в следующую секунду оба очутились рядом с пакалями. И оба сжимали в руках ножи. По два на каждого.

На долю секунды Андрей замер, оценивая стойку противника и одновременно прикидывая, какой вариант боя выбрать. Почему-то в Мире Катастроф Луневу приходилось больше работать холодным оружием, чем стрелять. Сначала была схватка с Агрессором, потом неудачная стычка с «Серым», и вот теперь напротив стоял Лектор. Имелся ли в этом какой-то скрытый смысл или какая-то закономерность? Может быть, Мастер Игры готовил таким образом Андрея к некой особой битве? Кто его знает? В любом случае «прогулять» очередную схватку не светило. Да Лунев и не собирался отлынивать. Работа есть работа.

Лектор атаковал красиво, его ножи мелькали, как велосипедные спицы, но при этом комбинации он проводил четко, без малейшего намека на сумбур. Андрею даже понравилось. И все-таки старания Лектора пропали даром. Ничего нового в ножевом бое он для Андрея не открыл. Лунев парировал все выпады, провел контратаку, и Лектор был вынужден отступить.

Правда, он тут же попытался вновь атаковать, теперь не настолько академично и с парой финтов, которые опять же Андрея не удивили, но заставили вновь задуматься о личности противника. Такие финты практиковались, пожалуй, только в одном месте на Земле, в портах Северной Африки, своеобразной тихой гавани и сборном пункте для наемников и пиратов. Получалось, Старый встречал Лектора именно там, в конце девяностых?

Третья атака Лектора заставила Андрея наконец-то поработать всерьез, и ему пришлось отбросить лишние размышления. Лектор опять взвинтил темп, прибавил в работе ногами, оттеснил Андрея на линию пакалей и почти зацепил по плечу, но промахнулся и тут же получил сдачи. Клинок Лунева полоснул его по руке и заставил выронить одну из финок.

Но Лектор не остался в долгу и выбил нож из левой руки Андрея красивым ударом ноги. Равновесие восстановилось, хотя моральный перевес, очевидно, был на стороне Андрея, ему оставалось лишь дожать противника. Но, как обычно, в самый неподходящий момент на сцене появилась «кавалерия», которую Лунев оставил неподалеку от лифтов.

— Андрей, в сторону! — крикнул Муха. — Я его сниму!

— Нет! — Андрей чуть обернулся.

Лектор воспользовался моментом и нырнул вниз, к пакалям. Андрей прыгнул в ту же сторону и наступил на край белого артефакта. Тогда Лектор схватил красную вещицу и случайно (а быть может, и намеренно, понять было трудно) ударил ею о край белого пакаля.

И в тот же миг исчез.

Андрей шумно выдохнул, присел, поднял с земли белый артефакт и обернулся к подбежавшим товарищам. На выручку подоспели все: и группа Лунева, и двое квестеров.

— Куда... он делся? — Муха повертел головой. — Ты почему не отошел?

— Потому, что мог взять его. — Андрей утер со лба испарину и покачал головой. — Ладно, теперь это не важно. Вот, полюбуйтесь. «Белый тигр крадется по мертвым землям». Пакаль обыкновенный.

— Поздравляем, — проронил Каспер, потирая ушибленный затылок. — Дайте два.

* * *

Загадочное исчезновение Лектора не удивило даже Бибика, хотя он наблюдал такой фокус впервые. Командир квестеров знал, что такое возможно, да к тому же не так давно и сам телепортировался на минимальное расстояние через червоточину «такси». Честно говоря, поначалу он решил, что Лектор «провалился» именно в такую червоточину, а потому не расслабился, как все остальные. Лишь когда Муха коротко пояснил, что все чуть сложнее, Бибик остыл и тоже опустил оружие.

— Не совсем понятна технология, — растерянно озираясь, сказал Чернявский. — Столкновение пакалей приводит к различным эффектам, в том числе к телепортации на довольно приличные расстояния, но... ведь контакт между артефактами был разорван. Лектор должен был остаться здесь... теоретически.

— В Дымере со мной случилось то же самое, — возразил Андрей. — Пакали соединились, но затем один упал в разлом. Однако я все равно переместился в Питерскую зону.

— Что случилось, то случилось, — вмешался начинающий приходить в себя Каспер. — Главное, что у нас теперь два нужных пакаля!

— Красный ценнее был, — заметил Бибик.

— Тут дело не в ценности, а в комплекте. Ты просто не в курсе, полковник, а нам подсказка была от «Серого». От самого Мастера Игры! Слышал о таком?

Бибик и Чернявский переглянулись.

— Допустим, слышал, — после паузы ответил Бибик. — И что? Мастер приказал собрать определенную комбинацию пакалей?

— Вот представь себе! — Каспер горделиво выпрямился.

— Трепло ты, Каспер, — со вздохом проронил Муха.

— Все свои, — успокоил товарища Андрей. — Так и было, Бибик. Эти два пакаля — белый с тигром и твой, черный с бескрылой птицей — часть комплекта.

— Интересно, — снова встрял Чернявский. — А для чего нужен комплект и какие еще в нем пакали?

— А какие еще — узнаем, когда соединим эти! — заявил Муха и бросил Андрею его «Вал». — Так, Андрей?

— Не доверяете, — Бибик усмехнулся. — Пора бы уж. Но ладно, мы не в обиде, понимаем. Только и вы поймите нас правильно, свой пакаль мы должны доставить Кирсанову. Это наша работа. Так что... в ваших дальнейших квестах он поучаствовать не сможет.

— Приплыли. — Каспер снова скис и покосился на Шурочку, словно спрашивая: «Может, ты их убедишь?»

Девушка покачала головой: «Вряд ли». Муха тем временем положил руку на автомат. Андрей остался в прежней позе, расслабленным, и вообще никак не обозначил своего отношения к словам Бибика. Будто бы их и не звучало. Было очевидно, что Лунев дает квестерам время подумать и, возможно, изменить свое решение.

Бибик вряд ли «переиграл» бы ситуацию, но за него это сделали те, кто обычно слетается на окончание любого банкета. Нет, не попрошайки или стервятники. Сегодня в роли собирателей объедков выступала «мобильная группа» майора Куприянова. Военные вырулили из-за «Художественного» и быстро взяли квестеров в кольцо.

— Ну вот! — с деланым огорчением в голосе проронил майор. — Так и договаривайся с вами, граждане квестеры и частные следопыты! Необязательный вы народ!

— Что вам не нравится? — Бибик обернулся к майору: — Я командир квест-группы Бибик.

— Я знаю, — Куприянов махнул рукой. — К вам претензий нет. Мы с гражданином бывшим морпехом договаривались, что бонусом станет голова Лектора. И где она теперь? Он какой пакаль утащил? Красный? С его помощью, насколько мне известно, можно далеко улететь. Где теперь прикажете искать этого Лектора?

— Во-первых, откуда вам это известно? — Бибик сам не понял, почему вдруг фактически выступил на стороне Андрея. — Во-вторых, вы, как вижу, и так получили что хотели.

Он кивком указал на пилота Щербинина, который маячил за спинами бойцов.

— Нет, командир, ошибаешься, — Куприянов покачал головой. — Вы в курсе, что в шлюзе произошла авария? Подлодка была атакована, повреждена и легла на грунт. Благо глубина в шлюзовом бассейне детская. Экипаж и спецназ в эти минуты выбираются на причал, потерь вроде бы нет, но операция-то сорвана. И ущерб немалый. Кто за это ответит?

— Лектор! — подсказал Каспер.

— Но ведь вы его упустили!

— Только не надо переводить стрелки!

— А что надо, молодой человек? По голове вас погладить и конфетку вручить?

— Все равно, претензии не по адресу! — Бибик сделал шаг вперед и встал между квестерами (теперь он больше не делил их на своих и «частных») и военными.

— Господа, постойте, это какой-то нонсенс! — попытался вмешаться Чернявский. — Если вам требовался Лектор, почему вы сами его не ловили? Более того, помогли ему уйти из ловушки на Моховой!

— Ты, док, ври, да не завирайся, — Куприянов нахмурился. — За баррикадой мы действовали, исходя из оперативной обстановки! А твои друзья-нелегалы мало того, что устроили резню: сначала на платформе, а затем и под куполом, так еще и помешали нам захватить главаря банды, социально опасного маньяка, когда ситуация созрела. То есть сейчас.

— Но это... чудовищная ложь! Вы подтасовываете факты! Мы уничтожали бандитов! Мы все!

— И где у них было написано, что они бандиты? — Куприянов усмехнулся. — На лбу?

— Заканчивай этот цирк, военный, — не выдержал Муха. — Чего ты хочешь?

— Голову Лектора, как мы и договаривались.

— Но Лектор ушел!

— Тогда... даже не знаю. — Майор в фальшивой задумчивости потер подбородок. — Может быть, в качестве компенсации... ваш пакаль?

— Вот! — неожиданно встрепенулась Шурочка и показала майору кукиш.

Куприянов рассмеялся. Пока он веселился, Лунев и компания получили время подумать, как выруливать из сложившейся ситуации. В чем суть устроенного майором фарса, было предельно понятно. Вернув золото, военные вошли во вкус и передумали отдавать пакаль. Они не собирались вступать в конфликт с представителем ЦИК — себе дороже, но Андрей был частным лицом, и отнять у него пакаль их «понятиями» не запрещалось. Отнять и тут же получить за это премию — фактически перепродать артефакт тому же Бибику, официальному представителю ЦИК, уполномоченному не только искать пакали, но и проводить такие сделки. Обычная практика.

Андрей улавливал и более глубокую суть этого демарша. Связана она была с аварией в шлюзе. Спецназ и морячков следовало как-то успокоить, и навар с продажи пакаля мог стать хорошей компенсацией за возникшие трудности. Но в первую очередь эта взятка должна будет помочь морячкам забыть о том, что майор Куприянов и его команда вообще побывали под куполом. А когда они «забудут» об этом факте, не возникнет и вопрос, зачем майор полез вперед батьки в пекло. Ведь спецназ не в курсе золотых махинаций высокого начальства, на которое в «секретном порядке» работал Куприянов, майор сам в этом признался.

Но все шло к тому, что хитро-жадный майор обломается. Бибик, похоже, прокачал все варианты не хуже Лунева и принял решение двигаться дальше. Вместе с Луневым. Почему? Зачем? Возможно, полковник рассудил, что несколько пакалей лучше, чем один, — вполне практичный подход, хотя и потребует лишних телодвижений. Или же Бибик преследовал какие-то личные цели? Кто знает? Даже когда цели совпадают, мотивация у людей может быть совершенно разная. Но в данном конкретном случае главным стало первое условие — совпадение целей.

Точку в колебаниях и размышлениях Бибика и Лунева поставил новый шаг Куприянова. Насмеявшись, он подал едва заметный знак своим бойцам, и они вежливо, но настойчиво оттеснили в сторонку Чернявского, а затем двинулись к Бибику. Что последует дальше, было понятно. Квестеры ЦИК отдельно, а частные лица отдельно. Как те мухи и котлеты. А после — с одними разговор по душам, а с другими...

Бибик сдал назад, встал почти вплотную к Луневу, незаметно для военных достал из кармана черный пакаль и развернул руку так, чтобы Андрей мог свободно ударить по артефакту.

Квестеры поняли все мгновенно, даже без команд Лунева. Муха и Каспер схватились за разгрузку Андрея. Каспер что-то шепнул на ухо Шурочке, но она помотала головой и вцепилась ему в рукав. В следующий миг Андрей ударил белым пакалем о черный артефакт в руке у Бибика, и...

...В новой зоне разлома было тепло, сухо и светило настоящее солнце. Квестеры разом запрокинули головы и уставились вверх. Сделали они это синхронно и смотрели на синеву неба, украшенного золотым пятаком, настолько жадно, словно уже и не надеялись очутиться под нормальным небосводом, а не под черным куполом или дождливыми небесами московской зоны. И вдруг такое счастье! Пусть снова в зоне разлома — об этом свидетельствовал, собственно, сам разлом, его черная клякса подергивалась неподалеку, посреди пепелища небольшой деревеньки. Пусть! Зато на нормальной почве, а не на морском дне.

Шурочка и Каспер рефлекторно чихнули — тоже почти синхронно, — и это стало чем-то вроде сигнала опустить головы. Какое-то время все щурились от непривычно яркого света, но вскоре проморгались и начали озираться.

Андрей сглотнул, выравнивая давление в среднем ухе, и покачал головой. Вообще-то перепад давления — со стометровой глубины, да на уровень моря — мог выйти боком, но это сейчас было не главное. В первую очередь квестерам следовало сориентироваться, куда их занесло.

«Хотя еще раньше следует поблагодарить Бибика, — решил Андрей и обернулся к полковнику. — Не важно, что им двигало, он поступил мужественно».

— Спасибо, полковник. — Андрей протянул Бибику руку.

— Сочтемся. — Бибик вложил ему в ладонь черный пакаль. — Когда соберем комплект, вернешь все... сколько там получится, четыре, пять?

— Под крутой процент вкладываешь средства! — встрял Каспер.

— Верну, — согласился Андрей. — Только предупреждаю на берегу: скорее всего, до ЦИК ты комплект не донесешь, отнимет Мастер Игры. Так уже было.

— Там посмотрим, — Бибик кивнул и оглянулся по сторонам. — Кстати, о береге. Есть у меня одно подозрение... эх, жаль, Чернявского не прихватили, он бы сразу сориентировался...

— В чем подозрение-то?! — не удержался Каспер.

— В том, что здесь имеется берег. И неподалеку. Разве непонятно?

— Опять море? — Каспер скривился и вздохнул. — Неужели без него никак?

— Ну, так мы разведаем, — предложил Муха. — Да, Андрей?

— Да, — Лунев кивнул, — только для начала уйдем от разлома... вон в тот лесок. Лектора из игры мы вышибли и смылись удачно, но это не гарантирует, что «Серый», противник Мастера, опустил руки. В свое время он не брезговал вмешиваться в игру лично, и поверьте мне, иногда очень эффективно.

— Я помню! — поддержала Андрея Шурочка. — Это когда в Дымере серый самолет нас бомбил, да? Кошмар какой-то был!

— Да, в тот раз тоже, — Лунев кивнул. — Муха, Каспер, в разведку. Встреча вон там, в лесу на холме.

* * *

Высокий и худощавый «Серый» сделал шаг назад и скрылся в тени пролома в стене «Художественного».

У него все получилось. Теперь в этом не было сомнений. Игроки Мастера думали, что выиграли эту партию, но на самом деле все произошло наоборот. Партия завершилась победой «Серого». И что особенно приятно, об этом пока не догадывались не только игроки из команды Мастера, но и он сам.

«Серому», правда, пришлось пожертвовать своим «джокером», но это был правильный размен. Тем более с «джокером» так и не удалось наладить устойчивый подсознательный контакт.

Теперь «Серому» оставалось предъявить «финальный протокол» Мастеру Игры и заставить его признать свое поражение на этом этапе. Возможных осложнений в момент предъявления «протокола» худощавый «Серый» не опасался. Для таких процедур имелось специально отведенное место, где «серые» могли только общаться и ничего более. Даже Мастер Игры не имел там особых прав и полномочий, а значит, худощавому «Серому» ничто не угрожало.

Поскольку в «точке X» «Серого» больше ничто не держало, он сделал еще один шаг назад, в ближайшую червоточину «такси», и очутился у противоположной стены купола «Черная жемчужина», на Болотной площади, в трех шагах от разлома реальности.

Какое-то время он стоял, словно размышляя, следует ли убедиться, что Лектор попал туда, куда планировал его хозяин, а именно — в пропущенную Старым и компанией «точку Y», но затем «Серый» двинулся к разлому. Проверка была лишней. Равно как не было смысла заглядывать в «точку Z», чтобы убедиться, действительно ли угодила в островную «zападню» сводная квест-группа Лунева—Бибика.

«Серый» и так был уверен, что все пешки заняли на игровой доске положенные им места. И это означало, что можно с чистой совестью отправляться на встречу с Мастером. На встречу, которая станет первым шагом к победе не только в партии, но и во всей игре.

Эпилог

Зона разлома 9 (Пакистан, точка Y), 20.07.2016 г. (277-й день СК)

Лектор впервые воспользовался услугами транспортной компании «Пакаль-пакаль», поэтому какое-то время после телепортации анализировал свои внутренние ощущения, а не глазел по сторонам. Если честно, ничего особенного он не почувствовал. Просто — хлоп! — очутился в другом месте.

Гораздо больше было ощущений «внешних». В первую очередь Лектору мгновенно стало жарко. А еще его ослепило яркое солнце.

Лектор поймал себя на том, что невольно задержал дыхание, и уже пора бы вдохнуть. Глубокий вдох дополнил картину окружающего мира множеством незнакомых запахов. А затем глаза привыкли к яркому свету, и Лектор, наконец, сориентировался, где же он теперь находится. Сориентировался приблизительно, но ведь не все сразу!

Лектор стоял на краю глубокого оврага, почти ущелья. Справа и слева высились скалистые горы, а позади — он обернулся — простиралась засыпанная песком и желтоватой пылью равнина. И над всем этим унылым восточным пейзажем висело безжалостное солнце.

«Чумовое распределение! В центр безжизненной пустыни. Да еще не факт, что на родной планете!»

Ходили слухи, что некоторые разломы открывают путь в другие миры, даже в иных звездных системах! Лектор не проходил через разлом, но, кто знает, какие двери отпирают эти странные артефакты? Может быть, они тоже способны зафутболить незадачливого владельца за тридевять земель и планет?

На минуту Лектор запаниковал, но затем успокоился, поскольку обнаружил, что пейзаж имеет еще одну деталь. Вполне земную и узнаваемую. Вдалеке, метрах в трехстах от ущелья, пролегало узкое асфальтовое шоссе. Над ним поднималось едва заметное марево: перегретый воздух висел над дорогой, словно прозрачная вуаль, и слегка подрагивал. Открытие взбодрило Лектора, но он не бросился сломя голову в сторону шоссе. Если пакаль доставил его именно к ущелью, а не к обочине дороги, значит, в этом имелся скрытый смысл. Например, в овраге ждал сюрприз. Какой?

Лектор сделал шаг к ущелью и заглянул вниз.

«Вот такой! — Лектор хмыкнул. — В виде сгоревшего автобуса. Очень интересно. Но что дальше?»

Лектор повертел головой и вдруг обнаружил едва заметную тропу. Она, как узкий пешеходный серпантин, вела вниз, на дно ущелья. Даже по предварительным прикидкам, на спуск могло уйти довольно много времени, но куда было спешить? Укрыться от палящего солнца все равно негде, а в автобусе или поблизости могли отыскаться новые зацепки-подсказки. Да и какие-нибудь полезные вещи, почему нет?

Лектор ступил на тропу и еще раз присмотрелся. По этой дорожке никто не ходил уже давно. И это означало, что имеется шанс и впрямь чем-нибудь поживиться. Лектор, конечно, предпочитал быть орлом, а не стервятником, однако сейчас у него не осталось выбора.

Спуск на дно ущелья занял около получаса, тропинка то и дело пропадала, на склоне встречались трудные участки, а кое-где приходилось и вовсе съезжать на пятой точке, но Лектор справился с первым заданием нового квеста, если можно так выразиться. И получил за это заслуженную награду.

Автобус сгорел дотла вместе с большинством пассажиров, однако случилось это после того, как машина врезалась в скалистое дно и буквально развалилась надвое, отчего три человека и часть вещей были отброшены далеко в сторону. Эти самые вещи и ненужное теперь мертвым пассажирам имущество и стали добычей Лектора.

Первым делом он напялил на голову позаимствованную у одного из мертвецов панаму и быстро осмотрел уцелевшее барахло. Две сумки были набиты всякой чепухой, в одной было спрятано перемотанное тряпками оружие — три уже знакомых Лектору автомата «Хеклер и Кох», и пачки с патронами, — а последним оказался добротный кейс, вскрыть который без специального инструмента было почти нереально. Но Лектор и не стал пока застревать в деталях. Он обшарил трупы и убедился, что проницательность его опять не подвела. В карманах погибших пассажиров нашлась небольшая сумма наличными, множество полезных вещиц, вроде складишков и фонариков, а также вполне рабочий, лишь наполовину разряженный смартфон.

Как средство связи гаджет не работал — может, только здесь, на дне ущелья? — но как источник информации оказался очень полезен.

«Вот почему он не работает на прием, — понял Лектор, изучив несколько файлов и карту в смартфоне. — Я снова в зоне разлома. Номер... девять. Пакистан, форт Рохтас. Всю жизнь мечтал. А эти мертвые граждане — квестеры ЦИК. Не повезло им, плохо закончился квест».

Лектор притормозил с получением информации и закончил осмотр добычи. В кармане у третьего квестера он нашел, что искал. Ключи от кейса.

В чемоданчике обнаружилось много чего интересного: паспорта, другие документы, вплоть до реальных удостоверений ЦИК, пластиковые карточки, планшет с портативным зарядником-генератором и еще немного наличности, но не было главного, того, что вполне могло оказаться у квестеров — пакаля.

«Значит, хлопнулись с обрыва в самом начале квеста, — сделал вывод Лектор. — Плохо дело. Или, может, пакаль был не в кейсе, а у кого-то из застрявших в автобусе?»

Он достал из кармана красный пакаль с тигром и попытался сосредоточиться на ощущениях. Никаких подсказок артефакт не дал. Остался прохладным (в такой-то жаре!) и даже не дрогнул, хотя в Москве, помнится, вибрировал, как дамский угодник, стоило приблизиться к другому пакалю на километр.

Лектор все-таки обследовал автобус и даже изучил обугленные останки пассажиров, но пакаля так и не нашел. Вот нутром чуял, что пакаль здесь был, но не нашел ни артефакта, ни хотя бы подсказок, куда он мог подеваться. Неужели все-таки Лектора опередили? Кто это мог быть? И почему они не взяли вещи, оружие, деньги?

«Получается, не местные. Вряд ли небогатые пакистанцы оставили бы здесь такие сокровища. Один «Хеклер» продать — полгода можно жить припеваючи. Значит, если кто-то и прихватил пакаль раньше меня — он такой же пришлый искатель приключений. Вывод предварительный, но надо ведь от какой-то печки плясать. Если все так, имеется зацепка — чужак. Уже легче. Разумеется, было бы замечательно обойтись без всех этих зацепок, тупо найти тут пакаль, а дальше — хлоп, и умотал бы куда-нибудь, где не так жарко. Но если без сложностей никак, то... по большому счету все замечательно. Есть документы, деньги, оружие и, главное, информация. На крайний случай: выбраться отсюда получится и без второго пакаля. Не так быстро, но получится, без сомнений».

Лектор облизнул пересохшие губы. Возможно, по большому счету все и было замечательно, но уж очень жарко. И всего один этот факт ставил под угрозу срыва все планы Лектора. Что толку от денег и оружия, если ты в пустыне без воды?

«Вот ведь судьба, — Лектор усмехнулся. — То воды кругом — залейся, то наоборот. То сорок разбойников под рукой, а то один, как саксаул среди пустыни. Не заскучаешь в таком режиме при всем желании».

Лектор собрал в сумку все самое нужное, снарядил магазины, повесил на шею карточку-удостоверение квестера и поднял взгляд на крутой склон.

«За водой, за пакалем, за транспортом — не важно, путь один, в этот самый форт Рохтас, —

решил Лектор. — А там разберусь, что делать дальше. Если не отыщется второй пакаль и не будет подсказок, тупо продам пакаль, который уже имеется, и куплю билет домой. Еще и на красивую жизнь останется. А может, здесь на какое-то время подзадержусь, погрею кости. Здесь красивую жизнь мне еще лучше организуют. Восточные товарищи знают в этом толк. Почему нет?»

Приняв решение, Лектор двинулся по тропе вверх. Подсказок он по-прежнему не слышал и не ощущал каких-либо признаков активности красного пакаля в кармане, но почему-то и без того чувствовал, что все делает правильно. И чем выше он поднимался, тем сильнее становилось это чувство, увереннее движения и слабее всякие сомнительные намерения вроде «купить билет домой».

К моменту, когда Лектор вновь очутился наверху, никаких посторонних мыслей в голове у него не осталось. Он появился в этой зоне разлома явно не случайно, а значит, должен был «отработать ситуацию» до конца. И пусть пока Лектор не понимал, в чем заключается его новая миссия, это не имело значения. Придет время, придет и понимание. А там, глядишь, наберется столько пакалей, что хватит и на Очень красивую жизнь. Почему нет?

Зона разлома 11 (Остров, точка Z), 20.07.2016 г. (277-й день СК)

...— Дальше-то что было? — Андрей перевел взгляд с Мухи на Каспера.

— Дальше вообще пипец. — Костя зачем-то сорвал травинку, растер и понюхал пальцы. —

Подходим к берегу, видим море, только с корягами, травой, даже с островками травяными. Мелководье короче, типа заливных лугов. Смотрим, вдалеке на отмели броневик...

— БТР девяностый, — уточнил Муха.

— А рядом пара «КамАЗов» военных, — кивнув, продолжил Каспер. — И бойцы бродят по колено в воде. Сразу нас засекли, на броню забрались и машут типа «идите к нам!». Свистят, кричат что-то... мы не разобрали. Ну, мы сначала попятились, а потом Муха говорит: «Кого бояться, это ведь другие вояки, а мы теперь типа квестеры, все легально, идем, поговорим, хоть узнаем, куда нас занесло».

— И вы пошли, — усмехнулся Бибик.

— Пошли, а чего стоять-то? Шли, шли, запарились, а ушли метров на сто. Может, чуть дальше, но не намного.

— Меньше, — уточнил Бибик, кивком указывая на экран небольшого планшета. — Пока вы ходили, я тут поковырялся в записях. Девяносто семь ровно. От уреза воды. Везде одинаковое расстояние, погрешность на волны — плюс-минус метр.

— До чего расстояние-то? — вклинилась Шурочка. — Ничего не понимаю, там стенка была, что ли?

— Подожди, — остановил ее Лунев. — Каспер, дальше.

— Короче, мы остановились, пот с глаз смахнули и видим: сколько было до военных, столько и осталось, метров триста, наверное.

— Зона отсечки представляет собой кольцо шириной четыреста три метра, — уточнил Бибик, читая с экрана. — В сумме полкилометра. То есть со стороны Большой земли ближе к Острову не подойти.

— Ну, значит, четыреста, — согласился Каспер. — Смотрят, короче, вояки на нас и со смеху покатываются. Как будто перед ними не мелководье заливное, а цирк и мы в нем клоуны. Я сначала не поверил, а потом один прямо на меня пальцем показал и крикнул так, что мы с Мухой услышали оба. «Совсем мозги, — крикнул, — расплавились у придурков трипперных». Обидно, да!

— И ты шмальнул, — подытожил Муха.

— Я шмальнул, — признался Каспер. — Да толку? Они лишь громче заржали. Плюхнулись пули в болото, только из ствола вылетели.

— А они для пущего смеха на нас тромбон бэтээровский навели и лупанули короткой очередью! — Муха усмехнулся. — Тогда мы и поняли, чего они ржут, кони педальные. Снаряды тоже недалеко улетели. Зависли. Крутятся себе, вроде как все еще летят, но на самом деле — висят самым натуральным образом.

— Все верно, это одиннадцатая зона, — многозначительно округляя и без того круглые глаза, заявил Бибик. — Я сразу так подумал. Теперь сомнений не осталось. Кисло наше дело, товарищи бойцы и командиры. Самая гнилая территория. Во всех смыслах.

— Почему? — заинтересовался Муха. — Обоснуй.

— Вот, послушайте, — Бибик прищурился и вытянул руку, чтобы лучше видеть текст на экране планшета, — что сказано в инструкции ЦИК. Достоверных сведений мало. Невидимый барьер не позволяет ученым проникнуть в зону.

— Выйти тоже не позволяет, — заметил Каспер.

— Совершенно верно. Вот поэтому зона разлома номер 11, она же Остров, и считается опасной ловушкой. Еще никто из нее не выбирался, и обмен информацией происходит устно и письменно на квест-станции у границы зоны. По эту сторону местные квестеры-добровольцы вещают через рупоры или пишут на досках, по ту — ЦИКовские ученые это все слушают или разглядывают в бинокли, а потом записывают. Надо идти туда, может, там что-то прояснится.

— Обязательно пойдем, — пообещал Андрей, — но для начала разберемся в том, что можно узнать, не сходя с места. Есть еще что-то в твоем планшете?

— Мало. Написано, что местные жители заражены какой-то инфекцией. Но это вряд ли, извините, триппер, как выразились военные. Скорее лепра, то есть проказа. Но особо быстрого течения. Или что-то похожее и, скорее всего, такое же чрезвычайно заразное.

Лунев обернулся к Мухе и вопросительно вскинул бровь. Муха замешкался, явно не понимая, почему Андрей обращается с каким-то безмолвным вопросом именно к нему, но чуть позже сообразил, в чем суть, и кивнул.

— Зараза есть зараза, — высказался Муха. — Любая. Хоть вирусы с бактериями, хоть радиация. Близко не подпускать зараженных — и все будет в порядке.

— Это верно, — согласился Бибик. — В третьей зоне были похожие проблемы. Только не бактерии народ одолевали, а иноземные энергетические паразиты. Мы там на бывшей военной базе генераторы наладили, ток по колючке пустили и жили себе.

— И никто не заразился? — уточнил Андрей. — А если ушел погулять, а потом вернулся больной, только в латентный период? Допустим, в первый час после заражения.

— Нет. Та зараза быстро действовала. Чистая энергия была, ей скрытый период не требовался. Четверть часа, и все, был человек — стал одержимый. Так мы зараженных называли. Здесь все почти так же. Вот послушайте, какие симптомы: минут десять, и уже начинает качать, потом жар, трясучка, первые язвы. Таких за версту видать. В третьей зоне тоже было видно одержимых. Как раз вокруг базы поле было почти в километр шириной. Пока дойдут, сто раз споткнутся. А еще на периметре у нас детекторы стояли. У кого сильное магнитное поле, на раз вычисляли. Ну и шлепали, пока близко не подобрались. А то, когда близко подходили, бывало, жалость играла. Ведь уходили-то свои, а вернулись... короче, отработано все было.

— О чем и толкую, — сказал Муха. — У нас в зоне с радиацией беда была и с мутантами, но принципы защиты те же. Так что... будем держать зараженных на дистанции — прорвемся.

Неожиданно ближайшие кусты дрогнули, в них обозначилось какое-то движение, и Лунев с Мухой тут же взяли заросли на прицел. Секундой позже оба разом опустили автоматы. Из леса неспешно вышел «Серый». Невысокий и далеко не худощавый.

— Это Мастер Игры, — негромко проронил Андрей, обращаясь к товарищам. — Спокойно.

— Давно не виделись, — буркнул Муха, забрасывая оружие на плечо.

— Андрей Лунев, Михаил, Константин, Степан, Александра. — Перечислив квестеров, «Серый» взял короткую паузу, затем кивнул и продолжил: — Вы закончили второй этап.

Мастер Игры развернулся к Луневу и замер, ожидая его реакции.

— Что, снова мне говорить, а вы будете исправлять и дополнять? — Лунев усмехнулся. — Проведем разбор полетов номер два?

— Да, Андрей Лунев.

— Тогда начну с главного, Мастер. — Старый тоже выдержал паузу. — Эту партию мы продули с крупным счетом. Хотя до последнего момента думали, что выигрываем. Верно?

— Продолжай. — В голосе Мастера не было никаких ноток-подсказок. Он ни согласился, ни поставил вывод Лунева под сомнение. Впрочем, как это было всегда.

— Эта зона — настоящая западня, выбраться с Острова нельзя, разве что через разлом, но этот вариант исключительно для «серых». Ваш противник, тот высокий и худой «Серый», изначально хотел заманить нас сюда. Для этого он подсовывал нам нужные пакали и создавал с помощью Лектора убедительную видимость ожесточенного сопротивления. Так было, Мастер? Не молчите, ответьте хотя бы на один вопрос, что вам стоит? Вас он тоже провел? Или вы решили нами пожертвовать ради высокой цели и потому позволили противнику бросить нас в вечное островное заточение?!

— Не совсем так.

— Очень содержательный ответ, — Лунев поморщился.

— Вы допустили ошибку, поэтому попали сюда.

— Мы допустили ошибку?! — Андрей коротко рассмеялся. — Может быть, ошибка заключалась в вашей подсказке?!

— Сколько было строк в подсказке?

— Что? — Лунев удивленно взглянул на Мастера.

— Сколько было строк в подсказке? — ровным голосом повторил Мастер.

— Четыре или пять, — Андрей пожал плечами и обернулся к Касперу, но передумал, вспомнив, что тот «слаб в странных стихах», и перевел взгляд на Муху. — Ты помнишь?

— Четыре. Белый тигр по мертвым землям... бескрылая птица на черном льду... кровь земли, зеркало неба и что-то там про август, — припомнил Муха.

— Еще про шайтана было, — вдруг заявил Каспер и шлепнул себя ладонью по лбу. — Сон! Это все был сон! Я только теперь это понял!

— Ты о чем? — удивленно спросил Андрей.

— Мы все видели один и тот же сон, помнишь?! В этом сне была неправильная подсказка! Из четырех строк вместо пяти! А в настоящей подсказке была строчка про золотые зубы шайтана!

— Иблиса, — уточнил Мастер и плавным жестом сформировал прямо в воздухе нечто вроде прозрачного экрана, на котором вспыхнули синеватые строчки:

Белый тигр крадется по мертвым землям...
Бескрылая птица скользит по черному льду...
Ждут их в горах золотые зубы Иблиса...
Кровь земли брызжет на зеркало неба...
И останавливает время август...

— Как видите, Константин прав, — после небольшой паузы продолжил Мастер. — Мой противник обманул вас. Он получил доступ к вашему подсознанию и подменил воспоминания. Вот почему вы оказались в западне на этом Острове. Окажись у вас в руках комплект «белый тигр, черная птица, золотой оскал, красная трапеция», вы действительно переместились бы в зону «зеркала неба», где и нашли бы убежище противника. Но соперник изъял строку подсказки из ваших воспоминаний, а я этого не обнаружил.

— А говорите — мы виноваты, — прокомментировал слова Мастера Старый.

— Я говорил, что вы допустили ошибку. Исправлять ее придется вам самим.

— А нельзя переиграть? — встрял Каспер. — Если ваш противник смухлевал, значит, партия не засчитывается. Разве нет?

— Соперник применил запрещенный прием, но...

— На войне все средства хороши, — Андрей дерзко завершил фразу вместо Мастера. — Понимаем. Но чтобы впредь не попадать в такие ловушки, хотелось бы знать, каким это образом худой «Серый» умудрился залезть к нам в мозги?

Мастер явно не желал отвечать. Он даже отвернулся от Андрея, как бы передавая слово другому игроку. Но, похоже, все квестеры ждали ответа именно на этот вопрос. Все, кроме Шурочки.

— Еще в любви все средства хороши, — вмешалась молчавшая до сих пор Шурочка. — Я, может, глупость скажу, но нельзя ли задать уважаемому... Мастеру, да?.. вопрос о будущем, а не о прошлом?

— Пусть сначала ответит про доступ к нашим извилинам, — хмурясь, возразил Муха. — Лично мне такие варианты не нравятся. У меня и так мозги в шатком равновесии, а тут еще это...

— Но теперь ведь важнее понять, как отсюда выбраться, а не как мы сюда попали и что там было с нашими мозгами! — настойчиво продолжила Шурочка. — Теперь это в прошлом и может подождать! Я не права?

— В любом случае зато ты красотка. — Каспер улыбнулся и протянул ей руку. — Да и вопрос на самом деле ты подняла верный. Поздравляю.

— С чем? — Шурочка смущенно похлопала пышными ресницами.

— Выбраться с Острова можно, добавив к комплекту третий пакаль, — как бы исключительно ради Шурочки (а на самом деле наверняка чтобы уйти от скользкой темы) снизошел Мастер. — Это будет местный красный, с изображением усеченной пирамиды. Он позволит вам исправить допущенную оплошность. Соединившись с белым и черным, он переместит вас в зону разлома, которую вы пропустили. А найденный там золотой пакаль позволит вам найти зеркальный. Если так случится, вы снова ухватите нить игры. Если нет — сойдете с дистанции. Навсегда.

— Жесткие правила, — заметил Бибик.

— Да, — просто ответил Мастер.

— Жалко, красный у Лектора остался, — сказал Каспер. — Так бы сразу... бац, и в дамки!

— Вам нужен местный пакаль, он часть ключа, — без особых интонаций возразил Мастер. — Лишь пять ключевых пакалей «видят» этот Остров и на нем работают. Для остальных пакалей не существует этой зоны разлома.

— Вот так вот! — Каспер почесал в затылке. — То есть этот Остров действительно серьезная западня. А местный красный точно здесь?

— Да.

— А ваш противник не мог его забрать? Ну, чтобы мы уж наверняка отсюда не выбрались.

— Нет. Если не будет ни одного шанса, не будет игры. А ему нужна победа в игре. Другого способа занять мое место не существует.

— Ах, вот что! У вашего противника цель — занять ваше место! Тогда понятно! Или непонятно. Почему не подкараулит вас где-нибудь? Другого «Серого», у которого отнял зеркальный пакаль в прошлой партии, он ведь подкараулил.

— Мастер не «другой». Мастером становятся по ходу игры, а не в результате подлого нападения в подворотне. Убийца Мастера не сможет продолжать партию — с ним никто не станет соревноваться дальше. Поэтому мой противник будет играть. Нарушая правила, но играть.

— Все просто, — вновь добавил Старый. — А еще высокий и худой «Серый» понимает, что обвинения в нарушении правил с него снимут, только если он сделается Мастером. Так?

— Обвинения будут отложены, но не сняты.

— Сути дела это не меняет. Доказано главное: худой очень хочет занять ваше место, Мастер, и готов ради этого на все, кроме полного срыва игры. Кстати, как его зовут?

— Эта информация закрыта.

— Хорошо, как его можно называть? Вот вы — Мастер Игры. А он? Претендент? Заговорщик? Противник?

— Придумайте сами.

Разговор внезапно прервался. В зарослях снова зашуршало. Теперь более отчетливо и тяжеловесно, нежели перед появлением Мастера. Группа в полном составе, даже Шурочка (откуда что взялось?!), мгновенно схватилась за оружие и рассредоточилась. Шуршание тут же прекратилось.

Муха осторожно приблизился к зарослям, постоял несколько секунд, прислушиваясь, а затем нырнул в глубь зеленой стены. Прошло минуты полторы, и разведчик вернулся. По лицу было видно, что никого подозрительного Муха не обнаружил.

— Нашлепка, — коротко прокомментировал ситуацию Муха и кивком указал на то место, где недавно стоял Мастер Игры.

Ни Мастера, ни какой-нибудь действительно «нашлепки» или хотя бы примятой травы там не было. «Серый» отвлек внимание и пропал. Все в лучших традициях этой непонятной гуманоидной породы.

— Короче, ясно, — растерянно озираясь, сказал Каспер. — Осталось найти красный пакаль. Мастер не поможет в этом деле, но у нас есть детектор... то есть... тьфу ты... дескан!

— Есть, — подтвердила Шурочка и гордо взглянула на Старого. — Я сохранила в лучшем виде!

— Зачет. — Андрей скользнул по ней взглядом и обернулся к Бибику.

На лице у Шурочки отразился сначала страх, а затем обида. Испугало ее, видимо, «лекторское» словечко, а обиделась... кто ж знает, на что она обиделась? На то, что Андрей так и не воспринял ее всерьез? Возможно, она понадеялась, что Лунев зачислил ее в группу не из практических соображений, а по личным мотивам, и вдруг получите: «зачет» — и пошел дальше. Даже не подмигнул или хотя бы взгляд задержал! Ничего эти мужики не понимают в тонких чувствах! Шурочка незаметно вздохнула.

Интересно, что «лекторское» словечко зацепило не только Шурочку, но еще и Муху. Он какое-то время задумчиво смотрел на Лунева, а затем подошел поближе и негромко спросил:

— Почему все-таки ты не стрелял, когда была возможность? И зачем устроил махач на ножах? Мог ведь сразу Лектора завалить.

— Что это ты вдруг вспомнил? — Андрей чуть удивленно посмотрел на Муху.

— Ну, разбор полетов, так до конца, чтобы с чистой душой дальше...

— Муха, не сейчас.

— А когда?

— Хорошо, — после недолгой паузы согласился Андрей. — Лектор напомнил мне человека из нашего мира. Точнее — из общего мира, который существовал до расщепления в 2008-м. Знакомого.

— Понятно. Но ведь на самом деле это был не он?

— Думаю, нет. Уверен, что нет.

— Почему же тогда ты его не завалил?

— Наверное, мне запретил пакаль, — Андрей пожал плечами. — Эти штуки влияют на владельца. Помнишь, я отдавал его Касперу на хранение? Причина была в этом. Я почувствовал, что пакаль мешает мне принимать верные решения. Скорее всего, в случае с Лектором произошло нечто подобное. Ты в чем-то меня заподозрил?

— Нет, — Муха покачал головой. — Просто разбираюсь, чисто для себя. Ты же знаешь, я...

— Зануда! — вмешался Каспер. — Чего докопался?! Вот Бибик в обоих мирах оказался хорошим человеком, ему повезло, а другому не повезло, здесь у него двойник — скотина. Вот и все! Устраивает такой ответ?

— Не об этом речь... — Муха замялся. — Потом надо будет разобраться все-таки, что это за двойники, почему так часто встречаются и почему пакали не дают их валить. А главное, как «серые» умудряются забираться к нам в мозги, и нет ли тут связи с двойниками и пакалями. Думаю, это все важно и на завтра лучше не откладывать: — Муха покосился на Шурочку. — Не то, глядишь...

— Послал бог правдоискателя! — перебил его Каспер и всплеснул руками. — Как тебя Скаут с Ольгой терпели?! Уймись, прокурор-любитель! В аномальных зонах все равно не найдешь правды, только нервы истреплешь своими расследованиями и себе, и людям!

— Алло, спорщики, вы будете смеяться, но в кустах все-таки кто-то есть, — вдруг заявил Бибик и протянул Андрею бинокль. — Только не в этих, а во-он в тех, через ложбинку, на другом склоне.

— А почему надо смеяться? — буркнул Муха, демонстративно разворачиваясь к Касперу спиной.

— Потому, что дорога на квест-станцию лежит аккурат через эти заросли. Даже если в обход пойти, придется двигаться примерно в этом направлении. Или мы не пойдем на станцию? Шурочка, у тебя на дескане есть отметки?

— Нет. То есть да! Но это наши, как я поняла, — Шурочка кивком указала на Андрея, а после ткнула пальчиком в экран прибора. — Вот они, в одну слились. А других нет.

— И у меня других нет. — Бибик сверился со своим десканом. — Андрей, что скажешь?

— Будем искать. — Андрей покрутил пальцем, словно показывая, как вращается вихрь.

— Много кругов нарежем, — заметил Каспер.

— Каждый новый будет короче, — «утешил» его Муха. — По спирали же пойдем.

— За точку отсчета возьмем квест-станцию, — решил Старый. — А с этими... — он кивком указал на фигуры местных жителей вдалеке, — разберемся как-нибудь. В первый раз, что ли?

— Эт-точно. — Каспер приосанился и покосился на Шурочку. — Чего ждем тогда? Погнали?!

Андрей окинул взглядом группу и едва заметно усмехнулся:

— Не вопрос.

Содержание

Литературно-художественное издание

Шалыгин Вячеслав Владимирович

ZAПАДНЯ

Ответственный редактор *Д. Малкин*
Редактор *В. Татаринов*
Художественный редактор *С. Курбатов*
Технический редактор *О. Куликова*
Компьютерная верстка *Л. Огнева*
Корректор *Л. Фильцер*

ООО «Издательство «Эксмо»
123308, Москва, ул. Зорге, д. 1. Тел. 8 (495) 411-68-86, 8 (495) 956-39-21.
Home page: **www.eksmo.ru**   E-mail: **info@eksmo.ru**

Өндіруші: «ЭКСМО» АҚБ Баспасы, 123308, Мәскеу, Ресей, Зорге көшесі, 1 үй.
Тел. 8 (495) 411-68-86, 8 (495) 956-39-21
Home page: www.eksmo.ru   E-mail: info@eksmo.ru.
Тауар белгісі: «Эксмо»
Қазақстан Республикасында дистрибьютор және өнім бойынша
арыз-талаптарды қабылдаушының
өкілі «РДЦ-Алматы» ЖШС, Алматы қ., Домбровский көш., 3«а», литер Б, офис 1.
Тел.: 8 (727) 2 51 59 89,90,91,92, факс: 8 (727) 251 58 12 вн. 107; E-mail: RDC-Almaty@eksmo.kz
Өнімнің жарамдылық мерзімі шектелмеген.
Сертификация туралы ақпарат сайтта: www.eksmo.ru/certification

Сведения о подтверждении соответствия издания
согласно законодательству РФ о техническом регулировании
можно получить по адресу: http://eksmo.ru/certification/

Өндірген мемлекет: Ресей
Сертификация қарастырылмаған

Подписано в печать 27.09.2013.
Формат 84×108 ^{1}/$_{32}$. Гарнитура «Гарамонд».
Печать офсетная. Усл. печ. л. 20,16.
Тираж 7 000 экз. Заказ 669.

Отпечатано в ОАО "ПИК "Офсет". 660075, г. Красноярск, ул. Республики, 51
Тел.: (391) 211-76-20. E-mail: marketing@pic-ofset.ru

ISBN 978-5-699-66745-1

16+